LA REBOUTEUSE DE CHAMPVIEILLE

DU MÊME AUTEUR

Le Bâtard du bois noir, L'Archipel, 2008.

Deux ânes, deux moines et deux putains, Hors Commerce, 2006.

Les Loups du Mardi gras, Hors Commerce, 2005.

La Bande noire, Cheminements, 2002.

L'Écrit rouge, Albin Michel, 1999.

L'Ombre du diable, Albin Michel, 1999.

HUBERT DE MAXIMY

LA REBOUTEUSE DE CHAMPVIEILLE

roman

l'Archipel

www.editionsarchipel.com

Si vous souhaitez recevoir notre catalogue
et être tenu au courant de nos publications,
envoyez vos nom et adresse,
en citant ce livre, aux Éditions de l'Archipel,
34, rue des Bourdonnais 75001 Paris.
Et, pour le Canada,
à Édipresse Inc., 945, avenue Beaumont,
Montréal, Québec, H3N 1W3.

ISBN 978-2-8098-0180-4

1

Les chevaux du demi-solde

Le col dévoila l'horizon. Le voyageur s'arrêta le cœur battant. Les pins bleutés cédaient la place à des bataillons de sapins sombres. Entre les bois, des prés. Dans les combes, des touffes de joncs hirsutes. Une vague de souvenirs déferla. Ce pays, où il revenait sans passion, le rabrouait pour cette insolence. Un pays magnifique, le sien, qu'il avait cru oublier. Sur deux grandes lieues, la route empierrée escaladait les croupes ou plongeait dans les pentes. Au loin, à peine visible dans le crépuscule, cheminait un tombereau. Des vaches le tiraient, il le vit tout de suite, question d'habitude, une habitude endormie depuis un quart de siècle. Ce travail tarissait leur lait, mais, bon an mal an, elles vêlaient. Dans cette contrée rude, une paire de bœufs était un luxe. Mille fois dans son enfance, il avait mené de tels attelages.

Au bout de la route, les tours jumelles de l'abbaye se découpaient sur le ciel mauve.

Il ferma les yeux, offrit son visage à la bise. Ici, le vent n'arrêtait jamais. L'hiver, il hurlait tout au long du plateau. L'été, la brise rafraîchissait quand le soleil tapait à travers l'air sec de l'altitude.

C'était le Haut-Velay qu'il avait fui jadis. Aujourd'hui, une page se tournait. Une bouffée de joie balaya les ambitions, doutes et amertumes de vingt-trois ans d'exil. Il allait se construire une vie nouvelle, ici. Sentant ses yeux s'humecter, il sourit.

Une bourrade sur son épaule, le choc sourd d'un pied dur frappant la terre gelée le sortirent de sa rêverie. Ses compagnons s'impatientaient. Il se tourna vers eux. Il avait toujours aimé les chevaux. Pas les pur-sang minces qui s'effraient de leur ombre et s'éclatent le cœur dans des galops insensés, mais les modestes bêtes de trait, aux formes rondes, aux sabots grands comme des plats à barbe. Ces deux-là, malades et efflanqués, s'étaient bien rétablis en trois semaines d'un voyage paisible. Exercices et nourriture riche avaient suffi. D'ici un petit mois, ils seraient magnifiques. L'arrivant avait rarement vu des percherons aussi grands. Ils atteignaient six pieds à l'encolure, sa taille, soit un mètre quatre-vingt-trois dans la nouvelle mesure instaurée par la République. La rencontre de ces deux grands hongres avait été une chance.

Le voyageur qui contemplait au loin l'église abbatiale de La Chaise-Dieu avait quarante ans et se nommait Jean Charzol. L'ultime chute de Napoléon avait scellé le sort de ce capitaine de chasseurs comme celui de quelque vingt mille officiers : la retraite avec demi-solde. Il avait traîné jusqu'à l'automne dans une caserne de Reims et, fin novembre 1816, un mois auparavant, il avait été « libéré ».

Logeant en ville, il avait payé d'avance deux semaines de loyer et s'était donné jusqu'au terme de sa location pour se choisir un avenir. Les deux grands percherons avaient décidé pour lui. Il les avait achetés sur une impulsion, du moins l'avait-il cru jusqu'à ce que s'impose la cohérence de ce choix.

Démobilisé, il avait tout d'abord ressenti un grand vide, qui peu à peu avait laissé place à un surprenant soulagement. Il avait marché des jours dans la ville, perdu dans ses pensées. Un matin, ses pas l'avaient ramené à la caserne où il avait passé un long trimestre à contempler la déliquescence de l'armée impériale. Il contemplait le bâtiment morne avec une sorte de dégoût, se disant qu'il ne remettrait jamais les pieds dans un pareil endroit. Il y était pourtant entré, attiré par une affiche annonçant une vente de chevaux aux enchères. L'armée ne bradait pas seulement ses hommes.

La taille et la robe de deux bêtes étiques l'avaient intrigué. Pourquoi avait-il aussitôt songé à Waterloo ?

La bataille était perdue, il venait de le comprendre. Il reculait, gardant ses hommes en bon ordre afin d'éviter la débâcle et ses massacres. Sur sa gauche, deux énormes chevaux, attelés à un lourd caisson de munitions, chargeaient les Anglais. La crinière du premier, un alezan, était blonde, celle de l'autre, un bai acajou, d'un noir profond. Elles flottaient au vent de leur course comme d'étranges flammes. Lié sur son banc par ses rênes, le cocher, le front éclaté par une balle, galopait vers l'enfer. Malgré les coups de sabre, les grands percherons avaient piétiné une dizaine d'habits rouges avant de s'arrêter couverts de sang. Une image indélébile dans la mémoire du capitaine.

Lors de la vente, il s'était d'abord refusé à reconnaître l'attelage fou. Puis les plaies longilignes et chroniques des deux vétérans l'avaient convaincu. Seuls des sabres tranchaient ainsi. Cet état déplorable était scandaleux !

Le montant dérisoire de leur mise à prix avait tiré Jean Charzol de ses réflexions amères. Sans l'avoir clairement voulu, il avait levé la main.

Immédiatement, il était parti vers la campagne, emmenant les deux bêtes dont les jambes flageolaient. Il avait trouvé une ferme où les placer durant quelques jours. Le lendemain, il avait fait venir un vétérinaire de l'armée qui avait incisé et pansé les plaies. Aussitôt les chevaux s'étaient mis à dévorer foin et avoine, sans barguigner.

Huit jours plus tard, il était parti pour son « département de naissance », comme l'exigeait son nouveau statut de demi-solde. « Haute-Loire » : un nom ridicule ! Il regrettait qu'on n'eût pas maintenu à la nouvelle circonscription administrative son nom de toujours : le Velay. Il avait donc pris la route du sud. Avant Lyon, il avait obliqué au sud-ouest. Il n'aimait pas les villes.

Tout au long du voyage, il avait eu l'étrange sentiment que ses chevaux connaissaient la route, qu'ils le guidaient. D'eux-mêmes, ils l'avaient ramené chez lui.

Deux petites lieues, soit une grande heure. Il se remit en route, sachant parfaitement qu'il marcherait de nuit. Qu'importe. Il connaissait chaque pierre du chemin et arriverait pour la soupe à l'auberge du Coq-Rouge.

Le froid pinçait. L'abbaye, proche maintenant, se découpait sur un ciel piqueté d'étoiles. Ses chevaux, Canon, l'alezan à crinière blonde et Boulet, le bai, le suivaient sans qu'il ait à tendre leurs longes. Ils allaient côte à côte, reliés par l'attelage de l'habitude. Le demi-solde avait ainsi marché presque deux cents lieues. Monter ses bêtes de trait lui aurait paru inconvenant.

Vingt-deux longues années de campagnes l'avaient mené un peu partout en Europe, toujours à pied, en des étapes de dix lieues et parfois davantage, portant quarante livres sur le dos. Alors, cette marche sans sac, en compagnie de deux hongres à apprivoiser – « à séduire », songeait-il –, avait ressemblé à une promenade. Il s'était senti l'esprit libre à cheminer ainsi sans but immédiat, et avait pleinement pris conscience que, pour lui, si un monde s'achevait, un autre allait surgir.

Il s'était engagé lors de la « levée en masse » de 1793. Comme des milliers d'autres, il était parti « sauver la nation en danger ». Pieds nus, équipés de mauvais fusils, les conscrits avaient affronté des troupes de métier, cruelles et bien armées. Les survivants avaient appris dans la douleur les ravages de l'artillerie et la puissance des cavaliers au galop. Les salves des Autrichiens en blanc, ou des Anglais en rouge, avaient fauché leurs camarades par vagues entières avant qu'ils n'apprennent à tuer eux aussi, qu'ils s'aguerrissent.

Parce qu'il savait survivre, mais aussi parce qu'il savait lire et écrire, Jean Charzol était monté en grade. N'ayant au pays nul autre avenir que bûcheron ou vacher, il était demeuré soldat. Il avait cru en la République et en l'Empire avant de comprendre que le Petit Tondu, dans son désir insensé d'asservir l'Europe, était en fait un triste mégalomane, coupable d'avoir fait tuer sur les champs de bataille un million de jeunes hommes qui ne demandaient qu'à rentrer chez eux. Le retour des Bourbons avait offusqué Jean, celui de l'île d'Elbe tout autant. Il avait cependant obéi à ses chefs. Que faire d'autre ?

La démocratie restait son rêve. Terrien réaliste, il n'osait pourtant croire à son rétablissement rapide. Depuis dix ans, il taisait ses idées républicaines mais gardait au cœur le sens du devoir et sa conviction pour les droits de l'homme libre.

Le paysage nocturne s'éclaira quelques brèves minutes. La pleine lune s'agrippait au bord de l'horizon. Au même instant, un hurlement éclata au loin. Un autre lui répondit, plus proche. Les chevaux bronchèrent. Sans les lâcher, le demi-solde s'approcha de la charge de Boulet, en tira son sabre, caché mais facile d'accès, et pressa le pas.

Des loups errant dans les sapins noirs par une nuit de décembre, sous la lumière froide d'une lune blême... il y avait de quoi inquiéter les plus braves. Jean se remémora ses peurs d'enfant, lors des veillées. On recevait les voisins ou bien on leur rendait visite. La bise soufflait au-dehors. Dans l'âtre, les bûches de sapin, proies de flammes rouges, crépitaient en crachant des étincelles. Pour économiser les chandelles, elles étaient les seules lumières. Alors les voix des grands, masqués par la pénombre, se paraient d'une inquiétante présence. Il était question de pays lointains, d'aventures bizarres, de chasses extraordinaires, mais souvent, très souvent, on en revenait aux bêtes dévorantes qui attaquaient les vieux et les enfants sortis pisser le soir. Il fallait ensuite rentrer à la maison dans le froid et parfois la neige. Même dans les rues du bourg, et malgré les lanternes, le gamin guettait dans les ténèbres les fauves à l'affût.

Les grands hongres s'arrêtèrent soudain. Les prédateurs étaient là. Jean Charzol compta quatre puis cinq paires d'yeux luminescents. Il parla à ses chevaux tout en serrant leurs brides d'une main. De l'autre, il assura sa prise sur la poignée de son arme et attendit. Les agresseurs approchèrent puis se retirèrent, chacun à leur tour, de plus en plus près. Quand le chef de meute, repérable à sa taille, s'avança une ultime fois, l'échine basse et l'œil faux, Charzol se fendit. Un glapissement de douleur. Son coup de pointe avait fait mouche. Les autres bêtes disparurent dans un crépitement ténu de branchettes brisées. L'animal blessé s'éloignait en rampant. Contrecoup de sa peur, une rage ravagea l'homme. D'un bond, il fut sur le loup. Un formidable coup de taille lui trancha la tête qui vola, mâchoire claquante, en ultime défense. Fugace simulacre de vie, le corps décapité battit des pattes. Le sabreur s'arrêta, le souffle court. Il revint pesamment vers ses chevaux qui tremblaient. Sa furie calmée, il essuya sa lame avec une feuille morte puis ramassa son trophée. Il le contempla le temps que s'en égoutte le sang. Mâchoires crispées, babines retroussées, le tueur avait péri en tentant de mordre. L'ex-capitaine ressentit une sorte de compassion pour ce loup. Il aurait dû lui laisser sa chance. Même s'il lui devait une injuste réputation de courage, cette fureur incontrôlable qui lui avait fait achever cette bête procédait d'une folie qu'il cherchait à taire. Aujourd'hui, elle le laissait vide, épuisé, démoralisé. Il n'aimait plus la mort violente, ni pour les bêtes ni pour les gens. Il l'avait trop vue, trop longtemps.

Il reprit sa marche d'un pas accéléré, parlant à ses bêtes pour les rassurer. Les loups allaient se repaître du cadavre d'un des leurs. Il n'y aurait pas de nouvelle attaque cette nuit.

Il atteignit enfin l'auberge du Coq-Rouge. Cogna au portail de la cour et attendit.

— Qui va là ? grogna une voix au bout d'un moment.

— Ouvre, Johannes, mes chevaux ont froid et moi aussi.

L'usage du patois, la voix vaguement familière et le prénom servirent de sésame. L'aubergiste déverrouilla sa porte.

Comme d'usage, on logea d'abord les chevaux.

Ils n'étaient pas nombreux dans la salle basse aux poutres enfumées. Deux jeunes d'une vingtaine d'années, en vêtement de travail, le regardèrent avec méfiance. Deux hommes plus vieux l'observèrent en coin. Les conversations s'étaient tues. On attendait qu'il parlât.

Jean crut voir les pères de ces hommes d'âge mûr qu'il reconnut. Il les salua.

— *Adiu* Paulet, *adiu* Fernand, *commé vaï.*

Les interpellés se donnèrent un coup de coude, comme pour se dire : « Je l'ai reconnu, pas toi ? » Le plus vif s'écria :

— *Adiu* Jeannot. T'arrives une nuit à loups, on dirait.

— Tu crois pas si bien dire.

L'arrivant posa son barda à ses pieds et saisit son trophée par une oreille pour le brandir.

Il y eut comme un flottement dans la pièce.

— T'as été attaqué, on dirait, constata le nommé Fernand.

— Ils étaient cinq. J'ai dû me défendre. Celui-là occis, les autres ont foutu le camp. On donne toujours des primes pour ces bestiaux ?

— Ouais, à la mairie.

— T'y passeras demain, décida l'aubergiste. En attendant, j'mets ça au frais dans le bûcher.

Il emporta la dépouille. Les autres méditaient l'événement. Jean n'en parlait plus. Malgré leur curiosité, ils ne revinrent pas sur le sujet.

— Alors, t'es toujours aux armées ? Te voilà en permission ? demanda Paulet.

Il se renseignait. C'était bien normal. Comment se fier aux gens si on ne sait rien d'eux ? Et on ne sait plus grand-chose d'un gars sans famille parti depuis vingt ans ou plus. Il leur répondit :

— Fini l'armée, la page est tournée. Adieu les guerres, et sans regret.

— Tu reviens au pays ?

Il hocha la tête. Ce ni oui ni non en disait long.

— Et tu vas faire quoi ?

Les jeunes regardaient de biais, curieux maintenant, un rien hostiles, par habitude, face à l'étranger, même si les vieux le connaissaient. Qui donc pouvait être cet homme de haute taille, large et osseux, au visage tanné et à la tignasse rude qui blanchissait aux tempes.

— Faut voir..., répondit Jean aux aînés. On n'est pas pressé... Le pays me manquait... Les sapins, peut-être...

Il ne poursuivit pas. Les autres hochèrent la tête. Ils savaient entendre entre les mots. Les arbres, oui... Dans le temps, juste avant son départ, il bûcheronnait bien, le Jeannot. À dix-sept ans, il vous descendait un pin d'un pied de diamètre en douze coups de cognée.

— Tu vas te louer ? demanda Fernand Ayel pour relancer la conversation.

Les jeunes examinèrent l'arrivant, s'étonnant que leurs aînés ne semblent pas remarquer sa redingote de drap épais et ses bottes de gros cuir, son chapeau à coiffe haute en poil de lapin : la tenue d'un monsieur, propriétaire ou artisan prospère, et non celle d'un tâcheron embauché pour abattre des arbres.

L'arrivant réfléchissait. Jeunes et moins jeunes voyaient bien qu'il pesait son futur propos.

— Je m'établirais bien par ici. À l'orée des bois.

« S'établir », un mot fort. Qui signifiait acheter une terre. Lors de son départ, le Jeannot n'avait ni argent ni espoir d'héritage. Il rapportait donc des sous en plus des chevaux dont il avait parlé avec Johannes. Tous avaient écouté, maquignonnant les bêtes sans les voir. Il y tenait, à ses deux percherons, le Jean Charzol, pour avoir demandé qu'on les installe au chaud près des vaches, sur de la paille propre, et qu'on ajoute du grain à leur foin. En forêt, deux chevaux puissants, attelés en tandem, vous débardaient un sapin de dix-sept toises, même dans les pentes.

— J'aimerais bien trouver quelque chose pas trop loin du bourg... vers Intranges ou La Chapelle-

Geneste. Plus loin peut-être... Pourquoi pas du côté de Berbezit...

Pierre Paulet, qui portait son vin à ses lèvres, faillit s'étrangler. Il jeta sur Jeannot un regard horrifié, avant de plonger le nez dans son verre. En vrai gars du coin, le demi-solde pratiquait le non-dit aussi bien qu'un autre. Il comprit qu'il y avait un loup, comme on disait par ici. Il n'insista pas. C'était assez pour ce soir. Il avait appris plus qu'il n'espérait et en avait bien assez dit. Tout le monde allait maintenant méditer ces propos, les ruminer avec la sage patience des vaches, puis attendre que la situation évolue pour en dire un peu plus. Demain, tout le monde le guetterait au chef-lieu de canton. On viendrait lui parler, on lui offrirait à boire, pour qu'il raconte. Quoi ? S'ils l'avaient su, les villageois ne seraient pas si curieux ! Il eut un sourire rentré. Il dirait des vérités simples, sans cesser d'observer et d'entendre.

— Johannes, tu n'aurais pas du pain et un bout de fromage ?

— Mariette va te réchauffer une soupe avec une bonne cuillerée de saindoux. En attendant, tu boiras bien un canon. C'est ma tournée.

Ils trinquèrent. Les présents levèrent leurs verres, même les jeunes qui n'étaient pas nés quand il avait quitté le pays. Il y a des choses qui se font.

La porte s'ouvrit sur une femme portant une écuelle fumante.

— *Adiu* Mariette, s'exclama l'ex-capitaine, un rien nostalgique.

Il se souvenait d'une fille rieuse aux chairs drues. Il la retrouva dans la femme un peu ronde qui le servit.

— *Adiu* Jeannot, répondit-elle. Te voilà revenu.

À voir son sourire, ce constat lui faisait plaisir. L'arrivant en fut ragaillardi.

Au chaud dans le haut lit-bateau au matelas de laine tassée, sous l'énorme ventre blanc de l'édredon, Jean Charzol contempla la soupente où l'aubergiste l'avait installé. La cheminée y passait, tiédissant la pièce. Disons qu'il n'y gelait pas, alors qu'il faisait moins dix au-dehors. Il sourit, laissa flotter ses pensées, revécut la soirée. Ces gens farouches au verbe rare l'avaient reconnu et accueilli. Leurs propos laconiques, entrecoupés de silences, l'avaient rasséréné. On était sérieux pour les choses sérieuses, par ici ; on prenait le temps de la réflexion. Il ne s'était pas senti aussi bien depuis longtemps. Pourtant, les regards, les attitudes des quatre buveurs exsudaient une angoisse diffuse. Une menace dont on évitait de parler planait sur le canton. Il lui suffirait d'attendre pour savoir. En tout cas, il se sentait concerné. Son enfance et sa jeunesse, dix-sept ans de sa vie, s'étaient passés ici. Une vie rude où l'ennemi était le gel ou la sécheresse. La faim aussi parfois. Il y retrouverait une existence simple. Pas si simple que ça probablement. Il comprit qu'il ne partirait plus de La Chaise-Dieu. Réchauffé au creux des couvertures, il se souleva sur un coude et souffla sa chandelle. L'obscurité s'éclaira peu à peu de la lumière de la lune passant par des cœurs découpés dans les volets pleins.

Il ferma les yeux, songea à son voyage. Quelle distance avait-il parcourue aujourd'hui ? Une douzaine de lieues finalement. Il avait allongé l'étape pour arriver enfin.

Le sommeil le prit d'un coup.

2

Maître Montchovet

Il se réveilla dans une moiteur douce, prolongea ses rêves dans une demi-conscience. Il ne savait plus si les loups de la veille avaient quatre ou deux pattes. Ils incarnaient l'angoisse des villageois dans des silhouettes humaines à visage de garou. La vision s'estompa. Il s'assit dans le lit, plus curieux qu'inquiet. On verrait bien. Il était revenu pour s'établir et ferait face aux problèmes qui se poseraient. Huit heures sonnaient aux cloches de l'église. Il se leva, huma l'air vif.

Il y avait une cuvette et un broc sur la table, ainsi qu'une serviette qui fleurait bon. Il se lava torse nu. L'eau froide rougit sa peau. Il s'étrilla avec conviction puis remit la chemise de la veille, conscient qu'il la portait déjà depuis cinq jours. Il haussa les épaules. De tout temps, à La Chaise-Dieu, les gens « propres » ne changeaient leur petit linge qu'une fois par semaine. Ça irait bien pour aujourd'hui.

Un miroir bon marché pendait au mur. Il y observa son visage. Une barbe de quatre jours l'ombrait. En rappel de ses tempes blanches, à l'aplomb des coins de sa bouche, sa barbe grisonnait alors que la pointe de son menton et sa moustache restaient châtain clair comme sa tignasse fournie. Il sortit son coupe-chou, l'affila sur une sangle de cuir, prépara blaireau et savon à barbe. Il accrocha la petite glace à l'espagnolette et se rasa à la lumière du jour, puis inspecta ses favoris et ses cheveux qui commençaient à boucler sur la nuque. La semaine prochaine, quand son poil aurait repoussé, il se rendrait chez le barbier. Son visage net lui parut plus jeune. Il pourrait plaire à une fille du pays. Il imagina une belle garce qui ne craindrait pas sa peine. Amusé, il réalisa qu'il s'était interdit de se marier tant qu'il serait militaire. Les cantinières avaient certes leurs charmes, mais il n'en avait ramenée aucune...

Il regarda au-dehors. L'auberge offrait la même vue dominante que l'abbaye, sur la droite. Il retrouva avec nostalgie les collines en vagues immobiles, vers Connangles et, au loin, Saint-Pal-de-Senouire.

Dans la salle du bas, Mariette touillait une petite marmite accrochée à la crémaillère de l'âtre.

— Je t'ai entendu te lever, dit-elle, alors j'ai remis la soupe. Assieds-toi. J'ai pas de pain blanc. Du beurre frais et du pain bis, ça ira ?

— Celui de Courtial ? demanda-t-il.

— *Beauseigne*, il est mort depuis plus de quinze ans. C'est son beau-fils qui pétrit maintenant. Y a si longtemps que ça que tu es parti ?

— Vingt-deux ans.

Elle hocha la tête.

— Et tu vas rester ?

— J'voudrais bien.

— Johannes m'a dit que tu cherchais un domaine. Tu sauras encore labourer et curer les vaches, après tout ce temps ?

Ses yeux pétillaient. Elle se moquait de lui. Il sourit :

— Ça se perd pas. Mais c'est pas ça qui m'intéresse.

— Alors quoi ?

— Les bois.

— Il m'a dit ça.

Elle s'assombrit, changea de sujet.

— Le temps de t'installer, tu vas loger ici ?

— Si tu me fais un prix raisonnable...

— Faut que je demande à Johannes.

Il sourit. Elle n'avait pas besoin de l'avis de son mari. Il les avait connus gamins, Johannes et Mariette, et leurs caractères n'avaient pas dû changer. C'est elle qui tenait les cordons de la bourse, aucun doute là-dessus. Il fallait simplement qu'elle réfléchisse.

— Et tu mangerais là ? demanda-t-elle.

— Le soir, sans doute. Mais pas comme les bourgeois ou les marchands qui veulent de la viande à chaque repas. Comme les gens d'ici : une soupe, un bout de fromage, et au lit...

— Et à midi ?

— Peut-être, mais pas sûr. Je te le dirai chaque matin.

— Au sujet d'un domaine, dit Mariette d'un ton hésitant, si tu allais voir Me Montchovet, le notaire ?

— Il doit être vieux comme les rues ! Il exerce toujours ?

— Oh, il a bon pied, bon œil, et puis il n'est pas si vieux que ça. Lui, il te dira...

— Quoi ?

Elle se mordit les lèvres.

— Ben, y s'passe de drôles de choses dans le pays. Il t'expliquera. Avec toutes les querelles d'héritage, il a appris à dire ce qu'il faut dire.

Mariette torchonnait des tables qui n'en avaient pas besoin. Elle l'observait. Attendait-elle une réaction de sa part ? Il devina qu'elle s'interrogeait. Après tout, il avait bien changé, le gars de dix-sept ans qu'elle avait connu. Il la sentit presque intimidée. Il y avait de quoi : il avait surgi de nulle part, en pleine nuit, par un froid de canard. Elle devait se demander qui était réellement ce grand type osseux au visage rude qui devait dépasser d'une tête presque tous les gars du pays. C'était pourtant bien le Jeannot Charzol, l'adolescent rieur qui admirait ses rondeurs avec malice. Elle soupira. Ils n'étaient plus les gamins d'alors. Leur jeunesse avait fui.

— Le notaire, c'est une bonne idée, dit-il en se levant. J'y vais de ce pas.

Quand il descendit, chaussé de ses grosses bottes, son long pardessus sur le dos et coiffé de son beau chapeau, elle l'observa d'un œil vorace. Il vit son regard se fixer à la besace de cuir qu'il portait en bandoulière. À son volume, à la façon dont elle pesait à son épaule, elle cherchait à deviner quelle quantité d'or elle contenait. Il eut un sourire rentré. Elle ne le saurait jamais. Non qu'il fut cachottier, mais la discrétion sur son avoir était préférable. Ne minimisait-elle pas les différences entre les gens, permettant aux plus pauvres de garder leur dignité ? Il ricana intérieurement. Elle empêchait surtout convoitises et ragots.

Avant de partir, le demi-solde visita ses chevaux. Leur bonne mine le réjouit. Il partit ensuite vers le bourg, distant d'une portée de fusil. Un demi-vertige le posséda tandis qu'il marchait. Les guerres, l'armée concernaient quelqu'un d'autre, lui n'était jamais parti. D'infimes détails lui revenaient, une pierre à la forme insolite dans un mur, le nom d'une vieille qui habitait jadis la maison de guingois au bord du chemin, l'endroit où un corniaud avait tenté de mordre le gamin qu'il était, et même l'odeur des cochons qu'on étripait en fin d'année.

Pourquoi, précisément, était-il parti ?

Cette question l'arrêta net. Il ne se souvenait plus de la raison exacte. La levée en masse n'avait été qu'un prétexte. Fuyait-il un morne avenir de bûcheron ? Désirait-il voir le monde ? Rien ni personne ne le retenait après la mort de sa mère. Il y avait autre chose, pourtant : une plaie d'orgueil sans doute, mais il ne savait plus laquelle. Curieux, comme on peut orienter une vie entière à partir d'une futilité.

Comme toujours, une demi-douzaine de corbeaux tournoyait autour de la tour Clémentine, le haut donjon rectangulaire aux impressionnants mâchicoulis, situé au nord de l'abbaye. Leurs croassements aigres s'accordaient à l'hiver. Ils volaient à hauteur des créneaux, et il se souvint qu'enfant il se racontait comment, preux chevalier, il leur décochait des flèches meurtrières. Il avait été l'équivalent moderne d'un chevalier et, sans se renier, n'en était pas particulièrement fier. Les guerriers étaient des brutes, lui compris, et la guerre, une horreur.

Son chemin l'amena à longer les bâtiments conventuels, puis à traverser le cloître dont ne subsistait que la moitié. Il suivit avec plaisir ses deux séries d'arcades à angle droit, puis rejoignit le large couloir voûté qui plongeait en deux volées de marches vers le centre de la petite ville. Il l'atteignit et aussitôt se retourna. En haut de son large perron, la massive élégance de l'église abbatiale le dominait. Il hésita à y entrer, et se promit de le faire avant la fin du jour.

La maison du notaire faisait l'angle de la place. Il souleva le heurtoir. Une servante en noir, portant une coiffe en dentelle, l'introduisit dans une salle d'attente vieillotte. Ses bancs en noyer d'auvergne luisaient, polis par des générations de culs.

Il parcourait distraitement une gazette du Puy, datée du mois précédent, quand un clerc à barbichette apparut devant lui.

— C'est à quel sujet ? s'enquit-il d'une voix aigrelette.

Malgré sa taille passablement courte, il s'efforçait, tête levée, de toiser l'arrivant.

— Je souhaiterais voir Me Montchovet, répondit-il.

— Avez-vous rendez-vous ? Parce que sinon...

— Est-il en rendez-vous ? le coupa l'ex-capitaine d'un ton d'autorité.

Que ce gratte-papier cherchât à l'éconduire, voilà qui l'agaçait. Soumis au regard impérieux du visiteur, celui-là perdit son air hautain, révélant un perceptible malaise.

— Je vais voir, balbutia-t-il.

Il fila tel un rat. Lorsque la porte s'ouvrit, Jean reconnut le bonhomme. Mariette avait raison. Il n'était pas si vieux. Les chauves faisaient âgés avant l'âge, mais ensuite ne changeaient plus guère. Ils se dévisagèrent un court moment et sourirent ensemble.

— Jean Charzol ? Montchovet affirmait plus qu'il ne questionnait. Entre, mon garçon, je t'attendais.

Il l'avait reconnu, lui, l'apprenti forestier parti en guerre à une époque désormais révolue ! Combien de fois dans sa vie avait-il croisé le notaire ? Quatre, cinq fois, pas davantage.

— Je vous suis, maître, répondit-il avec un sourire en coin.

Le tabellion le précéda dans un bureau envahi de bibliothèques. Sur le grand bureau à pieds galbés, datant de Louis le Bien-Aimé, des dossiers fermés de rubans noués débordaient de paperasse. Le vieil homme s'assit, désigna un fauteuil au velours usé à son visiteur, et, tout en astiquant ses bésicles, s'exclama :

— J'espère que tu es toujours républicain !

— Est-ce vraiment possible, après dix-sept ans passés dans les armées du Consulat et de l'Empire ? demanda l'arrivant avec une pointe d'amertume.

— Précédés de cinq ans dans celles de la République, reprit le notaire qui ne se laissa pas démoraliser. On n'engage pas sa vie pour sauver la nation sans être un vrai républicain.

Y croyait-il vraiment ? L'ex-capitaine réfléchit. Le vieux notaire n'était si pas naïf. Son propos touchait en fait une vérité profonde.

— L'Empire n'était qu'une monarchie, en fin de compte, répondit-il. Plus moderne, mais plus meurtrière que la précédente. Quant aux Bourbons, leur nostalgie d'un passé archaïque en fait de tristes bouffons.

Il se livrait. Devrait-il le regretter ? Les yeux pétillants et le sourire de son interlocuteur le rassurèrent.

— Alors, la République reviendra ? espéra le notaire.

— Mes petits-enfants la verront.

Tout deux se turent, puis le vieil homme soupira.

— Il paraît que tu veux t'établir ? reprit-il.

Sur le visage rude du demi-solde sinua un sourire de biais.

— À La Chaise-Dieu, le moindre murmure porte à deux lieues ! Je suis arrivé au Coq-Rouge tard dans la soirée, et tout le monde est déjà au courant...

— Maria, ma fidèle gouvernante, a appris ton retour chez le boulanger, ce matin.

Encombré par sa sacoche en cuir, le visiteur la posa sur la table.

— Ah ! tu as apporté tes sous. Alors, combien possèdes-tu ?

Seul un notaire pouvait légitimement poser une telle question. Jean ouvrit sa besace et en sortit huit bourses de grosse toile.

— Quatre mille francs, dit-il.

Le notaire siffla tel un merle à l'approche d'un chat.

— C'est une somme, dit-il. Honnêtement gagnée, j'espère...

— Mes économies. J'épargnais sur ma solde et mes primes, par habitude. Au fond de moi, je savais sans doute pourquoi. Je n'en ai pris conscience que ces jours-ci, à cause de mes chevaux.

— Des bêtes énormes.

Décidément, le bonhomme était sagace.

— Un mètre quatre-vingts au garrot, répondit-il, mais elles sont encore maigres.

— Un mètre quatre-vingts ? Ça fait combien en pieds et pouces ?

— Ha ! mais on est républicain ou on ne l'est pas ! s'exclama ironiquement Jean. Quand on est habitué, les nouvelles mesures sont extrêmement commodes. En fait, mes bêtes font cinq pieds neuf pouces au garrot. Vous viendrez les voir ?

— Pourquoi pas. En attendant, raconte-moi donc comment ces chevaux t'ont ramené au pays...

On toqua à la porte. Avant que le notaire n'ait dit d'entrer, le clerc barbichu avait passé son nez.

— Maître Montchovet, la baronne d'Apia souhaiterait vous voir pour un emprunt.

— Dites à cette dame Apia que je suis occupé. De toute façon, sa solvabilité ne permet pas d'envisager un nouveau prêt avant le remboursement du précédent.

Le chafouin prit un air offusqué et s'éclipsa. Revenant à son hôte, le tabellion crut nécessaire de préciser.

— Ces nobliaux, revenus fauchés d'exil, s'imaginent toujours qu'on est à leur botte. Malgré les Bourbons, on n'a pas rétabli leurs scandaleux privilèges, que je sache ! Le code civil n'est pas près d'être abrogé !

Tout en parlant, il comptait les pièces de vingt francs en or, dont quelques-unes seulement portaient le profil gras de Louis XVIII.

— Deux cents, le compte y est ! On peut déjà trouver un domaine correct, pour cette somme. Veux-tu que je les mette dans mon coffre et que je t'en donne reçu ?

Jean soupira. Cela ne lui plaisait pas outre mesure, mais n'ayant pas encore de maison il ne voulait pas d'une cache dans la nature. Le moindre mal était encore le notaire. Bien entendu, plus vite il achèterait un domaine, mieux il s'en porterait : ça ne se vole pas aussi aisément qu'un sac d'écus.

— Tu étais donc officier, pour avoir autant amassé.

Il ne questionnait pas. Il déduisait. Jean appréciait de plus en plus le bonhomme.

— Capitaine de chasseurs, dit-il. Et maintenant, demi-solde de l'Empire. Par les temps qui courent, inutile d'en parler. Les émigrés se vengent et je ne cherche pas à les provoquer.

— La Terreur blanche, disent les gazettes. Les « ultras » sont moins puissants dans la nouvelle assemblée, mais leur engeance nuit encore.

— Qu'ils m'ignorent ! Je n'aspire qu'à la tranquillité des bois.

— Ils ne sont pas si tranquilles par les temps qui courent, mais un homme tel que toi peut se défendre.

— Qu'est-ce que ça veut dire ? s'inquiéta Jean. Je sais qu'il y a des loups. J'en ai même tué un la nuit dernière. Mais pas de quoi s'alarmer. Il y en a toujours eu par ici, à cause de la forêt.

— Des loups, oui, mais pas comme tu crois. Je ne te dis rien aujourd'hui. Promène-toi, regarde, écoute les gens. Quand tu te seras fait ton idée, nous en parlerons. Si je comprends bien, tu cherches des bois à exploiter. Tu ferais le forestier ?

— Oui, répondit le visiteur après une ultime réflexion.

Le notaire sourit. Il aimait ce sérieux paysan quand on parlait de la terre.

— Et tu y mettrais tout cet argent ?

— Pour de la bonne futaie, oui, mais avec une maison. Une bâtisse de granit comme on les fait ici. Qu'importe son état, je la referai à mon goût. J'ai vu toute l'Europe et même la vieille Égypte. Ça m'a donné des idées.

Le notaire réfléchit, puis son visage s'illumina.

— J'ai ce qu'il te faut. Et pas cher, encore ! Tu vas aller voir ça, et pas plus tard qu'aujourd'hui ! De la sapinière et de la pinède. Si ça te plaît, il faudra faire vite. Tu situes le bois de Jagonaz ?

À sa surprise, Jean perçut les lieux avec une grande précision.

— Il est bordé au couchant par un ruisseau qui se jette dans La Dorette, dit-il. Et au levant, par la Dorette elle-même. Pins et sapins y sont d'une belle venue...

— Exactement. Jolie mémoire, mon garçon, le coupa le notaire avec enthousiasme. Ce bois couvre la colline. Je te propose tout le flanc est, du bord de La Dorette au sommet. Sauf erreur, il y a de belles coupes à faire. Par ailleurs, j'ai une maison à vendre à Bonneval, une autre du côté de La Souchère, avec des dépendances. Tu devrais trouver ton bonheur. Qu'en penses-tu ?

— Mais la moitié du Jagonaz, c'est trois cents arpents au bas mot. Je n'ai pas de quoi acheter tout ça !

— Si ! C'est pour ça qu'il te faut aller vite. En fait, il y a deux cent quatre-vingt douze arpents et quelques. Ça fait combien d'hectares, ça ?

— Un peu plus de la moitié, cent cinquante hectares environ. Le versant est raide par là-bas.

— Tu as de bons chevaux. Tu te débrouilleras.

Jean hocha la tête. L'escarpement, il s'en accommoderait. Le prix trop modéré le préoccupait davantage. Il le fit remarquer.

— Tu vas y aller. Tout de suite. On en reparlera après. À propos de chevaux, depuis que j'ai acheté un cabriolet et une petite jument vive, je ne me sers plus de ma vieille berline. Prends-la. La tirer débourrera tes deux monstres, et tu pourras voir ces bois.

3

François Anguier, dit la Belette

Ni les deux percherons ni leur maître n'étaient familiers de la voiture et des harnais. Les colliers se révélèrent trop petits. Pour les atteler, Jean dut utiliser les bricoles qui, par chance, se trouvaient là. Faire travailler ses bêtes en forêt nécessiterait des équipements sur mesure. De l'ouvrage pour Béchu, le bourrelier, si du moins il exerçait toujours. Ça coûterait, mais ça vaudrait la peine.

Bien assis sur le banc du cocher, ses quatre rênes semi-tendus dans la main gauche, un long fouet dans la droite, l'ex-capitaine déboucha prudemment de la remise et leva les yeux vers le cabinet de Me Montchovet. De sa fenêtre, le notaire lui fit un signe de la main. Il jubilait mais ne pouvait voir, dans la pièce voisine, son clerc en embuscade, le visage morose. Dès qu'il se sentit regardé, le barbichu se rejeta en arrière. « Celui-là est franc comme un âne qui recule, songea Jean. Faudra l'avoir à l'œil. » Préviendrait-il le notaire ? Cela n'était pas son affaire, d'autant que le vieil homme savait sûrement à quoi s'en tenir.

Les Casadéens s'arrêtaient pour le regarder passer. Ils reconnaissaient la voiture, même si celle-ci n'était pas sortie depuis plusieurs années, mais pas les chevaux. Gigantesques, les côtes saillantes, leurs longs muscles jouant sous leur cuir marqué de balafres glabres, ils évoquaient des bêtes d'Apocalypse. Au grand étonnement du demi-solde, des *biates* se signèrent sur son passage. Au diable, ces béates ! Qu'elles retournent à leurs patenôtres et à leurs abécédaires pour les petits ! Il fronça les sourcils. Dans son souvenir, les gens n'étaient pas si superstitieux.

La route de Bonneval, vers l'est, entrait très vite dans les bois. Chantant une complainte oubliée, le vent, plus calme qu'à la nuit, ployait les cimes des grands conifères. La chaussée se creusait d'ornières gelées qui guidaient la berline. Canon et Boulet, retrouvant leurs vieilles habitudes, trottaient du même pied à une allure soutenue. Au bout d'une lieue, on tournait à droite et la descente s'amorçait. Le cocher serra le frein d'un tour de manivelle, pour maintenir les traits tendus et garder le contrôle du véhicule. À intervalles irréguliers, au gré des plantations, les arbres changeaient de taille par bataillons entiers. Le bois de Jagonaz permettrait-il des coupes dans les proches années ? S'il ne devait rapporter que dans trente ou quarante ans, il n'avait aucune valeur immédiate. Ce pourrait être une explication du bas prix demandé. Mourir pauvre sur un futur tas d'or n'intéressait aucunement Jean Charzol. Sans s'estimer cupide, il entendait vivre décemment, surtout s'il fondait une famille.

Il laissa le hameau de Petit-Renaud sur sa gauche, puis obliqua plein sud vers Bonneval et sa petite église.

Perdu dans ses réflexions, il vit un peu tard le carrosse venant à sa rencontre. Il tendit ses rênes, ramena ses bêtes au pas et serra le fossé sur sa droite. C'était insuffisant. D'un geste peu amène, le cocher lui signifia de libérer la route, puis reprit sa progression. Jean se tourna. Un chemin forestier démarrait un peu en arrière. La civilité eût voulu que l'autre attelage, mieux placé, manœuvrât. L'ex-capitaine n'avait ni l'envie ni le temps d'amender le jeune coq d'en face. Il descendit à la tête de ses percherons, flatta leurs museaux et les fit reculer lentement. Pas assez vite au grès du bravache.

— On se dépêche ! clama-t-il. On fait place au comte de Saint-Capré.

Jean ne tourna même pas la tête. Peu familier du gabarit de la voiture, il dirigeait ses bêtes avec prudence. L'autre s'énerva, l'invectiva.

— Tais-toi, mon garçon, répondit Jean sans élever la voix. Laisse-moi faire lentement et nous gagnerons du temps.

— De quoi ! Attends un peu !

Derrière lui, la vitre du carrosse se baissa et un homme au visage émacié et à la perruque poudrée se pencha. Jean l'aperçut du coin de l'œil. Il avait entendu par le passé parler des Saint-Capré, des hobereaux locaux disparus depuis la Révolution. Jean ignorait que la famille eût encore des membres vivants. Les révolutionnaires avaient peu mordu dans ce Haut-Velay éloigné du monde, et la disparition de cette famille tenait sans doute plus à ses dettes qu'à ses quartiers de noblesse, mais allez savoir...

Le conducteur du carrosse descendit, approcha au pas de charge. Le demi-solde fit face, discrètement sur ses gardes. L'autre n'était ni cocher ni coquelet. Bien découplé, très droit, c'était un blond à cadenettes au visage régulier. Couleur d'eau de source, ses yeux inexpressifs effaçaient sa beauté, lui donnaient un air farouche, presque cruel. Il affichait une morgue désagréable. Quel âge avait-il ? La trentaine, sans doute.

— Tu vois bien, dit l'ex-capitaine d'un ton calme, il faut aller doucement. Si cette berline verse au fossé, ça bloquera la route.

— De quel droit oses-tu me tutoyer ? s'énerva l'autre.

— Tu peux me tutoyer aussi, répondit Jean suavement. Entre cochers, n'est-ce pas ?

Le ton, le sourire de biais auraient dû inquiéter le bravache. Il tendit la main pour bousculer Jean qui, se cambrant en arrière, évita le contact. Les yeux étrécis de vigilance, il serra son fouet.

— Albert, laissez-le manœuvrer, voulez-vous. Nous n'avons pas de temps pour ces enfantillages.

Jean regarda l'homme du carrosse, lui fit un petit signe de tête courtois et se tourna vers ses bêtes sans attendre une éventuelle réponse à son salut.

— *Arrié*, Canon ! *Arrié*, Boulet. Allez, mes vaillants, nous y sommes presque.

Le train avant de la berline obliqua, l'arrière vira doucement dans la laie forestière. Le carrosse put passer. Le regard haineux du cocher, qui n'en était pas un, préoccupa moins le demi-solde que l'indifférence affectée du passager poudré. Il en éprouva un désagrément familier. Les ennoblis de l'Empire, si ridicules soient-ils, avaient souvent acquis leur titre à la pointe de leur sabre. Avachie depuis Louis XIV, la vieille aristocratie avait perdu une légitimité déjà douteuse, et voilà qu'elle s'efforçait de nouveau à l'arrogance.

Soucieux, Jean remonta sur son siège et secoua les rênes.

À La Chaise-Dieu, depuis toujours, le grand propriétaire terrien était l'abbaye ; lorsque Jean Charzol était enfant on n'y voyait presque jamais d'aristocrates. Il se rappelait pourtant la déférence des paysans pour les visiteurs du nouvel abbé, cadet d'une famille ducale. Les hommes, les cheveux poudrés sous leurs tricornes de velours, portaient des habits colorés, ornés de passementeries. Les femmes aux coiffures extravagantes avaient des robes qui, à partir de la taille, s'évasaient en cloches vert jade ou rose pâle. Elles se souriaient en agitant des éventails, tandis que leurs maris toisaient la foule avec la dignité imbécile des dromadaires. Quel âge avait Jean alors ? Six, sept ans ? Il en avait ressenti un étrange malaise. Alors que dans la foule des jours de marché tout le monde s'interpellait, se saluait, plaisantait, ce jour-là l'assistance silencieuse regardait, chapeau bas, ces gens arrivés en carrosse qui les méprisaient ouvertement. Nul besoin de partir dans les armées révolutionnaires pour être républicain. Il suffisait de croiser un de ces fats. Le simple effort de naître les avait faits puissants. Jean se demandait comment ses ancêtres, ses parents même, avaient pu les tolérer. Malgré le naufrage de la République dans l'Empire, malgré le retour des Bourbons, la suprématie de ces gens était, Dieu merci, révolue. Les « ultras » de « la Chambre introuvable » n'étaient pas parvenus à obtenir du roi l'abrogation du code civil. La nouvelle chambre, plus modérée, ne toucherait certainement pas au grand principe de l'égalité de tous devant la loi... ni l'impôt.

Que penser de ce Saint-Capré ? Son carrosse écaillé et vieillot eût nécessité trois, voire quatre chevaux, il n'était attelé que de deux haridelles, dont ses propres bêtes accentuaient, par contraste, l'aspect pitoyable.

Un fesse-mathieu ? Plus probablement un homme revenu ruiné d'exil, un nostalgique de l'ancienne noblesse. La grossièreté de ce conducteur de carrosse comme la distance vaguement méprisante de l'emperruqué ne méritaient que l'oubli.

La déclivité s'accentuait. Jean serra le frein d'un tour supplémentaire et la berline déboucha dans une combe. Le village de Bonneval apparut au bord du ruisseau. Le demi-solde le dépassa, quitta la route pour un chemin à droite qui suivait La Dorette. Là commençait la partie est du bois de Jagonaz. Elle s'allongeait sur plus de deux kilomètres, une bonne demi-lieue.

Jean parcourut la distance au pas, observant les arbres. Il fut grandement étonné de leur qualité. Le tiers, pratiquement, était bon pour la coupe. Le reste, déjà haut, promettait. On aurait dit que personne n'avait exploité le domaine depuis une dizaine d'années. Certains grands sapins nécessiteraient les forces conjointes de ses deux percherons pour être tirés dans la pente et les amener au char porte-grumes où on les chargerait.

Il hésita à remonter les laies d'exploitation encombrées d'arbustes et de ronces. Poussées, ses bêtes auraient gravi la pente, mais la berline se serait fait griffer par les branches et il aurait eu grand mal à faire demi-tour au bout du chemin. Laissant souffler son attelage, il en prit une à pied, sur une centaine de mètres. Le vent, forci, sifflait dans les branches, mais les frondaisons denses atténuaient sa plainte. Jean huma l'odeur de sous-bois qui persistait malgré le gel, s'en enivra. Il dut revenir, rappelé à l'ordre par ses chevaux qui soufflaient et tapaient des sabots. Ses percherons lui obéissaient à condition qu'il leur donne l'exemple. Il en fut amusé, puis ses pensées revinrent à ces futaies. Même s'il n'était pas parfaitement au courant des prix, le montant évoqué par le notaire semblait largement sous-évalué. Il se rembrunit. Son pécule ne pouvait pas lui permettre d'acheter une telle surface de forêt. Me Montchovet avait-il toute sa tête ? Lui, Jean, avait-il mal compris ? Les miracles n'existaient pas. Il ne deviendrait sans doute pas propriétaire de ces bois. Sa raison s'y opposait. Et pourtant tout son être y croyait. Les idées, les projets concernant ces arbres se bousculaient dans sa tête. Il soupira. Des déconvenues, il en avait connu d'autres. Il saurait dépasser cet enthousiasme de gamin.

Le vallon de La Dorette s'ouvrait sur des prés. La voiture arrivait à La Souchère. Les fermes du village, étagées sur le versant, dominaient la rivière. Elle suivait la grande boucle de la route qui y montait, et Jean éprouva un vrai plaisir à voir Canon et Boulet planter avec ensemble leurs pieds ferrés, recouverts de longs poils, dans la terre dure. Les deux chevaux allaient, les épaules en avant, encensant en cadence pour soutenir leur effort. Jean les sentait puissants, heureux aussi de retrouver leur élément en tirant leur charge alourdie par la montée.

Au bruit des roues sur la terre gelée, un homme sortit de sa maison, bientôt rejoint par deux compagnons. L'ex-capitaine tira sur ses rênes, arrêtant ses chevaux.

— Bien le bonjour, *moussu*, dit en patois le premier paysan.

Les autres attendaient, curieux de savoir si ce monsieur de la ville les comprendrait.

— Le bonjour à vous, répondit l'ex-capitaine dans le même idiome.

Ils sourirent. Celui-là était du pays.

— On a cru que l'autre revenait, dit le plus jeune. Vous avez dû le croiser.

— Qui ça ? demanda l'arrivant.

— Le citoyen Saint-Capré. Il remontait vers Bonneval et La Chaise-Dieu dans son corbillard décati, enchérit un quadragénaire qui arrivait.

Les autres le foudroyèrent du regard.

— Pas d'inquiétude, camarades, dit Jean en patois. Nous sommes entre nous.

— Parce que tu es d'ici, toi ? s'étonna ostensiblement le troisième personnage, un homme grisonnant au visage tordu.

— Firmin, tu perds la mémoire, lui répondit le quadragénaire. Cette voiture, tu l'as jamais vue ? Tu crois peut-être que le vieux Montchovet l'aurait prêtée à n'importe qui ? Tu ne reconnais pas le Jeannot Charzol ?

Ledit Jeannot sourit. À sa façon de le nommer, à sa silhouette maigre, il reconnut son interlocuteur :

— La Belette ! Pardonne-moi, il m'a fallu un petit temps pour te remettre, s'exclama-t-il. François ! François Anguier, à l'état civil de la République.

— Au registre paroissial, Jeannot. Je suis né bien avant la Révolution. Tu te souviens plus qu'on est de la même classe ?

— Sont bien grands, les chevaux du Jeannot, dit le plus jeune, un gars dans les vingt ans qui n'osait pas directement s'adresser à l'arrivant.

— Ils ont fait Waterloo. Je les ai vus là-bas. Ils tiraient un énorme caisson de munitions. Je les ai rachetés il y a un mois. En bien mauvais état.

Le visage de la Belette s'attrista.

— Michel, mon jeune frère, t'as pas dû le connaître. Il était bien petit quand tu es parti. Hé ben, il a été tué là-bas, à Waterloo.

Descendu de son banc, Jean serra spontanément son condisciple dans ses bras.

— J'ai vu mourir beaucoup de jeunes gars, dit-il lorsque l'émotion s'apaisa. De chez nous ou d'ailleurs. Beaucoup trop. La guerre est finie, François, et je ne la regrette pas.

Le quadragénaire soupira.

— Viens donc manger un morceau avec nous, dit-il. Le pot n'est pas riche, mais c'est de bon cœur.

— Le pot d'ici est le meilleur parce qu'il est d'ici, crois-moi ! Excuse ! J'arrive les mains vides. J'avais pas prévu.

— Quelque chose me dit qu'on va souvent se revoir...

L'ex-capitaine sourit et claqua l'épaule de son ami. Le surnom « la Belette » évoquait sa silhouette souple, mais aussi la vivacité de son esprit.

— Dételle les chevaux, Joseph, et rentre-les à l'écurie. Ils sont en sueur. Par le froid qu'il fait, faut pas les laisser dehors.

Le plus jeune s'exécuta. Jean remarqua que les bêtes l'impressionnaient, qu'il les admirait non sans une certaine crainte. Il en fut amusé.

Ils entrèrent dans la salle de ferme dallée. Une odeur d'étable diffuse se mêlait au parfum de cuisine au lard. Le demi-solde sourit. Ces fragrances identifiaient le pays vellave autant que les grands bois ou le moutonnement des montagnes douces.

Les hommes s'assirent et commencèrent à parler. L'épouse de la Belette, une petite souris vive, touillait la marmite pendue à la crémaillère.

— Anna, dit-elle, remue la soupe, qu'elle n'attache pas.

Une fillette sortit d'un coin derrière le buffet, d'où elle observait l'intrus, et obéit à sa mère. L'œil de biais, elle surveillait les deux adultes assis à la lourde table de ferme. Ils échangeaient des propos généraux, neutres à souhait : une forme de courtoisie paysanne qui affirmait un consensus avant de traiter les questions importantes. Une sorte de préambule.

— Anna, dit la Belette en remarquant la curiosité de sa fille. Viens dire bonjour à mon ami le capitaine Jeannot.

Sans lâcher sa longue cuillère en bois, la petite s'approcha et, avec un terrible sérieux, fit une courte révérence avant de dire d'une voix chantante :

— Bonjour, *moussu* le capitaine Jeannot.

Jean la regarda avec admiration. Brune avec de grands yeux bleus étonnés, presque implorants, elle avait une chevelure frisée d'un beau châtain et un minois aux joues rondes. Sa lèvre supérieure se soulevait en une esquisse de moue quand elle parlait.

— Bonjour, mademoiselle, dit-il avec gravité.

— Tes chevaux sont grands, répondit-elle. Mais ils sont maigres comme la jument du diable.

— Anna, voyons ! la morigéna la Belette.

— La jument du diable ! Raconte-moi donc son histoire, demanda l'ex-capitaine.

— Hé ben, c'est la *prestresse* quand elle est morte. Hé ben, elle a été transformée en jument et, la nuit, le diable monte dessus pour courir les chemins, voilà.

— La *prestresse* ?

— La femme du prêtre, sauf qu'ils sont pas mariés, précisa la Belette.

L'enfant opina avec un grand sérieux.

— Et qui t'a raconté ça ? s'enquit le visiteur.

— C'est la sorcière. Elle raconte plein d'histoires comme ça, et après j'ai peur.

— La sorcière ?

Jean avait dressé l'oreille.

— Une voisine, rebouteuse et guérisseuse. Elle habite un peu plus loin et vient aux veillées quand il ne fait pas trop mauvais, c'est pas loin par le bois, une dizaine de minutes.

Le demi-solde hocha la tête et se tourna vers la petite.

— Et tu as peur de mes chevaux, Anna ? s'inquiéta-t-il. Ben, viens les voir avec moi. On y va ?

Le grand visiteur osseux et la gamine frisée regardèrent ensemble la Belette, quêtant son approbation.

— Allez-y, dit-il, je vais donner un coup de main à sa mère pendant ce temps.

Ils sortirent. Surpris, Jean sentit une menotte se glisser dans sa grande patte. Il regarda sa jeune compagne.

— Quel âge as-tu ? demanda-t-il.

— J'ai eu six ans à la Saint-Jean d'été. Ça fait que j'ai six ans et demi.

Il eut une moue approbative.

— Conduis-moi, dit-il.

— Viens, c'est à l'écurie.

Ils y pénétrèrent. Les chevaux tournèrent la tête et soufflèrent. Inquiète, la gamine se serra contre l'adulte.

— Ils nous disent bonjour, dit-il en la soulevant à hauteur des museaux chevalins.

Tout naturellement, Anna lui passa les bras autour du cou. Jean en ressentit un bonheur doux qu'il n'aurait pas soupçonné.

Ils approchèrent de Boulet. Taquin, le bai à crinière noire les poussa du museau. La fillette sursauta, et l'homme rit.

— Caresse-le, tu verras comme il est doux.

Hésitante, elle obéit puis s'enhardit.

— Il a des yeux gentils, dit-elle.

— Il est gentil, répondit-il.

Poussé dans le dos, il avança d'un demi-pas. De nouveau effrayée, l'enfant se cramponna à lui.

— C'est Canon, dit l'ex-capitaine. Il est jaloux.

L'alezan à crinière blonde eut lui aussi sa dose de caresses. Anna toujours dans ses bras, Jean sortit.

— Alors, tu n'as plus peur de mes chevaux ?

— Non, ils sont câlins, et puis ils font des farces.

— Alors, ni l'un ni l'autre n'est le cheval du diable ?

— Ben non. T'es bête, toi, si tu crois ça !

Il rit et posa la petite au sol. Elle remit sa main dans la sienne et ils entrèrent très satisfaits l'un de l'autre dans la maison.

— J'ai repris le domaine à la mort de mon père, disait la Belette. Le long de la vallée, les prés sont bons. J'ai quelques arpents en seigle et en patates, et puis il y a les bois. Ça irait bien sans toutes ces histoires.

Sa femme arrêta d'essuyer la vaisselle, le regarda avec inquiétude. Les hommes étaient encore assis devant l'épaisse table de la ferme. Derrière la cloison en bois, on entendait les vaches bouger. La Belette s'était tu.

Pour donner le change, sans doute, il se leva et sortit du buffet en beau noyer patiné deux petits verres à fond épais et une bouteille ventrue.

— Du kirsch. Mon père en faisait avec les merises du coin. J'continue la tradition. Tu m'en diras des nouvelles.

Le visiteur acquiesça. Ce n'était plus à lui de parler. Il avait raconté le nécessaire sur sa vie à la guerre, mais sans insister. Il avait vécu trop de beuveries entre gradés où l'on racontait des exploits réels ou fictifs. Des propos dont il ressentait la trivialité jusqu'à l'indigestion.

Il se rendit compte que la Belette attendait.

— Qu'est-ce qu'il voulait, le Saint-Capré ? Ces histoires dont tu parles, ça vient de lui ?

Ses questions étaient-elles trop directes ? De nouveau, l'hôtesse le regardait, à la fois sévère et inquiète.

La Belette allait répondre lorsqu'on entendit un bébé crier. Le paysan se leva, se précipita dans la pièce voisine et revint avec un nourrisson emmailloté dans les bras. Son âge, Jean eut été incapable de le dire. Anna la futée, qui se trouvait là comme par hasard, intervint :

— C'est Augustin, mon petit frère, il a sept mois.

La Belette, flatté, exhibait fièrement son rejeton devant son ami. Jean regardait ce bébé, songeant que, contrairement à la petite qui l'avait déjà séduit, il avait affaire là à un petit « larvon », bon à téter et à conchier ses couches. Le jeune Augustin eut aussitôt à cœur de le détromper. Il le dévisagea et, brusquement, lui sourit avant de redevenir sérieux.

— Bâ, dit-il avec une grande clarté.

Le demi-solde en demeura sans voix. N'ayant jamais observé un bébé, il en ignorait l'intelligence et la vivacité. Il en oublia son propos que, de son côté, la Belette se garda bien de rappeler. Le silence s'installa. Jean se sentit heureux de savourer le calme de cette salle de ferme, semblable à celles de son enfance. Outre les charmes de la vie familiale qu'il découvrait, il retrouvait là une authenticité dont il ressentit une soudaine fringale. Trop longtemps noyé dans les guerres, il avait vécu sans vérité tangible, peinant à dissocier la sagesse de la stupidité grégaire. Il sirota son kirsch, le trouva rugueux, en harmonie avec les traces de fumée sur les murs, les meubles patinés qui avaient vu naître la Belette, son père, et le père de son père.

Quand l'épouse de son ami réveilla l'âtre avec des branches de sapin sec, à la fenêtre, l'hiver sembla s'accentuer. La Belette ne parlait toujours pas. L'ex-capitaine dit enfin :

— Mariette, tu sais bien, la femme de Johannes... Ils tiennent le Coq-Rouge. Elle m'a parlé de paysans pendus, d'autres qui quittent leurs fermes et s'enfuient...

Son interlocuteur s'assombrit.

— Et ça ne fait que commencer ! dit-il.

— François ! s'alarma sa femme.

— Le pays est devenu fou, termina la Belette.

Il se tut avec un regard coupable. Malgré sa curiosité, Jean n'insista pas. On n'interroge pas sur les secrets. On contourne. Il changea de sujet.

— Tu dois te demander ce qui m'amène, dit-il à son interlocuteur.

L'autre hocha la tête.

— Une maison au calme avec quelques arpents. Me Montchovet m'a parlé d'une maison à Bonneval, et d'une autre du côté de La Souchère. Il m'a prêté sa berline pour me déplacer plus vite. Je crois qu'il avait envie de voir mes percherons au travail.

Allait-il parler à la Belette du bois de Jagonaz ? L'inquiétude du couple l'en dissuada. Ça attendrait que l'affaire soit faite. Si elle se faisait...

— Tu vois de quelle maison il s'agit ? compléta-t-il.

— Celle de Bonneval est en triste état, mais elle ne sera pas chère. Ça me plairait bien que tu la prennes. Tu serais presque notre voisin. Une demi-heure de marche le long de La Dorette, c'est une promenade. L'autre n'est pas à La Souchère... Attends, c'est peut-être celle du col un peu plus haut. Elle est mieux que l'autre, ça oui, mais son voisinage n'est guère plaisant.

Jean attendit, mais la Belette n'ajouta rien.

— Le temps passe, dit-il enfin. Il faut que j'y aille si je veux pouvoir jeter un coup d'œil avant la nuit.

Les deux hommes avaient réattelé ensemble.

— Passe me voir quand tu veux, dit Jean Charzol, en faisant claquer son fouet.

En revenant, il s'arrêta à Bonneval. Une des maisons ne fumait pas. Il l'examina. Il s'agissait certes d'une ferme classique du pays, une haute bâtisse de granit à la façade austère, mais la cour était jonchée de tuiles cassées. L'eau de pluie ruisselant sur le toit se déversait directement sur les murs. Ceux-ci portaient une longue trace verticale d'humidité où le mortier se délitait. Les carreaux étaient brisés, les volets de guingois, la porte d'entrée bâillait. L'intérieur valait l'extérieur. Il faudrait énormément de travail et d'argent pour rendre cette ruine habitable. Un programme peu séduisant. Il lui faudrait voir l'autre. Où se trouvait-elle donc ? « Au col un peu plus haut », c'était vague. Il aurait certes pu se renseigner, mais parler nécessitait qu'il racontât sa vie, et écoute celle des autres. On ne revient pas au pays sans satisfaire un minimum la curiosité des gens. Il en avait assez fait pour aujourd'hui. De toute façon, il était temps de remonter. Le froid se faisait plus vif avec le soir et, fin décembre, la nuit tombe à 5 heures. N'ayant aucune envie d'affronter à nouveau les loups, il secoua ses rênes et mit ses percherons au trot. Ils montèrent vaillamment la côte, atteignirent le plateau. Leurs pelages fumaient sans pourtant écumer. Ils avaient chaud tout au plus. Jean ressentait leur fatigue, mais pas question de les laisser se refroidir. Il maintint leur allure sur le plat. Les jets de vapeur de leurs naseaux se calmèrent. Jean respira. Il avait craint de leur avoir imposé un trop grand effort.

Dépassant le Coq-Rouge, il poursuivit jusqu'au bourg. Il arrêta son attelage pour ouvrir la remise du notaire lorsque ce dernier sortit de sa maison, drapé dans une grande cape à camail qui semblait fort douillette.

— Alors, Jean, as-tu vu mes bois ?

— Ils sont magnifiques. Votre prix est excessivement sage.

— Tu les veux ?

La guerre avait appris au capitaine Charzol à prendre, si nécessaire, des décisions instantanées.

— Oui, s'entendit-il dire.

Le vieil homme lui renvoya un sourire lumineux.

— Alors viens signer demain à 8 heures, mon garçon. Le vendeur sera là. J'y veillerai. Ne sois pas en retard et amène tes bêtes.

Sur un bref salut, il rentra chez lui.

Perplexe, Jean retourna à l'auberge.

4

La guérisseuse de Champvieille

En dépit du froid, il y avait du beau monde au Coq-Rouge. L'arrivant le remarqua à la voiture garée dans la cour : une berline légère, d'un beau gris luisant. Ses roues peintes en rouge se rehaussaient de filets noirs le long des rayons. Jean rentra Boulet et Canon à l'écurie. Deux autres chevaux, des bretons ronds et musclés, occupaient déjà les lieux. Il attachait ses bêtes lorsque le palefrenier, un apprenti peu dégourdi, se précipita comme si Jean le dépossédait de son travail.

— Verse-leur une mesure d'avoine à chacun pendant que je les bouchonne, lui dit l'ex-officier. Et n'oublie pas de le dire au maître.

— Si fait, *moussu,* répondit le gamin.

Jean entra transpirant dans la salle d'auberge. Assises sur des chaises paillées, trois femmes « de qualité » se chauffaient les mains au feu.

— Je vous apporte vos verveines, dit Mariette avec solennité.

Elle s'avança en portant un plateau de bois où fumaient de grosses tasses de faïence qu'elle posa sur une table proche des visiteuses.

Deux les prirent, la troisième, une vigoureuse matrone, s'offusqua :

— Mais ce sont des tisanes ! Pas de potion pour moi ! Je ne suis pas malade.

— Vous êtes donc guérie, madame Surrel ! s'écria sa jeune voisine avec perfidie. Vous nous avez simplement accompagnées pour nous faire goûter votre conversation.

Jean, qui écoutait distraitement, leva les yeux. Il remarqua le bras en écharpe de la dame patronnesse. Comme sa voisine, elle avait le chef couvert d'une capote à ruban, tandis que la troisième portait la coiffe blanche des filles de la campagne. Une servante, sans doute.

— Chez nous, à la préfecture – dans la bouche de la grosse dame, le mot évoquait une solennité de capitale d'empire –, la verveine est une liqueur. Quelque chose de corsé, apte à lutter contre le froid et l'inconfort de cet épouvantable voyage. Connaissez-vous la vraie verveine, ma fille ?

— Bien évidemment, répondit Mariette.

— Alors servez-en ! Et remportez-moi cette décoction d'herbes fadasses.

L'aubergiste ne manifesta pas son légitime agacement. Les rodomontades de la bourgeoise se paieraient en sous d'argent. Ce serait une vraie vengeance de Vellave. Elle servit une généreuse rasade de liqueur verte dans un verre à pied et l'apporta cérémonieusement, remportant la tasse incriminée.

— Elle est chaude, ta décoction d'herbes fadasses ? demanda benoîtement Jean au passage de Mariette. Si oui, donne-la-moi. Ça me rappellera ce que me préparait ma mère quand j'étais grippé.

Elle sourit et le servit. Voyant que ses clientes pépiaient en sirotant leurs divers breuvages, elle s'assit face à son ami d'enfance.

— Qu'est-ce qui nous vaut la visite de ces volailles préfectorales ? demanda ce dernier en patois.

— La guérisseuse.

— Ah ! oui, la voisine de la Belette, à La Souchère.

— La Belette ? s'étonna l'aubergiste.

— Le François Anguier, tu sais bien ! Cette femme est sa voisine m'a-t-il dit, sans autre précision... sauf que la petite Anna, sa fillette, l'appelait « la sorcière ». Qui est-elle donc ?

— D'abord, elle n'habite pas La Souchère mais Champvieille. Mais bon, c'est pas bien loin. C'est une rebouteuse adroite de ses mains. En deux mouvements, elle te dénoue des tendons ou te remet une entorse, reprit Mariette.

— C'est pas une sorcière, alors...

— C'est que... elle annonce des catastrophes. Et elles se produisent...

Il haussa les sourcils. Mariette poursuivit :

— Ben, près de chez elle, mais ailleurs aussi, y a des paysans qu'ont eu des malheurs.

— Quoi, par exemple ?

— Son voisin. Ses vaches ont crevé. Elles sont mortes en un mois. La sorcière criait à tous les vents que sa terre était maudite.

— Et tu y crois, toi ?

— Ben... c'est que ça s'est pas arrêté là. Comme le pauvre bougre n'avait presque plus de bêtes, il s'est acheté deux génisses. Elles aussi sont mortes... Alors les gens ont commencé à répéter qu'il avait le mauvais œil. Personne ne voulait l'approcher, pas même lui toucher la main. Ça a duré un certain temps. Il vivait tout seul, comme un sanglier dans sa bauge. On ne le voyait presque plus. Et puis l'été dernier, il y a eu la sécheresse. De mardi gras à l'Assomption, il n'est pas tombé une goutte d'eau. Avec ça, une chaleur d'enfer. Un jour, un nommé Ranchou de Sembadel a voulu le voir. Je ne sais plus pourquoi. Une histoire d'argent, sûrement, pour oser ainsi braver le mauvais sort. Il l'a trouvé pendu dans l'étable. Même que ses pieds touchaient presque le pavé. Comme ça, tout raide, il semblait debout, et le Ranchou a cru voir un revenant. Il s'est sauvé. Puis, voyant que l'autre ne bougeait pas, il est revenu. Il était tout sec, le pendu. Tu sais, comme ces morts vieux de deux mille ans que l'Empereur a ramené d'Égypte.

— Une momie ?

— C'est ça. Il était tout desséché. Il sentait même plus.

— Avec la canicule, ses bêtes ont dû crever de soif, ou bien elles ont pris la maladie. Et lui, désespéré, il s'est pendu, voilà tout.

— Ouais, c'est ce qu'on s'est dit, mais il y eut une autre victime. Lui aussi, elle l'a maudit.

— Son troupeau a crevé ?

— Oh ! non, ses bêtes allaient bien, mais il s'est mis à pleurer tout le temps, à tousser. Même qu'après, il a eu de la fièvre. Et puis il s'est mis à faire des rêves bizarres, des espèces de cauchemars. Il ne ressentait ça que chez lui. Quand il était dehors, il allait tout de suite mieux. Alors il a habité sa grange et il a prétendu que quelqu'un, un esprit des bois ou un truc comme ça, avait envahi sa maison.

— Et après ?

— Ben, ça l'a pris dans la grange aussi. Ses yeux qui pleuraient, la toux, les cauchemars, tout ça. Il a vendu sa ferme et ses terres pour une bouchée de pain et puis il est parti. On m'a dit qu'il se louait comme « manouvrier » à Ambert.

— Et ces deux-là, ils n'avaient ni femme, ni enfants ?

— Eh non ! Tous les deux vivaient seuls. L'un était veuf, l'autre garçon.

— Et le domaine du pendu ? Il a été vendu ou il est toujours en vente ?

— Ben, j'sais pas.

— Au fait, qui étaient ces deux malheureux ?

— Celui qu'est parti, c'était le Jean-Lou Nivac, l'autre, le pendu, c'était le « Gu ». Tu dois t'en rappeler.

— Ah oui ! Un grand tout maigre qui ponctuait chaque phrase par « nom de Gu de nom de Gu ». Il était méchant comme la gale, si je me souviens bien.

— Ah ça, personne ne l'a pleuré. Y avait pas grand-monde pour le mettre en terre. Surtout que le curé l'a pas voulu à l'église parce qu'il s'était détruit.

Jean hocha la tête puis désigna les trois femmes du menton.

— Et celles-là, qu'est-ce qu'elles ont ?

— La matrone s'est tordu le poignet. Elle dit que ça a craqué et que depuis il tourne plus. Elle a une bosse bizarre, là, juste sous la paume de la main (l'aubergiste montrait l'endroit sur elle-même). Quelque chose qui roule sous les doigts. Elle m'a fait toucher. Le docteur lui a mis des attelles, mais ça n'a rien fait.

— Et les autres ?

— La plus jeune est bréhaigne, la pauvre. Ça fait cinq ans qu'elle est mariée et toujours pas de petiot !

— Et la troisième ?

— C'est la servante de la matrone. Elle l'a emmenée parce qu'elle ne peut plus s'habiller ou se déshabiller toute seule depuis son accident.

Jean approuva distraitement. Cette histoire de jeteuse de sort l'intriguait.

— C'était bon ? demanda Mariette en ramassant sa tasse vide.

— Ta verveine ? Elle m'a bien réchauffé, répondit-il.

La femme sourit.

— Faut que j'y aille. Ces dames veulent autre chose que de la soupe. Du coup, j'ai tué un poulet et je vais leur faire des pommes de terre au saindoux.

— Ah tiens, des patates, fais-en un peu plus, tu m'en mettras une assiette.

— Du poulet aussi ?

— Penses-tu, c'est pas dimanche.

Il avait dit ça avec ironie, par bravade républicaine. Elle ne sourit pas. Le propos était sérieux. Le poulet, c'était pour le jour du Seigneur et les temps de fête. Les autres jours, on mangeait du saucisson, du lard, des œufs, du fromage, mais pas de viande. Jean se souvenait parfaitement du sens restrictif donné à ce mot. La « viande », ça s'achetait, cher, chez le boucher. C'était pour les bourgeois. Les quelques artisans qui en prenaient parfois se cachaient presque pour faire leurs emplettes. Ce genre de dépense était considéré comme ostentatoire.

Mariette s'activait en cuisine. D'abord le feu. Elle l'avait garni de fayard, un bois dur qui tient plus longtemps que le sapin et ne pète pas en projetant des étincelles. Puis elle avait accroché sa marmite de soupe sur une des crémaillères à gauche du feu. Le poulet embroché en surplombait la droite. Jean l'observait distraitement en ressassant ses pensées. Que manigançait ce diable de notaire ? Plus encore que sa réputation de probité, c'était la curiosité qui le poussait à lui faire confiance. La cuisinière avait disparu dans le cellier. Elle en ressortit avec deux douzaines de patates dans son tablier. Sur un signe de Jean, elle revint s'asseoir en face de lui pour sa corvée de pluches.

— Donne-moi un couteau, dit-il. Je vais t'aider.

— Pas la peine, j'ai l'habitude.

— Ça ira plus vite à deux. J'aime pas rester sans rien faire.

— Mais tu es un homme, un monsieur même, et un client ! s'exclama-t-elle.

— Et alors ! Dans l'armée, j'ai pelé plus de patates que tu n'en verras dans toute ta vie ! Surtout les premières années.

— Les premières années ?

— Quand j'étais simple soldat.

Il la regardait en coin, l'air ironique. Retrouvant la gouaille d'adolescent de l'ex-capitaine, elle sourit, se leva, prit un couteau dans le buffet et revint. Il œuvrait avec soin, et elle fut heureuse de voir que ses pelures étaient particulièrement minces. Elle eût détesté qu'il gâchât le travail en enlevant la moitié de la pomme de terre pour censément l'aider. Jean devinait ses pensées. Il ne dit rien, mais fut heureux de ne pas avoir perdu cette politesse des humbles qui consiste à épargner les efforts et les biens des autres. C'était un détail, mais il vit bien que Mariette appréciait. Ils travaillèrent silencieusement un moment.

— Je repense à ta sorcière de Champvieille, dit Jean. Bon, elle annonce toutes sortes de calamités. Comment s'appelle-t-elle ?

— Je sais pas. Quand on parle d'elle, on dit la Talaurina.

— Drôle de surnom.

— Ben, on sait pas d'où elle vient. Elle a pas d'homme et elle aurait eu un passé trouble pendant la Révolution. Tout ça aurait un rapport avec le feu. Tu sais : une salamandre, ça vit dans les recoins pourris et ça survit aux flammes. Ça lui va bien, ce sobriquet.

— Elle est là depuis longtemps ?

— Cinq, six ans. Sa fille et elle se sont installées là-bas. Elle s'est mise à soigner les gens. On a vite su qu'elle avait le don. On l'a consultée de plus en plus, mais elle était pas liante. Bon, le temps a passé... Et puis, l'été dernier, il y a eu ces histoires.

— Rien auparavant ?

— Non, rien.

— Bon, d'accord. Deux paysans ont eu des problèmes. Pas de quoi en faire une sorcière...

— Il y a eu d'autres morts. Des pendus. Quatre depuis l'été. Plus que durant les vingt années précédentes. Ça, c'est pas normal. Et puis, il y a autre chose. Les loups rôdent autour de chez elle.

— Une meneuse de loups ?

— On l'a dit, mais les gens disent tout et n'importe quoi. N'empêche ! Tout ça est inquiétant.

— Et on va toujours la voir pour se faire soigner ?

— Eh ben, oui ! Elle fait comme avant...

— Et les gendarmes, le maire, le curé. Ils disent rien ?

— Le maire, c'est Bufflon. Tu sais bien, le grand crétin qu'a mis si longtemps pour apprendre à lire. Il espionne les gens. Mais comme il est pas discret, on lui fait avaler des couleuvres. C'est presque devenu un jeu. Les gendarmes ? Y disent que c'est des racontars, et que tant qu'il n'y a ni plainte ni preuves, ça ne les concerne pas. Quant au curé, il y va chaque semaine, chez la sorcière. Il a mal au dos et elle seule parvient à le soulager, alors tu penses qu'il ne dit rien contre elle.

Jean trouva aux patates au lard la saveur d'un délice. Un bon morceau de fourme arrosé d'un rouge râpeux compléta son repas. Son hôte tint absolument à lui offrir la goutte. Ajoutée à la longue marche de la veille et à la courte nuit qui avait suivi, elle l'assomma. Il monta se coucher aussitôt.

Il se réveilla heureux du temps présent. Les batailles, les casernes s'éloignaient, se diluaient, les ambitions et les désillusions militaires aussi. Cette vie-là ne le concernait plus, elle basculait dans le souvenir, comme si... comme si l'homme d'hier avait muté en un autre, plus calme, plus serein. Une sorte de rédemption le transformait de guerrier en authentique terrien du haut plateau vellave.

En bas, Johannes, le mari de Mariette, ranimait les braises de l'âtre. Il ne gelait plus. Un temps humide s'installait. Ils mangèrent ensemble la soupe de la veille, parlant peu, chacun content de la compagnie de l'autre et de son silence.

Puis Jean se rendit chez le notaire. Montchovet lui ouvrit lui-même et le précéda jusqu'à son bureau. En passant dans la salle d'attente, l'ex-capitaine remarqua une dame à l'air apeuré qui se leva, s'efforçant d'emporter avec elle trois énormes valises pour les suivre.

— Laissez là vos bagages, chère madame, ils ne risquent rien, dit le notaire.

Bientôt les deux visiteurs se retrouvèrent face à l'officier public qui agita une petite sonnette. Le clerc chafouin de la veille entra.

— Veuillez apporter les actes que vous avez préparés, monsieur du Buisson, dit-il d'un ton cérémonieux.

Le clerc barbichu ressortit l'air mécontent. Il revint bientôt avec une liasse de papiers et resta debout derrière son employeur. Lequel parcourut les documents en multiples exemplaires.

Jean ne savait plus très bien pourquoi il était là. Pour acheter bois et domaine ? Il n'en était plus si sûr. Cette dame, au bord des larmes, était sans doute la vendeuse. Regrettait-elle de céder son bien ou étaitelle une veuve récente ? Il n'osait pas poser de questions. Alors il attendait. Embusqué dans le dos du notaire, le clerc lui jetait des regards assassins. Un probable ci-devant, songea le demi-solde. De par ses fonctions, il devait connaître les grandes lignes de son histoire. En ces temps incertains, cela pouvait expliquer son agressivité : celle de l'aristo déchu envers le sans-culotte. Tandis que le tabellion relisait les actes, Jean méditait sur cette locution. Se qualifiait-il ainsi pendant la Révolution ? Il sourit intérieurement. Il aurait plutôt dit « sans-soulier ». Les soldats de l'an II allaient pieds nus quand ils n'avaient pas leurs chaussures personnelles, et les sabots de Jean étaient usés depuis des mois lors de la victoire de Fleurus !

Interrompant sa rêverie, Me Montchovet s'exclama :

— Mais c'est parfait, tout ça.

Saisissant une grande plume d'oie sur son sous-main, il remplit des blancs sur chacun des documents, en marmonnant :

— Madame veuve Anglade née à Craponne de... mmmm et de mmm demeurant au Puy, 8 place du Breuil. C'est commode, ces numéros de rue. Encore un apport de la Révolution, mon cher Buisson.

— Maître, je me dois de vous faire remarquer que la numérotation révolutionnaire se faisait par district et que ce système a dû être abandonné, les numéros devenant extrêmement élevés et ne permettant aucunement de se repérer. Le système auquel vous faites allusion est dû à l'usurpateur Napoléon dans une décision du 4 février 1805.

— Vous vous chargez l'esprit de bien des choses inutiles, mon garçon, répondit le notaire aigre-doux. Je dois dire en revanche que votre mémoire est excellente. Ainsi, vous retiendrez le contrat de vente exceptionnel que l'étude passe ce jour entre dame Catherine Anglade et le sieur Jean Charzol, concernant des terres plantées d'arbres de rapport au lieu-dit « bois de Jagonaz », d'une surface de trois cent quatre-vingt douze arpents et dix huit perches, soit cent quatre-vingt treize hectares soixante quatre centiares intégralement plantés en pins et sapins.

— Comment, mais l'acheteur était monseigneur...

— Tss, tss. Pas de nom, monsieur du Buisson. Secret professionnel ! Secret des fortunes ! M. Charzol a fait une offre largement supérieure à celle de son compétiteur. Par ailleurs, il m'a confié le montant de ladite vente en bons francs-or, alors que la solvabilité de l'acquéreur auquel vous faites allusion reste incertaine. C'est à M. Charzol que Mme Anglade, sur mon conseil, a décidé de vendre sa terre pour la somme de trois mille quatre cent cinquante francs-or, auxquels s'ajouteront les frais d'enregistrement et de notaire, soit un montant global de trois mille six cent vingt deux francs germinal... ou francs germinaux ?

Le vieil homme dévisagea ses trois interlocuteurs, quêtant leur réponse. Le jeune Buisson affichait l'air vexé de celui qui aurait dû savoir, Jean manifestait son ignorance, et dame Anglade une parfaite incompréhension.

— Tss.

L'onomatopée désapprobatrice du notaire anima son visage d'une mimique familière de sale gamin. Le demi-solde s'en réjouit, puis redevint sérieux.

— Au fait, maître, et la maison ? demanda-t-il.

— Elle est incluse, bien entendu. C'est celle de Largnac, tu sais bien, tout au bout du chemin. Je te lis la désignation de l'ensemble immobilier. (Il remonta ses bésicles sur son nez.) Voyons, un bois... non. Ah ! voilà : « un bâtiment à usage d'habitation... »

Diable d'homme ! Il n'avait pas même signalé cette demeure à Jean pour qu'il la visitât la veille ! La description le rassura. Une maison en pierre de dimension moyenne, comportant deux étages et séparée d'un second bâtiment comportant écurie, grange et hangar, le tout en état d'usage.

Largnac. Il connaissait ce bout du monde depuis l'enfance et avait rêvé l'habiter un jour. Ce diable sautillant de Montchovet l'aurait-il deviné ?

— Et maintenant, madame Anglade, voulez-vous bien signer ces documents, ensuite M. Charzol fera de même. Il y en a pour un petit moment car il convient de parapher chaque page.

Signatures et paraphes de la dame se déployaient en un fatras impressionnant de volutes et d'arabesques. Jusqu'alors, Jean n'osait croire à son rêve. Sa concrétisation l'exaltait. Il bouillonnait d'impatience comme si une entité malfaisante, abusant de l'éternité que mettait la brave dame à signer, s'employait à faire tout échouer. Enfin, elle lui céda la plume. Sa main signait, mais son cerveau échafaudait une multitude de projets. La voix du notaire le rappela à l'ordre :

— ... as-tu bien amené tes chevaux comme je te l'avais demandé hier soir ?

— Heu ! oui, ils sont en bas.

— Alors tu vas emmener Mme Anglade au Puy. Je le lui ai promis, et puis j'ai une mission à te confier... Monsieur du Buisson, ajouta-t-il en se tournant vers son clerc, voulez-vous aider Mme Anglade à s'installer avec armes et bagages dans la berline ?

Le barbichu sortit dans le sillage de la femme aux yeux tristes.

— Mon cher Jean, dit alors le notaire, il faut déposer ce contrat à l'enregistrement dès aujourd'hui. Fais-le car, crois-moi, cette vente ne va pas plaire à l'acquéreur d'origine que je considère comme quelqu'un de dangereux. Cela fait, même en cas de voie de fait, personne ne pourra plus remettre en cause ta propriété. Tu feras également enregistrer tous mes actes des dernières semaines, ça brouillera les pistes. Voici le montant des droits à payer, tu m'en rapporteras le reçu.

— Maître Montchovet, m'expliquerez-vous..., commença Jean en empochant la bourse.

— Plus tard, plus tard, chaque minute compte. Va. Je serai rassuré de savoir cette dame Anglade, et surtout son or qui n'est plus le tien, sous ta protection jusqu'à chez elle.

— Vous craignez les bandits de grand chemin ?

— En quelque sorte... en quelque sorte..., répéta-t-il en opinant du bonnet. Passe par Allègre plutôt que par Bellevue-la-Montagne, la route est en meilleur état. Va, fouette tes chevaux, et que tout soit fait avant midi. L'enregistrement, je veux dire. Tu me rapporteras ma paperasse ce soir ou demain, si tu reviens trop tard.

Cinq minutes plus tard, la vieille berline du notaire filait au grand trot sur la route du Puy, avec dame Anglade comme passagère et Jean Charzol pour cocher. Ce dernier atteignait le petit village de Malaguet quand il aperçut, venant face à lui, un vieux carrosse qu'il reconnut. La route était relativement large. Il le croisa sans ralentir ses chevaux...

5

Le domaine de Largnac

Lors de son retour du Puy, Jean ne put résister à faire le détour par Largnac. Il voulait voir *sa* maison.

Canon et Boulet allaient au pas. Le chemin se réduisait à deux sentes parallèles et la berline de Montchovet l'occupait d'un bord à l'autre. Plus le demi-solde approchait, plus son inquiétude croissait. Il s'injuriait presque d'avoir acheté « chat en poche ». Pris par la hâte contagieuse du notaire, il n'avait pas même vu la maison avant de signer. Il fronça les sourcils. Pourquoi cette hâte ?

Il arrêta son attelage dans la cour envahie de hautes herbes. De son siège de cocher, il contempla *sa* demeure. Bien qu'il l'ait vue dans sa jeunesse, il eût été en peine de la décrire. À son grand étonnement, il reconnut la frise de granit entourant la porte cloutée, le fronton triangulaire qui la surplombait, ainsi que la fenêtre à meneaux juste au-dessus. Cet ensemble évoquait, en plus fruste, les hôtels Renaissance de la vieille ville du Puy. Il fut soudain ému par ce témoignage du passé qui, il en eut la conscience aiguë, ancrait son futur. Le reste de la maison avait été rebâti depuis le XVIe siècle, et les autres ouvertures ne présentaient pas ce même charme historique. L'édifice, cependant, conservait une beauté trapue, comparable à celle des chevaux de trait. Dominant deux combes, il occupait un petit col à près de onze cents mètres d'altitude. Vers l'est, en contrebas, au bout des prés, le village de La Souchère. Plus loin, la vue s'étendait à travers le plateau, jusqu'à Bellevue-la-Montagne. Vers l'ouest, dominant le moutonnement des collines, on apercevait les tours de La Chaise-Dieu. Les contemplant, il retrouva l'émotion de son arrivée, quand il les avait découvertes sur l'horizon. C'était longtemps auparavant... Deux jours, en fait. Il n'en revenait pas.

Être chez soi, quelle étrange impression ! Pour la première fois de sa vie, il était propriétaire.

Il descendit de voiture. Le temps était doux pour un 23 décembre. Il fouilla dans la poche de son grand manteau et en tira une clé démesurée, remise par le notaire. La serrure, sans doute de mauvaise humeur, grinça vigoureusement. Solidaires, les gonds se plaignirent en écho. Jean laissa ouvert. Un escalier de pierre en colimaçon partait sur la gauche. Une porte, à droite, s'ouvrait sur une salle dallée de bonne taille. Au fond, une cheminée noircie témoignait d'un usage séculaire. Une lourde table, dix chaises paillées, deux fauteuils massifs, aussi vieux que la maison, un coffre et une bonnetière meublaient la pièce. Pourquoi diable la dame Anglade avait-elle laissé les meubles ? Ça valait au moins cinquante francs, ce bazar. Il haussa les épaules, puis sourit.

Il frissonna. Un froid de tombeau s'était incrusté dans cette maison fermée depuis des lustres. Il lui fallait du bois pour faire une flambée. Il s'imagina installé dans l'un des vénérables sièges Renaissance, les pieds nus offerts aux braises.

Outre la vaste salle du bas, la maison comportait cinq grandes chambres à larges ouvertures, plus trois petites pièces pourvues de fenestrons économes. Toutes étaient meublées. Jean ouvrit les armoires. Elles contenaient draps et couvertures. Seuls les habits en étaient absents. En partant, les anciens occupants, fermiers ou métayers, avaient laissé le mobilier et le linge de maison qui, à l'évidence, appartenaient aux propriétaires. On eût dit qu'ils venaient de sortir et ne tarderaient pas à rentrer. Il haussa les épaules. Seul importait ce qu'avait dit le notaire : « En matière de meubles, possession vaut titre, mon garçon. Tout ce que contient la maison t'appartient donc. » Une aubaine. Il trouva une certaine grâce aux décors épurés des lits et des armoires. Sa femme les aimerait-elle ? Il imagina à ses côtés une compagne souriante, en robe à amples plis, et, pourquoi pas, deux ou trois marmots. Il en demeura perplexe. Militaire, jamais il ne s'était imaginé en famille. Depuis son retour, et hors de sa volonté, cette image s'imposait à lui.

Où trouverait-il une fille ? Selon sa mère, se marier à tout prix était presque toujours une bêtise. Les choses se font ou ne se font pas, c'est tout. Il soupira.

L'écurie fermait correctement. Canon et Boulet y seraient bien. Le foin de la grange datait de Mathusalem, mais, dès le lendemain il achèterait de l'avoine en complément de leur menu. La remise lui offrit une surprise. Outre un tombereau, elle contenait un char à grumes qu'il inspecta avec intérêt. Le train avant se reliait à l'essieu arrière par une poutre articulée qu'un astucieux système de coulisses et de chevilles permettait d'allonger. Au fond de la salle, il devinait tout un bric-à-brac difficile à identifier dans la pénombre. Les jours sont courts fin décembre.

Jean fit le tour du pré entourant la maison. Les bois, *ses* bois, commençaient à cinquante mètres. La bise cessa dès son entrée sous le couvert. Les grands arbres cassaient le vent, créant dans leur ombre une atmosphère de cathédrale. La nuit y était déjà tapie. Il songea aux loups. Sans doute n'étaient-ils pas loin. Il sourit : ils procédaient de la grande sauvagerie de la nature.

Il revint vers la berline, fit reculer son attelage pour la ranger à l'abri, dételа ses chevaux et les lâcha. Ils se mirent placidement à brouter l'herbe jaunie de la cour. Jean se mit ensuite en quête de bois pour son feu. Un feuillu desséché le pourvut en branches mortes. Il en ramassa une forte brassée qu'il entra en hâte. Il venait de décider de dormir chez lui. Le notaire lui avait donné jusqu'au lendemain pour ramener « sa paperasse ». N'ayant pas encore fait le choix d'une chambre, il décida de s'installer là, devant le foyer. Il avait si souvent dormi dehors par tous les temps qu'un abri clos et un bon feu lui paraissaient déjà un luxe.

Le temps de rentrer et d'étriller ses percherons, le crépuscule s'achevait. Il boucla soigneusement la porte de l'écurie et contempla les dernières lueurs du couchant, puis son regard glissa sur le paysage. Le vert foncé des sapins avait viré en un noir incertain. Au nord-ouest, sur le ciel assombri, se découpaient les tours de La Chaise-Dieu. Il les contemplerait ainsi chaque soir de sa vie. Il ne quitterait plus jamais Largnac. Son regard suivit l'horizon. Des bois immenses, des prés en clairières, rien d'autre sinon, au sud, à quatre ou cinq cents mètres, un petit groupe de maisons : Champvieille. Il était passé par ce hameau en arrivant, mais sans réaliser qu'il abritait la sorcière. Il eut ce sourire en coin qui lui était familier : il la rencontrerait nécessairement et constaterait *de visu* s'il devait ou non croire Mariette. En tout cas, il se tiendrait sur ses gardes.

Il songea à dîner. Il avait quelques provisions, mais rien à boire. Largnac avait toujours été habité. On accédait donc à l'eau sans descendre jusqu'à La Dorette, à sept cents mètres, par la traversière et un petit kilomètre par le sentier des bois. Il chercha un puits. Sur le côté de la remise s'élevait une construction cylindrique haute comme un homme et large de cinq pieds de diamètre. Les pierres de son bâti se rejoignaient en une voûte pointue. Une porte de bois délavé s'y ouvrait. Il la déverrouilla. L'eau miroitait dans l'obscurité quinze mètres plus bas. Un baquet de bois attendait sur une étagère scellée à côté de l'ouverture. Il leva les yeux, vit la poulie en place. Prudemment, craignant que la corde ne soit usée, il fit descendre le seau, le remonta, clapotant.

Il dîna devant le feu, de pain, de fromage et d'eau claire, puis s'installa sur un des lourds fauteuils en bois. Leur moelleux laissait à désirer. Des coussins les amélioreraient, mais leur bois poli avait la douceur d'un long usage. Il avait tiré ses bottes. Les pieds offerts aux flammes, il écoutait le vent. La bise s'était levée avec le soir. Ses bourrasques et ses sautes lui parvenaient, étouffées par l'épaisseur des murs en granit. Installé dans une quiétude douillette, il attendait, espérait presque les clameurs longues des loups. Malgré son relatif inconfort, il s'assoupit. Quand il s'éveilla, raide et frissonnant, les braises rougeoyaient. Il y vit un univers diabolique et rassurant où des démons familiers le contemplaient de leurs yeux rouges... Tout un imaginaire qu'il se racontait depuis sa petite enfance. Il monta dans la première chambre venue, prépara son lit et se coucha.

Cette nuit-là, les bêtes fauves hurlèrent sans qu'il les entendît.

Le froid précurseur de l'aube le réveilla. Il regarda l'heure à sa grosse montre d'argent, un butin espagnol. Sept heures. Il se leva, s'habilla, grignota les restes de la veille, puis récura la maison de fond en comble avec une méthode et une efficacité toute militaire. Il avait sorti les chevaux pour les faire paître. Comme la veille, l'herbe jaunie par le gel sembla leur convenir. Cette pitance leur rappelait-elle des souvenirs ? Avaient-ils, comme lui, subi la retraite de Russie ?

Son intérieur nettoyé, il s'intéressa au hangar. Tout d'abord, il en tira la berline. Elle était lourde pour un homme seul, mais il n'allait pas atteler pour si peu. Il fit alors le recensement de ses trésors. Le matériel propre à l'exploitation forestière semblait au complet. Il héritait là d'une petite fortune. Tout ça était trop beau, mais basta. Lorsqu'il rapporterait ses papiers au notaire, dans l'après-midi, il aurait les réponses à toutes ses questions. Il entreprit de tout examiner en détail.

L'inventaire prit plusieurs heures. Souhaitant souffler un peu, il alluma sa pipe sur le pas de sa porte. Très vite, il eut froid. À cette altitude, un 24 décembre, ça n'avait rien d'étonnant. Il lui fallait bouger. Il s'épousseta. Il avait travaillé en tenue de ville. Ce genre de pratique gâterait vite un habit qui lui avait coûté six francs. Il lui fallait s'équiper en paysan : la grande blouse indigo le protégerait du froid comme de la crasse. Il s'offrirait évidemment l'immense mouchoir rouge qu'on se nouait habituellement au cou, ainsi que des sabots. Rien de mieux pour s'isoler les pieds du froid et de la boue, et cela pour un prix raisonnable. Il lui faudrait aussi deux ou trois paires de pantalons de gros drap, chaud et solide, et autant de chemises. Enfin, il trouverait bien une brave femme pour lui tricoter chaussettes et chandails. Il terminerait par un chapeau de bon feutre. Se vêtir, voir le notaire et lui rendre sa berline, récupérer ses affaires chez Mariette, tout un programme pour son après-midi à La Chaise-Dieu. Auparavant, il irait chez la Belette, pour « parler » et lui acheter quelques sacs d'avoine. Une bonne occasion pour prendre le chemin forestier qui descendait à La Souchère en une grande boucle, à travers le flanc est du bois de Jagonaz, à travers son bien. Il irait à pied, remonterait par la traversière pour atteler la voiture et se rendre au bourg. Il sortit sa montre. Il arriverait vers midi. Son ami risquait de le retenir à déjeuner... Il réfléchit, entra dans la maison, en ressortit bientôt une besace à l'épaule. Ce coup-ci, il n'arriverait pas les mains vides.

Il aspira goulûment l'air frais, se sentit heureux dans la sérénité de ces paysages plus immenses que les conquêtes du « Petit Tondu », une immensité authentique, sublime, simple, sans combats, sang, mort ou peur.

À l'euphorie succéda l'inquiétude. Il décida d'emmener ses percherons. Il répugnait soudain à les laisser. Il leur présenterait ainsi leur lieu de travail, leur futur univers. Cette idée saugrenue l'enchantait. Eux rêvaient plutôt de grasses prairies. De toute façon, les habituer au pays contribuait à leur apprentissage de chevaux forestiers. Son anxiété demeurait vague. Ses percherons broutaient paisiblement, et son regard grave ne leur fit pas lever la tête. Il observa sa maison, son pré, ses bois et se rembrunit. Quelles que soient les explications du notaire, à l'évidence, l'achat de cette terre avait fait de celui qui la convoitait un ennemi.

Il verrouilla sa porte, ferma soigneusement son hangar, inspecta les alentours comme en zone hostile. Emmener Boulet et Canon était une sage décision. Dieu sait ce qui pouvait leur arriver. Les vaches du Gu n'étaient pas mortes dans leur litière...

Dans son souvenir, le chemin partait à droite de la route d'accès. Elle démarrait au bout du pré. Jusqu'à La Souchère, il marcherait chez lui. Il passa une légère courbe et son regard saisit au vol une silhouette fugace. Une femme dont la fuite affirmait la présence clandestine. Il en fut troublé. La Talaurina, figure pour le moins ambiguë et prétendue sorcière, était en fait sa plus proche voisine. Venait-il de l'entrevoir ? Champvieille, où elle demeurait, n'était qu'à cinq cents mètres, soit cinq minutes à peine en marchant bien. Il décida de lui rendre bientôt une visite de bon voisinage pour se faire une opinion. Serait-elle son ennemie ? L'histoire du pendu avait de quoi inquiéter. Il haussa les épaules : il n'avait pas survécu aux guerres napoléoniennes pour succomber aux maléfices d'une rebouteuse de village.

Au coin de la pâture, il s'enfonça dans le bois. Envahie de ronces mortes et d'herbes folles, la sente n'était visible que par une trace de ciel à peine décelable dans les hautes frondaisons. Çà et là, profitant de cette ouverture vers la lumière, de jeunes pins avaient poussé. Il lui faudrait les arracher pour les repiquer dans les zones déboisées. Y en avait-il sur ses terres ? En leur absence, il devrait mettre ces jeunes plants en jauge, donc prévoir un châssis de terre aérée pour les installer. Il nota d'emporter un piochon léger pour parcourir ses bois.

Il échafauda ainsi, en marchant, un programme d'ouvrage qu'il savait sans fin. La beauté d'un arbre l'arrêta net. Un géant des forêts haut comme une église, un sapin plus que centenaire. Placides, ses percherons s'étaient immobilisés. Le vent en profita pour s'imposer dans le paysage. Jean s'abandonna à la sérénité de l'instant. Un bruissement la troubla. Sous le couvert, un bouquet de genévriers remuait. Il perçut le haut d'un visage, apparition fugace qui imprima dans sa mémoire deux yeux doux, couleur d'orage. La fille de tout à l'heure l'observait. Poursuivre la voyeuse ? Laisser ses bêtes ? Un froissement de branches : c'était déjà trop tard. Un craquement dans son dos le fit brusquement se retourner. Une masse grise fila sous les pattes des chevaux qui bronchèrent. Le chien de la fille évidemment.

La pente s'accentuait. Derrière Jean, les percherons, résistant à la pente, raidissaient leurs antérieurs. Très vite, les arbres s'ouvrirent sur la combe de La Souchère.

Il atteignit La Dorette, la traversa sur une passerelle de bois, remonta vers les maisons, suivi par ses grands hongres dont il avait lâché les licous. Une femme et deux hommes, qu'il ne reconnut pas, sortirent sur le pas de leur porte pour le regarder, le saluer d'un hochement de tête. Il répondit de même. Eux savaient qui il était. Sa visite de l'avant-veille à la Belette l'avait identifié comme quelqu'un du pays.

On avait dû parler de lui aux veillées comme au lavoir aménagé sur le ruisseau. Il n'était plus un étranger.

Entendant les chevaux, la Belette sortit de son étable, essuya ses mains sur sa blouse maculée et rapiécée.

— Bien le bonjour, Jeannot, dit-il. Tu n'as pas la berline aujourd'hui ?

— Je l'ai laissée à Largnac, François. Chez moi.

Ses yeux pétillaient.

— Tu as acheté Largnac ! Le bois aussi ?

— Le bois aussi.

— Que voilà une bonne nouvelle ! commenta la Belette avec un énorme sourire. Viens, on va arroser ça.

— Et on va faire affaire, toi et moi. Jamais je ne pourrai m'occuper tout seul d'une surface pareille.

— Ah ! parce que tu as tout acheté... Toute la propriété de feu Marius Anglade ?

— Un grand bout du Jagonaz, oui, jusqu'à Bonneval.

— T'étais si riche que ça !

François Anguier resta interdit. Sa remarque spontanée manquait totalement à la courtoisie terrienne. Une indiscrétion dont il se sentit honteux. Son air penaud fit rire l'ex-capitaine.

— T'inquiète ! Y a pas d'offense, dit-il. J'y ai mis vingt-deux ans d'économie, et puis Montchovet m'a vendu ça au quart de son prix, j'ai pas encore compris pourquoi.

— Oh ! tu comprendras...

— Tu veux pas me le dire ?

— Si, si. Le notaire ne t'a pas expliqué ?

— On n'avait pas le temps, il voulait que je file tout de suite au Puy pour faire enregistrer l'acte de vente.

— Je comprends ça...

— Tu vas me raconter tout ça.

— Tu vas revoir Montchovet ?

— Oui, pourquoi ?

— Il te racontera, lui. C'est compliqué. On en parlera après.

— Mais...

— On va pas rester là à se geler. Et dedans, je peux pas parler de tout ça devant ma femme. Elle prend peur pour un rien. Le notaire, lui, il saura t'expliquer, sois tranquille.

Jean n'insista pas. Il bouillait intérieurement, mais sans rien laisser paraître. Il demanderait au notaire... qui lui dirait ce qu'il voudrait bien. Une partie de la vérité sûrement. Toute la vérité ? Pas sûr. Il changea de sujet.

— François, il faut me vendre du fourrage pour mes chevaux. Je prendrais bien quatre sacs d'avoine tout de suite. On les chargerait sur leur dos. Tu aurais ça ?

— Ben, y a eu la sécheresse cet été. Les prix sont élevés, je voudrais pas que tu penses que...

— Écoute. Fais-moi le prix auquel on l'achète, plus celui de ta peine. Moi, je vais avoir trop à faire pour comparer les tarifs des différents marchands, et puis toi, tu sais sûrement où aller.

— T'es mon ami et...

— Si on est en affaire, toi et moi, il faudra travailler en confiance et que chacun y trouve son compte. Tope là.

La Belette tapa si fort que Jean en eut presque mal à la main. Il avait fait ça comme on se jette à l'eau, comme on brûle ses vaisseaux. Un message fort. Le demi-solde s'inquiéta à nouveau. Il n'eut soudain plus qu'une idée : rentrer à Largnac, atteler la berline et filer chez le notaire. Auparavant, en dépit de son impatience, il voulut marquer le coup. Il fouilla sa besace, en sortit sa blague à tabac, une bouffarde culottée et une belle pipe sculptée en tête de vieillard. Il les bourra soigneusement. François Anguier l'observait, perplexe. Jean emboucha la bouffarde et tendit l'autre pipe à son compagnon.

— Fumons, dit-il en souriant.

L'autre hésita. Pouvait-il vraiment prendre cette superbe pipe et la fumer ? Elle n'était pas la sienne.

— Un cadeau à un ami, dit Jean. À quelqu'un qui vient de me dire qu'il était de mon côté, malgré... malgré le secret qui traîne sur le pays.

— Elle est magnifique, dit la Belette, ému. Je n'ai jamais possédé une si belle chose.

— Allume-la ! Elle est presque aussi bonne que celle que je fume. Je l'ai curée et nettoyée à la gnôle pas plus tard qu'hier.

Ils fumèrent en contemplant le Jagonaz, méditatifs, heureux d'être ensemble.

— J'y vais, dit Jean.

— Jeannot, c'est l'heure de la soupe. Viens donc !

Il le remercia.

— Je préfère me sauver. J'ai trop à faire ce soir.

— Alors, bon Noël, dit François. T'es pas tout seul, au moins ?

— Non, je vais coucher au Coq-Rouge. Mariette me mignotera. Elle me l'a promis. As-tu un ou deux sacs d'avoine que je puisse prendre tout de suite ?

La Belette rentra vivement dans son étable. Jean le suivit. Ils ressortirent, chacun portant une lourde *boge* de grains. Jean soufflait comme un bœuf. Il avait perdu l'habitude. Tout n'était pas rose dans la vie de paysan. Il l'avait oublié.

En repartant, il se sentit lourd. Son essoufflement à porter l'avoine l'avait agacé. Dès qu'il fut dans les bois, sur le chemin du retour, il se mit à courir dans la pente raide de la traversière. Derrière lui, Boulet et Canon trottaient malgré leur charge. Dans la tête de Jean s'installa une compétition contre lui-même. Il s'était amolli en six mois de caserne. Haletant, les muscles douloureux, la sueur dans les yeux, le cœur sonnant la charge, il maintint son allure. L'impression qu'il allait crever s'atténua. Le pas suivant, si pénible soit-il, put se faire sans effort de volonté. Arrivé au grand pré, son souffle avait trouvé son rythme, la douleur de ses muscles s'était assourdie et, de nouveau, il admirait *sa* terre. Il arriva chez lui heureux, se dévêtit et se lava à l'eau froide en gestes vigoureux. Séché, délassé, il trouva à ses habits une douceur de duvet. Il mangea en hâte puis repartit avec la Berline. Il avait une foule de choses à acheter à La Chaise-Dieu...

6

Les trois messes

Chez le notaire, Jean fit chou blanc. Me Montchovet avait pris la route pour Le Puy en tout début d'après-midi. Il allait passer Noël chez sa fille. Il remit les actes enregistrés au clerc Buisson qui l'accueillit, l'air morose et l'œil hostile. Des questions sur cette peur diffuse qui stagnait sur tout le pays eussent entraîné, à n'en pas douter, une ironie méprisante du gratte-papier. Quant à rendre la berline, cela se révéla impossible. La remise était verrouillée et le clerc n'en possédait pas la clé. On était vendredi. Le tabellion ne rentrerait pas avant dimanche soir. Jean garderait la voiture jusque-là. Son poids avait l'avantage de faire travailler ses bêtes. Remontant sur son banc, il les observa. S'étaient-elles musclées en deux jours ? Ça semblait improbable. En tout cas, l'ex-capitaine leur trouva superbe mine.

Il fit des emplettes de vivres, de quincaillerie et de l'indispensable pour s'installer dans sa maison de Largnac. Il se vêtit également, et ce qu'il ne put trouver, il le commanda chez une couturière indiquée par Mariette.

Il lui fallait aussi offrir des tours de cou luxueux à ses chéris. Béchu, le bourrelier, travaillait toujours. La chance, cette putain versatile, sourit à l'ex-capitaine. Pour le char à bancs, la berline et même le tombereau, l'artisan avait des colliers légers, aisés à adapter. Pour le porte-grumes et le débardage en forêt, il en ferait de beaucoup plus épais. Les premiers étaient suffisants pour tirer de face, les larges permettraient aux percherons une traction dans tous les axes sans se meurtrir.

— Ben nom de Gu, s'exclama l'artisan en voyant les bêtes. En voilà des bestiaux ! Va me falloir un escabeau pour prendre leurs mesures.

Il rentra dans son échoppe, en sortit aussitôt avec un trépied pour traire les vaches, et grimpa dessus. Jean restait discrètement près de lui, prêt à le rattraper s'il perdait l'équilibre. L'autre le remarqua.

— Écarte-toi, Jeannot, tu vas me gêner.

Le demi-solde obéit. L'artisan n'avait aucune envie de se sentir vieux. C'était son droit, après tout.

Ses achats avaient allégé sa bourse. La chose était prévue, bien sûr, mais Jean n'aimait pas ça. Il décida de gagner très vite de l'argent. Il lui suffirait de vendre, verts, plusieurs sapins bons à couper qu'il avait repérés. Quelques questions ici et là et il sut où s'adresser.

Il ramena la berline au Coq-Rouge.

Dans la salle, plus trace de la bourgeoise rondouillarde, de son amie, ni de sa servante. Ces dames étaient reparties. Guéries ?

— Tu n'le croiras pas, lui dit Mariette en s'asseyant face à lui. La grosse femme n'avait plus rien à son poignet. La Talaurina a tout simplement écrasé la boule. Elle a roulé ses pouces dessus en appuyant. Ça a fait un peu mal et pfuitt, plus rien.

— Et elle a payé cher pour ça ? demanda Jean.

— Cinq francs or, dit Mariette.

— C'est exorbitant !

— Oh ! elle voulait pas payer autant, mais il a bien fallu...

— Comment ça ?

— Ben, la rebouteuse lui a repris le bras, a réappuyé au même endroit en lui faisant un mal de chien. La bosse est revenue. La bourgeoise a dû payer le prix fort, et sans barguigner cette fois, pour être soignée de nouveau.

— Elle est pas trop honnête, cette Talaurina. Et la jeune femme stérile ?

— Là, c'est encore mieux. T'sais pas ce qu'elle lui a dit ?

Il attendit, l'œil curieux.

— « Change d'âne ! »

Ils rirent aux éclats.

— Malhonnête ou pas, elle ne manque pas d'esprit, notre sorcière, commenta le demi-solde. Sans compter que ça a de bonnes chances de marcher, une prescription pareille. Et qui t'a raconté ça ? Pas la dame patronnesse, quand même. C'est pas flatteur pour elle, toute cette histoire.

— Non, bien sûr. Sa servante était une bavarde. Faut dire qu'elle est née à Cistrières, à une lieue d'ici. C'est une Chabasnel, la petite-nièce du Joseph. Une fille de chez nous. Et pis elle l'aime pas trop, sa patronne. C'est un fesse-mathieu, celle-là ! J'ai bien vu, quand elle m'a payée !

La salle se remplissait. Mariette se leva.

— Quand tu auras un moment, faudra me parler de ce qui se passe par ici. La Belette m'a fait des allusions, mais sans rien dire de précis. Tu le connais... Toi, tu m'as parlé des pendus... J'aimerais en savoir un peu plus.

Le visage de l'aubergiste se ferma. Un éclair inquiet passa dans ses yeux.

— J'y vais, dit-elle. Le travail m'appelle.

Jean soupira.

Il n'était pas tard, même si la nuit était tombée. Une fois la berline en sécurité dans la cour du Coq-Rouge, Boulet et Canon au chaud à l'écurie, il décida de faire le tour des cafés de la ville pour se montrer et observer les réactions des gens. Une façon comme une autre de cerner les vérités cachées par la loi du silence.

Dans ce pays, on gardait les secrets, surtout ceux qui font peur.

Accoutumé par la vie militaire, son estomac supporta le mauvais pinard des estaminets. Comme dans chaque petite ville, on en comptait plusieurs dizaines à La Chaise-Dieu. C'était si facile de fixer une branche de houx au-dessus de sa porte en guise d'enseigne et de se mettre à vendre du vin au verre !

Il en visita plusieurs, serra des mains, but quelques coups de rouge, parla brièvement de son passé, de l'horreur des guerres, évita d'évoquer l'Empereur. Républicain discret en ces temps d'intolérance, il ne voulait surtout pas être pris pour un bonapartiste.

Au fond d'une ruelle en contrebas de l'abbatiale, il s'arrêta devant le bouge de la mère Puchat. Selon les bourgeois, ne le fréquentaient que les « fainiants » et la racaille du pays. Jean y entra. Outre qu'il n'avait pas consulté les bien-pensants, il connaissait les lieux : son cantonnier de père y avait bu une bonne part de ses maigres émoluments.

Haute silhouette anguleuse, il resta sur le seuil. Les souvenirs affluaient, pas tous bons d'ailleurs. Il soupira, s'avança et referma la porte. Un instant suspendues, les conversations reprirent.

Il salua d'un geste de la main vers son chapeau. Un homme encore jeune, installé à la table du fond, lui jeta un regard aigu. Il avait une jambe de bois. Son visage lui parut familier sans qu'il parvînt à mettre un nom dessus. Il s'en approcha, décidé à s'asseoir à la table voisine. Après une mutuelle observation, ils parleraient sans doute, mais Jean ne voulait rien brusquer. Il avait eu six ou sept conversations ailleurs, n'avait pas appris grand-chose, et le regard appuyé de cet homme l'intriguait. Il le sentait las, désabusé. Celui-là n'avait apparemment pas grand-chose à défendre, et par conséquent pas grand-chose à craindre. Il parlerait peut-être plus facilement.

Il allait s'asseoir lorsque l'homme l'interpella.

— Bien le bonjour, *moussu* le capitaine.

— Bien le bonjour, répondit Jean, qui avait sursauté.

Il hésitait sur l'attitude à adopter, mais l'autre l'invita à s'asseoir en face de lui. Il s'installa.

— Je te remets pas bien, dit-il doucement.

— T'es parti depuis très longtemps, capitaine. Tu ne peux pas te souvenir d'un gamin qui avait dix ans quand tu en avais seize. Mais nous étions voisins.

— Gastounet, le petit frère de Lucien Estublat !

— Y a bien longtemps qu'on m'a pas appelé Gastounet. C'est comme si je t'appelais Jeannot !

— Tu peux.

— J'sais pas... Un capitaine de chasseurs, c'est pas rien.

Jean sourit.

— C'est fini, ce temps-là. Trop de guerres, trop de morts. Je n'aspire qu'à la paix.

— La paix, c'est pas pour tout le monde...

— Ta jambe, dit Charzol en observant la profonde tristesse de son interlocuteur.

— Un boulet. Estropié à vingt-sept ans, oui.

— Je vois, soupira Jean. Ça a été très dur, hein ?

— Encore plus. Mais on était reconnus. Maintenant, on est des réprouvés.

— Qui ça, on ?

— Les mutilés de l'Empire. Depuis le retour du Bourbon, personne ne veut plus nous voir.

— Mais vous êtes d'ici ! Vous avez encore de la famille...

— Pas tous, pas moi. Lucien n'est pas revenu de Russie. Peut-être qu'il a trouvé là-bas une belle fille et qu'il vit avec elle dans la taïga. Après tout, les bois, là-bas, ils sont comme chez nous, sauf que c'est la plaine.

— Toi aussi, tu as vu Moscou...

— Oui, quelques autres villes russes aussi. Mais les survivants, on est moins nombreux que ceux que les cosaques ont sabrés ou qui sont morts de froid.

— Et tu regrettes l'armée ?

— On a eu de bons moments... J'étais sergent. On était des dieux, nous les grognards de la Garde, jusqu'à l'Espagne... J'ai pas aimé l'Espagne.

Jean approuva. Lui non plus n'avait pas apprécié le rôle de police politique.

— Dis, comment sais-tu que j'étais capitaine ? Je ne l'ai dit à personne depuis mon retour.

— Tout se sait. Les gens parlent. Aux armées, y en a qui t'ont connu ou qui ont entendu parler de toi. Un nom de par chez nous, on fait attention, tu sais. Pendant les campagnes, entre pays, on discutait d'ici, des autres gars à l'armée. On m'a parlé de toi, il y a trois ans...

— C'est fini pour moi, tout ça...

— On sait aussi que le Montchovet t'a vendu presque tout le Jagonaz.

Jean haussa les sourcils.

— Mais ça date d'hier à peine !

— On sait, c'est tout.

— Et tu en penses quoi ?

— Que tu es rentré riche.

— Vingt-deux ans d'économies, dit Jean. Pas de quoi acheter ces bois. Le notaire m'a vendu ça au quart de sa valeur. Ça appartenait à une femme qui crevait de trouille. Y a un mauvais climat par ici. On dirait que tout le monde a peur. La Terreur blanche, la chasse aux bonapartistes, n'a aucun sens par ici.

— Va savoir...

— Tu sais quelque chose.

— Je sais qu'on nous fuit, nous les estropiés des guerres napoléoniennes.

Son visage s'était fermé, durci. Il ressassait ses rancœurs. Jean changea de sujet.

— Dis-moi, on peut avoir une soupe et une omelette ici ?

— On peut.

— Tu veux bien partager mon dîner, Gastounet ?

— Pas de quoi payer. Ma pension d'invalide n'est pas grosse et on arrive en fin de trimestre.

— Je t'invite, sergent.

Ils parlèrent du temps passé, comme si le présent était banni.

— Il faudra qu'on se revoie, dit Jean au mutilé lorsqu'il se leva pour partir.

— Tu me trouveras ici le soir. Et le jour aussi, bien souvent. On donne peu d'ouvrage à un homme comme moi.

— Ta jambe...

— Oui, sans doute, mais aussi à cause... de l'Empire.

— Tu es bonapartiste ?

— Pas vraiment, mais qui le sait ? Toi aussi, capitaine, tu passeras, tu passes déjà pour bonapartiste.

Jean se rassit.

— Parle-moi de ta jambe. Tu peux marcher un peu ?

L'autre le regarda d'un drôle d'air.

— Pas des lieues, mais je peux marcher. J'ai eu la chance, enfin si on peut dire, de garder le genou et la moitié du mollet.

Le demi-solde était pensif. Gaston Estublat respecta son silence. Chacun savait ce que l'autre pensait. Ça suffisait.

— Tu n'vas pas rentrer dans la nuit d'hiver ? Tu vas dormir au Coq-Rouge ? demanda l'unijambiste.

Il opina.

— *Adiu*, capitaine. Passe quand tu veux. Avec un peu de chance, tu verras les autres.

Jean Charzol haussa les sourcils.

— Les autres estropiats, compléta Estublat.

Les deux hommes échangèrent un long regard. Jean posa brièvement la main sur l'épaule de son interlocuteur, se leva et s'en alla.

Dehors, il partit à grands pas, méditant le peu qu'il avait appris. Il songeait à l'estropié. Rien d'étonnant à ce qu'il sache où il était descendu. Tout le monde savait tout ici, et plus encore qu'il l'avait pensé. À son corps défendant, son arrivée, puis son achat de Jagonaz et de Largnac, son passé aussi, avaient fait de lui non pas un notable, mais une référence, presque un recours pour des sacrifiés de l'Empire comme Gaston Estublat. À l'opposé, tous les malveillants à son égard le qualifieraient de bonapartiste, c'est-à-dire de complice de l'ennemi public. Lui, qui n'aspirait qu'à la tranquillité des bois, allait se retrouver, se trouvait peut-être déjà, au cœur d'un conflit. En acceptant la proposition du notaire, il avait, de fait, déclenché les hostilités. La résistance plutôt. Il soupira.

Un contact, léger puis froid sur sa joue, lui fit lever la tête. Il huma l'air humide. La neige. Il neigeait à Noël. Du plus profond de son esprit surgit le merveilleux de l'enfance. Il quitta la ruelle, remonta vers l'abbaye. Des gens, la lanterne haut levée, convergeaient vers elle. Un très bref instant, il se demanda où ils allaient. Le carillon soudain l'informa. La messe de minuit. Sans préméditation, ses pas l'y portèrent d'eux-mêmes. De nouveau, ses souvenirs affluèrent.

Sur la place, devant la haute église, arrivaient des chars à bancs bondés de gens emmitouflés. On le regardait. Certains le saluaient. Il répondait. Quelques visages lui parurent familiers, la plupart lui restaient inconnus. Il monta l'imposante volée de marches au milieu d'un flux qui se densifiait, et se retrouva dans l'étranglement du porche, derrière une femme mince qui plongea une main dans le bénitier, se signa puis se tourna, lui tendant ses doigts mouillés. Il les toucha, retrouvant le rituel de passation de l'eau bénite. Ils échangèrent un regard, mais il faisait trop sombre pour qu'il distinguât son visage. Pourtant, il songea au regard furtif de la fille des bois. Déjà la femme s'était retournée, s'enfonçant dans la pénombre de la nef piquetée des lanternes qu'on n'avait pas éteintes.

Vers le maître-autel, des buissons de cierges creusaient la haute voûte. La foule était dense. Les femmes avançaient, alors que les hommes de la campagne restaient près du porche. Ils sortiraient plus vite, au moment de la communion, pour rejoindre les cafés, les bistrots, comme disaient les occupants russes en Belgique, après Waterloo. Ça sentait la vache au fond de l'église, comme dans son enfance, au siècle dernier. Une odeur pénétrante, familière, tellement normale. Il s'avança parmi les femmes, trouva une place près d'un pilier, derrière les bancs des notables marqués à leur nom par de petites plaques de cuivre. La messe commença, la première des trois. Le curé chantait faux. Le chant grégorien des moines, chassés par la Révolution, manquait à Jean Charzol. Il écouta les tirades en latin et retrouva l'ennui de son enfance, né de la longueur infinie des offices. Sauf que le temps passait plus vite maintenant. Il y eut un flottement dans la nef. La foule se fendit, et Saint-Capré apparut en perruque poudrée, suivi de son cocher et de trois hommes qui, tous, affichaient le même air hautain. Ils s'avancèrent jusqu'au banc de l'ancienne famille aristocratique, toisèrent les occupants qui se levèrent en hâte et quittèrent la place. Le curé, qui avait suspendu son cantique, n'osa rien dire. À la lueur des cierges, Jean décela son regard inquiet. On n'entendait même plus la rumeur d'une assistance recueillie, toujours troublée par un murmure, une toux, un babillage d'enfant. Un silence de souffles retenus. Enfin, les cinq hommes occupèrent le banc, et le prêtre, soulagé, reprit sa psalmodie. L'emperruqué jouait au dévot, déclamant le latin des répons, le missel à la main. Ses compagnons ne bougeaient pas, ne regardaient rien, s'ennuyaient, immobiles. De son coin discret, Jean scruta leurs traits pour les reconnaître plus tard, puis, lassé, observa la voûte obscure, laissa dériver son regard vers la *Danse macabre* qu'on devinait à peine. Il discerna la coquette et le bourgeois enlaçant les squelettes. Loin de l'effrayer, ces derniers l'avaient toujours passionné. Enfant, il les voyait comme des marionnettes aux mouvements rigides, des divinités bénignes aux maléfices étiolés. Les bruissements de vie s'étaient réinstallés. *« Agnus dei qui tollis pecata mundi... »* C'était l'offertoire. Il n'avait pas mis les pieds à l'église depuis son départ en 1793, et pourtant, la liturgie lui revenait.

La première messe était finie. Le curé ânonnait hâtivement la suivante. C'était long. Jean vit des enfants s'effondrer endormis, des paroissiens bâiller. Toutes les cinq minutes, avec un agacement croissant, un bourgeois extirpait sa montre de son gousset. Une quantité de détails ténus reconstruisait un bien-être oublié du demi-solde. Au-delà de la nostalgie revenait la magie de l'instant, la douceur d'une existence simple. Il fut surpris par la fin de l'office. La rumeur s'allégea. Le groupe compact des paysans du fond de la nef se dilua. La chenille lente des communiants montant vers la sainte table s'étira, s'aéra et disparut. L'*Ite, missa est* libéra l'ex-capitaine comme les autres. Le flot l'emporta dehors.

Sur le parvis, les gens se saluaient, riaient, les enfants s'impatientaient. Après l'ascèse des trois messes, on allait trouver des cadeaux devant la cheminée ou la crèche : un cheval de bois et une pomme, un ballon, une poupée de chiffon que père ou grand-mère auraient confectionnés avec amour. Chez les riches, on mangerait une poularde et des pâtisseries. Les pauvres auraient une soupe au lard et du pain bis beurré. La vue d'une silhouette fine lui rappela l'échange d'eau bénite à l'entrée de l'église. Il la suivit des yeux. Elle n'était pas loin du vieux carrosse de Saint-Capré et de ses rossinantes. Un des hommes du hobereau lui saisit le bras. Elle se libéra d'un geste vif. Il voulut la reprendre. Elle s'esquiva. Jean avait reconnu le cocher du carrosse. Il s'approcha comme une ombre, prêt à intervenir. Il vit la jeune fille aborder une paysanne aux longs cheveux ondulés dépassant de sa coiffe et couvrant ses épaules. Une lanterne portée par un passant la révéla rousse. La foule des paysans se fendait devant elle tandis qu'ils détournaient les yeux. Il sut qu'il s'agissait de la Talaurina, la sorcière. La fille gracile marchait à côté d'elle. Jean resta songeur.

La place se vidait. Il se mit en marche vers le Coq-Rouge. Les lanternes se dispersaient, s'éloignaient, disparaissaient. On entendait décroître les grelots d'attelage. Il rentra dans l'auberge. Une table était dressée d'une dizaine de couverts. L'aubergiste, sa femme et leurs deux fils, des gars costauds et pas causants, étaient déjà installés ainsi que quatre inconnus, des parents du couple sans doute. Sa place l'attendait. L'omelette était loin et il fit honneur au chapon de Mariette qui tenait le crachoir. Les regards désapprobateurs de plusieurs des convives incitèrent Jean à se retirer tôt. Dorénavant, ménager ses amis consisterait à les fuir. Il soupira. Les nuages s'amoncelaient sur son avenir.

7

Des traces dans la neige

À son réveil, Jean ressentit un calme insolite et pourtant familier. Il le savoura les yeux fermés. Les bruits matinaux de la cuisine, à l'étage du dessous, résonnaient avec une netteté exceptionnelle. Les sons extérieurs avaient disparu. Il sourit. Il savait pourquoi. Son lit était un cocon où il mitonnait agréablement. Cette moiteur l'avait tiré du sommeil. Elle provenait, il le comprit, du conduit de cheminée qui passait dans sa chambre. En bas, on avait allumé le feu. C'était le jour de Noël. Après l'émerveillement des cadeaux et du réveillon, offerts par l'ascèse du très long office de minuit, la journée serait douce, familiale, un peu languide aussi, du fait de la courte nuit. La plupart des gens resteraient à table jusqu'à point d'heure. Les repas de fête n'étaient pas si fréquents.

De famille, Jean Charzol n'en avait plus, sinon de vagues cousins que ses parents n'avaient plus vus à cause d'une histoire d'héritage vieille de plus d'un siècle. Il n'en était pas triste. Il avait apprivoisé sa solitude depuis longtemps. Son père, dévoré par le mauvais vin, avait tiré sa révérence à l'aube de ses douze ans. Certes, le patriotisme l'avait poussé à s'engager en 1793, mais aussi la mort de sa mère, survenue quelques mois plus tôt. Sans attache, il était libre pour toute aventure. Les paupières closes, il survolait son adolescence, devenue anecdotique avec le temps, comme si quelqu'un d'autre l'avait vécue. Les chagrins s'étaient dissipés en souvenirs adoucis. Il avait tellement subi de faits hurlants, comme les batailles, ou pesants, comme les marches infinies du fantassin, que ce passé vellave avait perdu sa place. Ce matin, avec Noël, il revenait comme un rêve éveillé et, bien sûr, de ce rêve, il en inventa la suite : des enfants découvraient chacun leur jouet devant la cheminée de la maison de Largnac où les braises avaient survécu à la nuit d'hiver. Ces enfants avaient les yeux couleur de ciel d'hiver, comme l'ombre entrevue dans la forêt. Elle était à côté de lui, cette ombre, gracile et vive. Sa main était chaude dans la sienne. L'eau froide du bénitier, la nuit passée, n'avait été que l'alibi d'un contact.

Il ne l'avait pas même vue à la lumière. Elle restait un regard entrevu, une silhouette fluide dans la nuit, et pourtant la fille de la Talaurina le hantait. Ce constat presque inquiétant l'arracha à sa torpeur béate.

Un choc de vaisselle montant de la grande salle lui révéla sa faim. Il envisagea de se lever. Le calme extérieur était toujours présent. Il se tourna vers la fenêtre pour laisser ses yeux s'accoutumer au jour filtrant à travers ses paupières et les ouvrit enfin. La luminosité était, bien sûr, celle de la neige. Aucun paysage d'hiver ne valait celui qu'il allait découvrir : les toits en désordre de la petite ville, harmonisés par la blancheur, l'abbatiale et ses deux tours frontales adoucies par des festons laiteux et, un peu plus près, décalée sur la droite, la puissante tour Clémentine avec ses mâchicoulis en surplomb et son toit à quatre pentes se détachant sur l'immensité immaculée des prés et des bois.

Il se leva, respira un bon coup, alla à la fenêtre. Une brume translucide tramait le paysage. Il entrevoyait l'église et le donjon, devinait le vol des oiseaux sombres dans un flou analogue à son avenir. Justement, il était temps de l'empoigner, cet avenir. Il avait soudain hâte de rentrer chez lui. Sa fête à lui serait d'apprivoiser sa maison. Elle en valait bien d'autres.

Il était gai en descendant. Un copieux petit déjeuner avalé, il paya son hôtesse puis lui souhaita joyeux Noël avec deux bises sonores sur les joues. Elle en rosit, la Mariette.

Jean sortit. Un bruit liquide et familier venait de l'étable. Noël ou pas, il fallait bien traire les vaches. Si sa femme tenait l'auberge, Johannes, lui, était d'abord paysan. Aucune des deux activités ne pouvait, seule, nourrir leur famille. Comme ça, ils s'en tiraient.

— Tu pars ? Je vais t'aider à atteler, dit-il en voyant arriver l'ex-capitaine.

Ils harnachèrent en silence les grands hongres. Ni l'un ni l'autre n'était causant. Quand tout fut prêt, Johannes demanda :

— Tu rentres à Largnac ?

— Ben, oui.

— Sois prudent. Méfie-toi de tout.

— C'est-à-dire ?

Il hocha la tête comme s'il en avait trop dit. Ils se saluèrent d'un geste de la main et Jean fit claquer son fouet.

Heureux de partir, les percherons démarrèrent d'un brusque effort. Il y avait peu de trafic en ce matin de Noël. Quelques passages de roues ou de patins de traîneau, quelques empreintes de pas, c'était tout. Il avait décidé de passer par Bonneval et La Souchère pour parler à François Anguier, dit la Belette, et faillit manquer la route cachée sous le couvert vierge. Il serait le premier charroi à marquer le tapis blanc.

Les chevaux, au pas, avançaient en force, plantant leurs sabots dans la neige qui leur montait presque aux genoux. Nul besoin de serrer les freins dans la descente. Au bord de La Dorette, le vent avait poussé les flocons en congères. La progression se fit plus lente, mais les deux hongres avançaient opiniâtrement. Jean Charzol n'y prit garde. Il songeait aux propos de Johannes. Les histoires de mauvais sort ne l'impressionnaient guère. Pourtant, la peur et la méfiance, bien réelles, avaient une origine. Et cette épidémie de pendus ? Il se secoua. Depuis toujours, on se pendait à la campagne. Quand les paysans voulaient se détruire, un bout de corde suffisait. C'était discret, pas cher et personne ne vous dérangeait. À l'armée, on se faisait plutôt sauter la cervelle. Il ricana. Les militaires étaient des gens bruyants et malpropres. Répandre sa cervelle était dégoûtant. Cette évocation, supposée drolatique, le fit frémir. Le cynisme n'était pas dans sa nature. Les balles, aussi grosses que le pouce, provoquaient d'abominables blessures. Il revit des morts sur les champs de bataille. Républicains, Autrichiens ou Anglais faisaient d'identiques charognes. Il soupira, heureux d'avoir tourné la page.

Laissant une trace profonde derrière lui, il atteignit enfin La Souchère.

Il arrêta la voiture, descendit toquer à la porte de son ami.

— Je n't'avais pas entendu arriver, dit ce dernier. Tu as toujours la berline ?

Le ton de la Belette était maussade.

— Tu bois un canon ? reprit-il.

— Non, merci, répondit Jean spontanément.

L'accueil sans chaleur le dissuadait d'entrer. Pourtant, l'avant-veille, la Belette avait semblé combatif. Quelque chose avait calmé ses ardeurs. Quelque chose ou quelqu'un...

— J'ai trop d'ouvrage là-haut, compléta le demi-solde. La voiture est pleine comme un œuf d'un tas de choses indispensables. Il me faut tout ranger, tout organiser avant la nuit. À la chandelle, je ferais du mauvais travail.

Les deux hommes se turent. Une certaine gêne s'installait entre eux quand, dans l'entrebâillement de la porte, apparut un minois. Deux grands yeux bleus croisèrent le regard de Jean. Avec un gigantesque sourire, Anna courut quatre pas dans la neige et se précipita vers lui.

— *Adiu,* capitaine Jeannot ! s'exclama-t-elle. C'est vrai que t'as coupé la tête à un loup ?

Jean rit, la souleva dans ses bras, libéra une de ses mains pour secouer les flocons blancs de ses pantoufles de *petas* cousus.

— Regarde ce que m'a apporté le petit Jésus, reprit-elle en exhibant une poupée de chiffon multicolore. La figure fruste était dessinée en noir. Un chapeau de tissu bien enfoncé la coiffait.

— C'est un garçon ou une fille ? demanda Jean.

— Ben, un garçon, tu vois bien !

— Et comment tu vas l'appeler ?

Elle réfléchit, le dévisagea malicieusement.

— « Capitaine Jeannot », répondit-elle, triomphante. Comme toi !

Jean sourit. À côté de lui, la Belette se tortillait. Il ramena la petite sur le seuil.

— Rentre vite au chaud, dit-il. Il faudrait pas que « je » prenne froid, dit-il en pointant la poupée du doigt.

Elle rit et disparut dans la ferme. Son père parut soulagé. Jean recula l'instant de faire la requête qui l'amenait.

— Le petit Jésus ? demanda-t-il ironiquement à l'ex-révolutionnaire.

La Belette eut un sourire morne.

— C'est sa mère. Mais que veux-tu, c'est si merveilleux pour la petite.

Jean acquiesça, le regard lointain, repris par ce désir de famille qui ne le quittait plus. Redevenu sérieux, il poursuivit :

— Demain, c'est dimanche, on ne travaille pas. Mais lundi, pourrais-tu me donner la main pour abattre et charger quelques sapins que je vais vendre verts ?

— Lundi, j'aurai peu de temps... L'après-midi, peut-être.

— Viens avec un gars ou deux, alors. Je vous paierai dès la fin du jour...

— Je demanderai...

— Alors, à lundi. *Adiucha,* dit Jean d'un ton jovial en remontant sur son siège de cocher.

Sitôt l'attelage en route, son visage se fit soucieux. La peur avait rattrapé François Anguier.

À vol d'oiseau, un petit kilomètre séparait La Souchère de Largnac. La laie forestière, impraticable avec la berline, doublait la distance. Il la quadrupla en passant par Chamborne. La route contournait tout un pan de forêt après lequel il fallait prendre à droite le chemin de Champvieille, puis celui de Largnac. Il passerait donc devant la maison de la guérisseuse. À cause de la neige, il mit une grande heure pour parcourir les quatre kilomètres qui l'en séparaient et décida de s'arrêter. Cela ferait une pause pour ses chevaux, et il était curieux de rencontrer cette femme à la réputation sulfureuse.

Il frappa. La porte s'ouvrit. Aux longs cheveux ondulés dépassant de sa coiffe, il reconnut la Talaurina, entrevue à la sortie de la messe de minuit.

— Bonjour et joyeux Noël, lui dit-il. Je suis votre nouveau voisin.

— Joyeux Noël à vous aussi. Alors, vous êtes le capitaine Charzol ? On parle de vous dans tout le pays.

— Je ne mérite pas tant d'intérêt. Je n'aspire qu'à la tranquillité des bois.

— Ah ça, pour sûr, à Largnac, vous serez pas dérangé. Vous n'aurez pas peur, là-bas, tout seul ?

— J'aime la solitude. Et puis je ne manquerai pas d'ouvrage.

Elle sourit. Ses yeux verts obliques, son visage long et régulier, sa chevelure rousse frisée lui donnaient une étrange beauté. Elle avait mis les mains sur ses hanches. Elle semblait mince, mais ce n'était qu'apparence. Sa haute taille masquait une musculature longue qui n'échappa pas à l'examen du visiteur. Il remarqua ses mains puissantes aux longs doigts agiles.

Sa pratique de rebouteuse devait lui avoir donné une grande force dans les doigts.

Ils se tenaient face à face, à un mètre de distance. L'air immobile les empêchait de sentir le froid, mais, aux crissements de ses pas dans la neige, l'ex-capitaine savait que le gel s'installait.

— Une fois la maison repeinte et le potager planté, qu'est-ce que vous ferez ?

— J'aurai beaucoup plus d'ouvrage que ça. Il faudra m'occuper de mes bois. De quoi faire pour plusieurs hommes.

Il la vit se raidir. Un éclair passa dans ses yeux qui se troublèrent. Pourquoi pensa-t-il à un fauve acculé ?

— C'est donc vous qui avez acheté le bois de Jagonaz ! s'exclama-t-elle.

Surpris par le ton véhément, il répondit plus sèchement qu'il ne l'aurait voulu :

— Oui. Ça semble vous contrarier.

— C'est bien courageux de vous installer là-haut, biaisa-t-elle, l'air chafouin.

— Oh ! le travail ne m'effraie pas. Et puis, si je me blesse, je sais qui me soignera. Vous avez le talent de guérir, m'a-t-on dit.

— Je sais quelques plantes, et puis j'ai le don dans les mains, c'est vrai. Ça permet d'aider les gens.

Il s'était avancé tout naturellement. Elle recula, barricadant la porte de son corps. Elle ne le ferait pas rentrer. Un jour d'hiver, on ne laissait pas le visiteur sur le pas de la porte. On l'invitait à boire une tasse de café ou un canon de rouge, enfin ce qu'on avait. Il la dévisageait, sourire aux lèvres.

— Je voulais qu'on fasse connaissance. Nos maisons sont isolées. Vous pouvez avoir besoin de moi.

J'ai un char à bancs. En cas d'urgence, il est à votre disposition.

Elle hocha la tête, le dévisagea de ses yeux de chat, puis jeta un coup d'œil à son attelage.

— Ils sont bien grands, vos chevaux, dit-elle, mais ils sont maigres. J'sais pas si l'air, là-bas, sera bon pour eux.

Elle les jaugeait, l'œil menaçant. Jean en fut mal à l'aise. Les déclarations de Mariette concernant cette femme prenaient soudain du sens.

— Ce sont des animaux de guerre, répondit-il. Ils sont redoutables et fidèles.

Sentirent-ils la tension de leur maître ? Les chevaux encensèrent et soufflèrent tous deux au même instant comme pour ponctuer son propos. Leur réaction fit sursauter la rebouteuse.

— Faudrait pas qu'ils tombent malades, insista-t-elle perfidement.

— Oh ! ils n'attrapent pas les maladies des vaches, rétorqua sèchement le demi-solde.

Une vipère. Lui écraser la tête ! Sentant monter en lui une de ses irrépressibles colères, il décida de fuir.

— J'y vais, parvint-il à dire avec un sourire forcé, et encore bon Noël.

Il grimpa sur son siège et secoua ses rênes.

Les paupières plissées, la tête face à la route, il observait de biais la rebouteuse. Hiératique, la bouche serrée, elle semblait simultanément inquiète et provocante. Il se vit serrant ses mains autour de son cou jusqu'à ce que son larynx craque...

Pour contourner sa rage montante, Charzol lança ses percherons au galop. Leurs lourds sabots martelaient la neige, soulevant des gerbes blanches avec un rythme puissant. Il les fouetta pour les empêcher de ralentir. Ils arrivèrent écumants à Largnac.

Bouchonner ses hongres le calma. Il put songer sereinement à la scène qu'il venait de vivre. Cette femme avait changé de comportement dès qu'ils avaient parlé du bois de Jagonaz. Qu'il en fut le propriétaire lui déplaisait visiblement. Quel mystère planait alentour de ces grands arbres ? Il haussa les épaules. Il se racontait des histoires. Cette femme était de nature fantasque, voilà tout. Il fallait bien que sa réputation de sorcière vienne de quelque part.

La nuit tombait. De la chambre à l'étage où il avait décidé de s'installer, Jean, en proie à une vague angoisse, contemplait le couchant. Dans l'écurie soigneusement calfeutrée, tout semblait tranquille. Le vent, à peine un courant d'air, chantait. Des craquements dans la forêt toute proche soulignaient le calme immense. Jean en était à la fois apaisé et inquiété. Il songeait à la Belette. Sa réticence à venir travailler avec lui le lundi suivant était nouvelle. L'avant-veille, cette perspective l'avait pourtant enchanté. Que s'était-il passé ? Qui l'avait menacé ? La Talaurina ? Pourquoi l'aurait-elle fait ?

Au couchant, les dernières lueurs s'étiolaient. Des antres noirs s'ouvraient sous les arbres encapuchonnés de neige. Les ornières parallèles tracées par la berline ressemblaient à des traits de fusain sur une feuille de papier. Vues de la maison, elles traçaient une voie menant vers Champvieille. La rebouteuse aux cheveux de bohémienne, la sorcière dont il ne savait que le surnom, lui expédiait par ce passage des créatures infernales. L'obscurité montante l'effraya soudain, comme lors de son enfance. C'était ridicule ! Pourtant...

La guerre, l'insécurité l'avaient formé au sommeil vigilant où le moindre bruit vous réveille. Il avait laissé sa fenêtre ouverte pour entendre la nuit. Enfoui sous ses couvertures, il se sentait bien.

Il se réveilla en sursaut. La neige croûtée craquait. Des rôdeurs à quatre pattes ? Il entendit ses chevaux s'agiter, se leva, enfila sans bruit son lourd manteau, se dirigea vers la fenêtre dont les vantaux grincèrent sous sa poussée. Au bruit, trois silhouettes grises filèrent vers les bois. Des loups. Un danger, certes, mais parfaitement naturel. Il se recoucha et se rendormit.

Le soleil le réveilla. Il était tard, 8 heures à sa montre. Certes, c'était dimanche, mais il avait de quoi occuper la journée entière. Dans la salle à vivre, il ranima les braises soigneusement ensevelies la veille, sous la cendre, puis, tout nu, se décrassa, s'étrilla pour se sécher, et enfin s'habilla. Fouetté, réchauffé, il se sentit bien. Un reste de soupe tiédie et une belle tranche de pain bis beurré lui remplirent agréablement le ventre. Malgré son ouvrage dans la maison, il décida de sortir. Il avait besoin de grand air.

Devant sa porte, les loups avaient piétiné. Il les imagina flairant son odeur sous la porte cloutée. Ils avaient également tourné autour de l'écurie avant de partir vers le bois. D'habitude, ils évitaient les fermes où ils risquaient des coups de fusil. Largnac était vide depuis si longtemps qu'ils y avaient sûrement des habitudes. Protégé par ses lourdes bottes, Jean suivit leurs traces jusqu'au bois. Elles se perdaient sous les branches basses. Il revint songeur. Le voisinage des loups l'intéressait autant qu'il l'inquiétait. Il y avait pire que ces animaux. Les sorcières, par exemple. Il se tourna en direction de Champvieille et ouvrit des yeux ronds. Les traces de deux loups venaient des prés du côté de La Souchère, celles du troisième suivaient les ornières de la berline comme si la bête venait du hameau voisin. Soucieux, l'ex-capitaine remonta la piste au-delà de la corne du bois. Elle contournait la maison suspecte. Indécis, invisible à la limite des arbres, il resta un moment en observation, et la chance lui sourit. La silhouette qui hantait ses rêves sortit de la bâtisse, à quatre cents mètres de lui. Il en oublia ses visiteurs nocturnes. Le site ensoleillé était si calme qu'il entendait crisser ses pas. Elle portait une grande cape et avançait sur la neige sans s'y enfoncer. Elle semblait l'effleurer. Quelle diablerie était-ce là ? Elle s'arrêta, se tourna vers la maison qu'elle venait de quitter et siffla. À ce signal, une petite porte dans la remise s'entrebâilla, et un chien en sortit, qui jappa de bonheur. La jeune femme le caressa. Toujours aérienne sur la neige, elle se mit en marche. L'animal, les oreilles dressées, l'arrière-train légèrement fuyant, la queue en panache, bondissait à sa suite.

Le demi-solde voulut suivre la marcheuse. Il fit quelques pas dans sa direction, s'enfonçant jusqu'en haut de ses bottes. Il avançait à une allure d'escargot. Elle, le pas glissant, s'éloignait à travers prés vers La Souchère. La neige ne s'effondrait toujours pas sous son poids. Derrière elle, des traces oblongues effleuraient le manteau blanc. Des raquettes ! Il en avait vu en Pologne, jamais en Velay...

Il passa la matinée à s'en confectionner. Il choisit deux branches souples de cinq centimètres de diamètre, les fendit en longueur, les perfora d'une multitude de trous, en fit des boucles en forme d'oméga qu'il maintint dans cette forme par un cannage de ficelle. Après plusieurs essais, il atteignit une densité suffisante du tamis pour le porter sur la neige. Il partit alors en promenade autour de sa maison. Personne ne vit ses premiers pas d'une démarche de canard, parfaitement ridicule. Au bout de cinquante toises, il acquit une certaine aisance et se sentit heureux comme un enfant doté d'un nouveau jouet.

Le soleil baissait déjà sur l'horizon quand on frappa à la porte. Jean alla ouvrir. La Belette le regardait d'un air ennuyé. Derrière lui, Anna, sa fillette, descendit de la luge où elle était assise et se précipita sur lui. Il la leva et la serra contre lui. La brunette lui mit les deux bras autour du cou. Ça devenait un rituel entre eux. Cette tendresse absolue émerveillait le solitaire. Il posa l'enfant à regret.

— Entrez. Le froid tombe avec le soir, dit-il à son ami.

— Non, non. Je voulais juste te rendre ça.

François Anguier fouilla sa poche et en tira la belle pipe sculptée en tête de vieillard offerte par Jean.

— Entrez ! ordonna ce dernier avec une autorité involontaire.

La Belette n'osa pas refuser. La fillette l'avait précédé et tendait ses mains aux flammes vives du feu. L'ex-capitaine fit asseoir son hôte, tira une chopine de vin d'un tonnelet, l'apporta ainsi que deux verres au cul épais qu'il servit. Puis il observa son visiteur.

— Alors ? dit-il.

Anna l'empêcha de poursuivre :

— Tes chevaux, dit-elle.

— Oui, dit Jean d'une voix adoucie, tu veux les voir ?

— Oh ! je les connais, maintenant. C'est vrai qu'ils s'allongent ?

Le nouveau maître de Largnac ouvrit des yeux ronds.

— Ben oui : Boulet, pour emporter les vingt-quatre chenapans d'un seul coup et les noyer dans la Loire, et Canon, pour perdre les trois filles dans le marais de Malaguet.

— Anna ! s'exclama la Belette, les sourcils froncés.

— C'est la Talaurina qui a raconté ça ? À la veillée, hier soir ? demanda Jean avec un sourire en coin.

— Elle a dit que c'était les chevaux du diable, rétorqua Anna. Elle a dit aussi que, comme le Cornu, tu étais arrivé par une nuit d'hiver en faisant hurler les loups, avec un attelage de grandes bêtes maigres. Alors si t'es le diable, les chevaux qui s'allongent sont Canon et Boulet. Dis, tu n'es pas le diable, hein ? C'est pas vrai ?

Ses grands yeux bleus imploraient. L'ex-capitaine accentua son sourire.

— Bien sûr que non, et mes chevaux sont de braves bêtes.

La petite rit.

— Alors, tu me donnes à boire, à moi aussi ! s'exclama-t-elle.

— Du vin ? plaisanta-t-il.

— Du lait froid. Il y en a dans ce pot.

— Anna, dit son père, l'air sévère. On ne demande pas ainsi.

En digne fille de la Belette, la gamine avait déjà tout vu, tout observé. Amusé, Jean la servit. Elle prit son bol, en but la moitié, puis entreprit de tisonner les braises.

— Bois, François, dit Jean. Dis-moi, les veillées, ça se passe chez qui d'habitude ?

L'autre hésita.

— Chez le Firmin. Il est cul et chemise avec cette damnée sorcière.

— Tu lui diras que j'irai un de ces soirs. J'apporterai à boire.

Gêné par le regard grave de son ami, Anguier s'agita. Il avait posé la pipe loin sur la table. Jean ne la toucha pas, ne la regarda même pas.

— Buvons, reprit-il devant le mutisme de son interlocuteur.

Ils levèrent leur verre en même temps, y trempèrent leurs lèvres. La petite les imita, vidant son bol avant de torcher ses moustaches de lait d'un revers de main.

— Alors, qu'est-ce qui t'amène ? demanda enfin l'ex-capitaine.

L'air malheureux, le visiteur murmura pour que la gamine n'entendît rien :

— Ton cadeau, je ne le mérite pas. Voilà.

— Tu es venu par les bois, commenta Jean à voix basse, pour qu'on ne te voie pas. On t'a menacé ?

L'autre baissa la tête.

— Non, constata le demi-solde. Pas toi. Ta femme ? Tes enfants !

La Belette le dévisagea farouchement.

— Il faut que tu partes, gronda-t-il, que tu revendes ! Je ne veux pas que mes petits soient empoisonnés. Je ferais tout, tu entends, tout pour les protéger.

Jean réfléchit.

— Soit. Je comprends. Tu pourrais me dire qui et pourquoi ?

L'autre resta muet.

— Écoute, reprit le demi-solde. Écoute bien. À partir de maintenant, on va faire comme si on était ennemis. On ne se parlera plus. On se regardera de travers. Mais toi et moi saurons que c'est pas vrai, que c'est pour la galerie. Protège ta femme et tes enfants. Tu n'as pas le droit de prendre des risques pour eux. Maintenant, je te précise que je ne quitterai Largnac que les pieds devant. J'ai des bois à exploiter et je les exploiterai. Sorcière ou non. Je ne gagnerai peut-être pas la lutte, mais mes adversaires y laisseront des plumes. Et je ne veux pas que tu en sois. Quand tout sera fini, ou simplement quand le danger sur les tiens sera écarté, nous nous retrouverons. Comme avant. Maintenant, buvons et garde ta pipe. Tu te souviens ce qu'on disait quand on avait dix ans ?

La Belette eut un pâle sourire.

— Donner c'est donner, reprendre c'est voler.

— Exactement. Alors tu la gardes.

— D'accord, concéda François. Mais je la laisse en dépôt chez toi.

Voyant Charzol froncer les sourcils, il ajouta précipitamment :

— Pour pas que ma femme la trouve, tu comprends ?

Jean sourit. La Belette avait toujours été matois.

— Bon, j'imagine que, demain, personne de La Souchère ne viendra m'aider...

La Belette hésita.

— Non, finit-il par dire. Non, personne.

Pour se justifier, il poursuivit :

— Y a pas que la Talaurina. Y a aussi que t'es un ancien des armées de l'Empire. Un officier, même. C'est mal vu dans le pays. Oh ! pas par les paysans. Par les gendarmes, l'administration, tout ça...

— Mais je ne suis pas bonapartiste !

— Tu es républicain. Comme moi. Mais qui le sait ?

Jean ne répondit pas. Il regarda son ami se lever.

— Tu pars ? Tu n'as même pas fini ton verre.

La Belette eut un sourire pénible, vida son vin d'un trait.

— Je m'en vais. Je suis censé t'avoir rendu ta pipe et c'est tout.

L'ex-capitaine se leva à son tour.

— Au revoir, capitaine Jeannot, dit la petite qui, les voyant debout, rappliquait.

Avait-elle écouté et compris ? Sans doute pas. Un grand sourire illuminait sa frimousse. Jean se baissa. Elle lui passa les bras autour du coup et lui fit *« péter la miaïlle »*, un baiser sonore sur sa joue mal rasée. Il en fut tout remué.

Il reconduisit ses visiteurs. Sur le pas de la porte, les deux hommes échangèrent un long regard, puis la Belette soupira. Il installa Anna sur la luge et s'en fut vers la traversière pour La Souchère.

Jean rentra chez lui, découragé. Il allait lutter, mais comment ? François Anguier ne changerait pas d'avis. Il ne pouvait pas lui en vouloir. Il songeait à Anna, au bébé Augustin qui lui avait dédié de grands sourires naïfs. Évidemment que la Belette ferait tout pour les protéger, même lui nuire si nécessaire ! Il lui fallait trouver de l'aide ailleurs. La conversation lui tournait dans la tête. Il sursauta soudain. Qu'avait-il dit, la Belette ? « Y a pas que la Talaurina. Y a aussi que tu es un ancien des armées de l'Empire. » Il n'était pas le premier à lui en faire la réflexion. Il n'aimait pas vraiment l'Empereur, Jean Charzol. Il était avant tout un soldat de la République. Des bonapartistes, il ne devait pas y en avoir beaucoup dans le pays. C'était une étiquette commode pour les boucs émissaires. Il se dressa d'un bond, enfila bottes et manteau, et sortit atteler la berline. La nuit tombante ne l'inquiéta pas. La neige lui permettrait de voir parfaitement son chemin. Remontant ses propres traces, il atteignit sans mal la grand-route où il mit ses chevaux au grand trot. En une demi-heure, il rallia La Chaise-Dieu. Laissant la berline au Coq-Rouge, il rejoignit l'abbatiale à pied, descendit vers la ruelle de la Goulotte et s'arrêta devant le bouge de la mère Puchat.

8

Les vétérans

— Alors, il paraît que tu paies un coup !

L'estaminet baignait dans une morne pénombre qui permettait à peine à chacun de voir son verre, mais un quinquet éclairait le provocateur assis en compagnie du Gastounet et de deux autres buveurs. Jean remarqua ses lunettes ovales à monture métallique, la couperose de son visage rond et ses cheveux secs. Un alcoolique.

— Alors, oui ou non, t'offres un canon ?

Y avait-il du défi dans ce propos répété ? L'ex-capitaine préféra y voir l'affirmation d'un reste de dignité. Il avait vu beaucoup d'ivrognes dans l'armée. L'ennui conduisait à boire...

— Bonjour, dit-il. Parfois, j'offre un verre à mes amis. Es-tu mon ami ?

— Si tu paies une chopine, sûrement.

Jean scruta l'homme. S'il était du pays, il l'avait probablement rencontré, avant... Le bourg comptait treize cents âmes, un nombre pas énorme, il aurait dû le reconnaître, à moins qu'il ne vienne d'une paroisse avoisinante. En retrait, Gaston Estublat souriait, goguenard. L'interlocuteur qu'il avait mis dans les pattes de Jean était une épave, et il le savait. Que voulait-il démontrer, que cet homme, comme lui-même, était irrécupérable ? Qu'en savait-il ? N'empêche que le soiffard n'était pas très engageant.

Le demi-solde appela la patronne.

— Qu'est-ce tu veux, Jeannot ? demanda-t-elle.

C'étaient les premiers mots qu'elle lui adressait. Lors de sa première visite, elle l'avait observé en silence, comme s'il lui avait fallu réfléchir avant de lui adresser la parole. Elle était aussi fruste que dans son souvenir : négligée, crapoussine, rogue. Enfant, il en avait eu peur. Ce soir-là, elle lui parut toute petite, presque pitoyable. Il songea qu'il ignorait tout d'elle, qu'il était pétri de préjugés à son égard.

— Avez-vous du vrai café ? demanda-t-il à la tenancière.

Elle sourit. Il lui manquait des dents, mais ses petits yeux pétillaient.

— *Ouiche*. J'en ai dans une grosse boîte en fer. Il doit pas être trop éventé. On m'en demande pas souvent, tu sais. Trop cher. De la chicorée, oui, mais du vrai bon café...

Le demi-solde regarda les quatre hommes l'un après l'autre. Ils semblaient attendre. Quoi ? Bien malin qui aurait pu le dire.

— Tu me présentes ? demanda-t-il à Estublat qui, surpris, s'exécuta.

— Jean Charzol, ex-capitaine de chasseurs, dit-il. Moi, je préfère l'appeler Jeannot, ajouta-t-il avec une ironie légère.

Il mit la main sur l'épaule d'un paysan trapu, aux sourcils épais.

— Lui, c'est Régis Pléchin, du hameau de Combomas.

Il désigna ensuite un gars de Jullianges dont Jean oublia aussitôt le nom pour ne retenir que le surnom. Allez savoir pourquoi tout le monde l'appelait « Chandelle ». Il se présentait de profil, regardait l'arrivant l'œil en coin. Estublat s'apprêtait à nommer l'ivrogne quand Jean le coupa :

— Moïse ! Moïse Gorget ! Je te remets maintenant.

Le sourire de l'homme lui fit perdre dix ans. Certes, il avait changé, mais Jean et lui avaient à peu près le même âge. Comment ne l'avait-il pas reconnu ? Enfants, ils jouaient ensemble dans la rue, même si les Gorget étaient des bourgeois et Jean le fils du cantonnier. La roue avait tourné, et mal tourné pour son compagnon de jeunesse.

— Ils sont tous là ? demanda l'ex-capitaine.

— Qui, tous ? demanda Moïse.

— Les estropiats ! Les estropiats de l'Empire, laissa tomber Gaston Estublat. C'est bien ça que tu veux dire, Jeannot ?

Le demi-solde hésita une fraction de seconde.

— Oui, dit-il, absolument.

Le silence s'installa. Jean hésitait, les observait. Tous quatre avaient baissé le nez, contemplant fixement leurs verres. Ils n'espéraient rien, sinon que le temps s'écoule. Une détresse palpable. Le demi-solde se demanda un instant ce qu'il était venu faire là. Songeant à la détermination qui l'avait fait affronter la nuit pour venir dans ce misérable estaminet, il se secoua.

Il s'assit, les dévisagea gravement l'un après l'autre, sans se rendre compte que son insistance excessive pouvait leur donner envie de le battre. Tous les quatre détournèrent les yeux. Enfin, pas tous. Chandelle ne baissa qu'un œil. Il était borgne. Plus exactement, il avait la moitié de la figure arrachée. Sa pommette, sa tempe, son orbite s'amalgamaient en une cicatrice chaotique.

— Parle-moi de ta blessure, lui dit Jean.

— Elle te dégoûte, capitaine ?

Un ton agressif, amer aussi.

— Elle attire mon regard, répondit-il. Mais quand tu me l'auras racontée, elle ne m'étonnera plus. Je l'oublierai. Je le sais. Je te verrai toi et non plus ta cicatrice. Tu n'es pas la première gueule cassée que je rencontre. Les guerres en ont fait des milliers comme toi.

L'homme leva la tête, le fixant de son œil unique. Il brillait. Il raconta une banale histoire d'échauffourée, de balle en pleine tête, d'inconscience, de souffrance, de survie.

Les autres s'étaient tus pour l'écouter. La mère Puchat bougea la première.

— Je vais faire le café, dit-elle.

Jean remarqua, au bord de ses cils, des larmes hésitant à déborder. D'un geste machinal, elle les essuya du coin de son tablier.

Jean sourit, et Chandelle lui rendit son sourire. Aucune gêne n'habitait plus les regards des trois autres.

— Et c'était quoi, ton métier, Chandelle ? demanda-t-il.

— Charron, maréchal-ferrant. Maréchal des logis, aussi. Tu choisis comme tu veux.

— Un peu forgeron, peut-être ?

— Forcément !

Jean hocha la tête puis se tourna vers le paysan trapu assis à sa droite.

— Et toi, Régis, tu es un estropiat, toi aussi ?

La question manquait d'élégance, mais on n'en était plus là. Ils l'avaient tous compris.

— Ça ne te regarde pas ! répondit l'homme de Jullianges, les poings serrés et le regard fulgurant. Je peux travailler si on me fout la paix.

C'était sibyllin. Le demi-solde comprit que l'homme ne dirait rien de plus, qu'il devait respecter son silence.

— Tu étais paysan, c'est ça ? Tu pourrais bûcheronner ?

— Faut voir, répondit l'homme.

Restait l'ivrogne. Il était loquace, s'exprimait avec aisance. Sa maigreur, sa silhouette de biais intriguaient le demi-solde.

— Tu as été blessé, toi aussi. T'as bras et jambes, mais t'as pas l'air costaud. Raconte...

Il était brusque, Jean Charzol, quand il voulait savoir.

— Les poumons troués, les côtes en miettes. Une embuscade. J'aurais jamais dû survivre. Je respire mal, suis très vite essoufflé. Dès que je bouge un peu vivement, j'ai mal. Peux travailler qu'assis sur mon cul.

— Et tu sais faire ça ?

— Je terminais mon droit à Lyon. Pour une histoire de fille, sur un coup de tête, je me suis engagé. Je suis devenu secrétaire d'un colonel. Je rédigeais les courriers du régiment, je faisais les comptes aussi.

— Alors tu sais faire la paperasse, les lettres, les démarches administratives et juridiques, tout ça ?

— J'en ai fait plus que t'en verras jamais.

— Et pourquoi tu picoles ?

— T'es pas gêné, capitaine, de poser des questions pareilles !

— Non, répondit Jean. J'ai besoin de vous connaître, toi et les autres.

— Et pourquoi donc ?

— Pour que vous m'aidiez à exploiter le bois de Jagonaz, à en faire quelque chose de bien.

— Et pourquoi on ferait ça ?

— Pour pas crever comme des rats au fond d'un égout.

Le silence se fit. Les consommations arrivèrent.

— Très bon, ce café, dit Moïse Gorget, l'Époumoné.

Les autres approuvèrent. La gargotière eut un sourire.

— Avec de bonnes choses, je sais faire de la bonne cuisine, dit-elle.

Elle rayonnait. On oubliait sa laideur et sa mise.

— Et toi, Gaston, reprit le demi-solde quand ils eurent vidé leurs épaisses tasses de faïence, tu aimes toujours les chevaux ?

— Il paraît que les tiens sont... étonnants.

— Étonnants ?

— On dit dans le pays qu'ils sortent de l'enfer !

Jean ouvrit de grands yeux. La rumeur, les ragots de dénigrement s'installaient déjà !

— Viens les voir, ils sont dans la cour du Coq-Rouge, dit-il. Venez tous les voir, poursuivit-il, après une hésitation. Madame Puchat, combien je vous dois ?

— Cinq sous.

— Et ceux-là ? Ils vous doivent beaucoup ? demanda-t-il abruptement.

Elle haussa les épaules.

— Ils paient quand ils peuvent.

Il hocha la tête.

— Et ils peuvent souvent ?

Elle biaisa.

— Tu veux payer pour eux ? La guerre aurait fait de toi un saint plutôt qu'un assassin ?

Elle le regardait droit dans les yeux. Les quatre vétérans les observaient comme les spectateurs d'un duel dans la Grande Armée.

— Presque. Faire en sorte que vous soyez payée, peut-être. Qu'est-ce que vous diriez d'eux comme compagnons pour exploiter mes bois ?

— Que tu vas me faire perdre des clients, même le Moïse ! Voilà ce que je dirais. Ceux-là, si on les traite comme des hommes et pas comme des traîne-misère, ils se comporteront comme des hommes.

Dans la rue, les gens regardaient de biais leur groupe disparate. Même Chandelle, qui allait masquant son visage mutilé de son chapeau baissé, avait redressé la tête. Jean mesurait les conséquences de cette compagnie. Il n'avançait pas en clandestin.

Dans la cour d'auberge, ils entourèrent la berline attelée. Mariette sortit sur le pas de sa porte, fit signe à Jean.

— Qu'est-ce que tu fais avec ces bras cassés ! murmura-t-elle.

— Mariette, écoute-moi. Ceux-là ont quelque chose de particulier : ils n'ont rien à perdre, donc ils n'ont pas peur. Tu sais les difficultés qui m'attendent, n'est-ce pas ? Il faut bien que je fasse tourner mon exploitation. Qui va m'aider à part eux ? Même Johannes et toi, vous restez prudents et ne me dites pas tout. Je peux comprendre. Déjà, si vous, mes amis, ne hurlez pas avec les loups, je vous en serai reconnaissant.

Elle s'était raidie, mais elle ne lut aucun reproche sur son visage, seulement une prière. Elle hocha la tête, lui sourit.

— Hou là ! J'ai oublié mon ragoût sur le feu. Il va rimer.

Elle fila dans un envol de jupe. Il la regarda partir.

— Tu prends les rênes, Gastounet ? proposa Jean, le sourire en coin.

— Nous, on va dedans, dit l'ex-secrétaire.

Pourquoi pas. Il avait créé un espoir. Il n'avait plus le droit de les décevoir. Il s'engageait de plus en plus loin. S'enfonçait-il ?

Il grimpa à côté de l'unijambiste.

— Où on va ? demanda le nouveau cocher.

— À Largnac.

Un claquement de fouet, et l'attelage s'ébranla dans la nuit.

Tous dormirent dans la maison de Jean. Sans même s'en rendre compte, le demi-solde les logea comme des militaires en campagne.

Il se leva à l'aube, alluma le feu, fit chauffer du lait, prépara des victuailles, puis sonna le réveil à grand renfort de louche sur une marmite, braillant : « À la soupe ! »

Un moment passa, puis Gaston Estublat apparut, l'air renfrogné. Chandelle suivit, traînant des pieds, puis enfin Régis.

— Tu peux pas nous foutre la paix ! grogna-t-il avec hargne.

L'unijambiste l'observa, un sourire goguenard aux lèvres. Chandelle haussa les épaules, s'installa à table et commença à manger.

— C'est le pays de Cocagne, ici, ricana-t-il entre deux bouchées.

Jean Charzol ne dit rien, mais sa figure s'allongea. Il mangea peu. Laissant les trois hommes attablés, il quitta bientôt la pièce. Les vétérans entendirent son pas nerveux claquer sur les marches de l'escalier en pierre, tandis qu'il montait au premier. À l'étage, les portes étaient ouvertes sur des lits défaits. Stagnait un remugle de tanière. Le demi-solde ouvrit grand les fenêtres. La dernière chambre, au fond, était close. Il l'ouvrit. Moïse Gorget ronflait la bouche ouverte. Il ne bougea pas malgré le pas de charge de Jean Charzol, qui se pencha sur lui et grimaça. Il puait la vinasse. Après une dizaine d'heures de sommeil, ça n'était pas normal. Il recula, manqua se casser la figure, se rattrapa de justesse. Cherchant des yeux l'obstacle fautif, il découvrit une bouteille, vide d'après sa teinte translucide. Il la ramassa. Du vin de sa cave ! Dans un recoin, il en avait trouvé plusieurs flacons fort anciens, sans doute oubliés par les précédents occupants. Il n'était manifestement pas le seul auteur de cette découverte. L'ex-capitaine sentit la chaleur monter à son front. Ses tempes se mirent à battre. L'ivrogne s'était levé dans la nuit et avait exploré la maison de haut en bas à la recherche de boisson ! Il se tourna vers la fenêtre, l'ouvrit en grand, revint vers le lit, découvrit le dormeur, bien décidé à le jeter au sol, voire par la fenêtre. Il avait dû avoir chaud, puis froid, car il était tout nu sous les couvertures. Il les avait remontées sur lui dans son sommeil frigorifié. L'ivrogne bougea, écartant son bras replié sur sa poitrine. Jean se figea. La cicatrice de Gorget, sans être aussi spectaculaire que celle de Chandelle, restait impressionnante. L'homme était squelettique. Sa cage thoracique présentait des anomalies qu'il perçut peu à peu. Il y manquait une côte ; les angles multiples et callosités de trois autres témoignaient d'une lésion de la taille d'une main ouverte. Jean avait vu suffisamment de blessés et de morts pour imaginer la blessure d'origine. Gorget était un revenant. Qui plus est, il avait sûrement souffert le martyr. Sans doute souffrait-il encore. La colère de Charzol s'éteignit. Il recouvrit le dormeur, ferma la porte et sortit discrètement. Il descendit lentement l'escalier, poursuivit jusqu'à la cave qu'il verrouilla, puis revint dans la salle de séjour. Là, sans un regard aux trois présents, il entreprit de desservir. Il nettoya la table, balaya les miettes, regarnit le feu et fit la vaisselle. Les hommes ne bougèrent pas, mais il sentit croître leur gêne. Ses regards glissaient sur les estropiats comme s'ils n'étaient pas là. La salle rangée, Jean Charzol chaussa des sabots, enfila un gilet en peau de mouton qui dégageait les bras, et sortit.

Dehors, il ouvrit l'écurie, lâcha les chevaux sur le pré entourant la maison, puis se dirigea vers l'arbre mort, au coin du champ. Il en scia trois grosses branches qu'il traîna devant la maison où il les débita puis les fendit au merlin avec de grands « han » sonores. Une heure s'était écoulée lorsque Gaston Estublat sortit. Il s'approcha de lui, chercha son regard, mais sans l'obtenir. Alors, hésitant, claudiquant sur sa jambe de bois, il s'approcha des chevaux, qui le regardèrent approcher de leurs gros yeux ronds. Du coin de l'œil, le demi-solde le vit les flatter puis les caresser. Il les apprivoisait. Il prit Boulet par le licou et l'amena vers Jean.

— Dis-moi, capitaine, tu as ce qu'il faut pour l'étriller et le brosser ?

D'un mouvement presque distrait, l'interpellé indiqua l'écurie. Estublat se tut et suivit la direction indiquée. Ce fut comme un signal. Chandelle sortit à son tour et sans rien demander se dirigea vers la remise. Après un coup d'œil vers Jean, qui sembla ne pas le voir, il en ouvrit les portes et entreprit de sortir du matériel qu'il se mit à trier, puis il s'efforça d'en extraire le char à bancs qui grinça abominablement. Il peinait.

— Régis, brailla-t-il, donne-moi un coup de main.

Le taciturne sortit, les mains dans les poches. Les sourcils froncés, il se planta devant le borgne et grogna.

— Pourquoi je ferais ça ? J'aime pas qu'on me donne des ordres.

Bien campé sur ses fortes jambes, les mains dans les poches, le chapeau sur les yeux, il resta planté à regarder les autres. Chandelle abandonna le char et poursuivit son inventaire de la remise, sortant un à un des instruments aratoires et des ferrailles.

Les chevaux étrillés, Estublat s'approcha du char et commença à le tirer avec le borgne. Sous l'effort, son pilon s'enfonça dans le sol meuble de la cour. Estublat grimaça de douleur. Régis consentit alors à bouger. Il sortit le char puis reprit sa contemplation.

Vers midi, Jean rentra. Les trois vétérans le suivirent. Dans la grande salle, l'ex-capitaine pendit un chaudron d'eau à la crémaillère, y jeta des pommes de terre et posa une unique assiette sur la table. Les hommes l'observaient. Gorget n'était toujours pas descendu. Estublat haussa les épaules et entreprit de mettre quatre autres couverts. Le demi-solde n'avait pas ouvert la bouche de la matinée.

Comme par enchantement, Moïse arriva à l'instant même où Jean apportait la marmite. Il se servit largement, fut moins généreux pour Estublat et Chandelle, ne mit qu'une seule patate dans l'assiette de Régis et aucune dans celle de Gorget. Les hommes se regardèrent. Régis se leva. Gorget l'imita.

— Eh quoi, Régis, dis Jean calmement. Tu n'es pas assez servi ? Comment ça se passe chez nous d'habitude ?

— Celui qui ne travaille pas ne mange pas, ricana Gorget devant son assiette vide. C'est ça ? Du moment qu'il peut boire !

— Y a rien à boire, dit Jean.

— Tu crois vraiment, capitaine ? répondit l'ivrogne, un rictus à la bouche.

Il se leva, revint bientôt dépité et regarda Jean avec un mélange de haine et d'admiration. Jean se garda de triompher. Faire perdre la face à Moïse eût été une faute. Ce dernier se montra beau joueur.

— Tu as raison, Jeannot, dit-il d'une voix normale. Il n'y a rien à boire.

Le demi-solde sourit.

— Tends ton assiette, Régis, dit-il.

Tous mangèrent à leur faim. Puis Jean fit passer un café-chicorée qu'ils burent en chœur. Il posa alors son pot à tabac sur la table. Après une hésitation, les hommes sortirent leurs pipes. Un peu plus tard, Jean remarqua la pâleur de Moïse. Il transpirait à grosses gouttes. L'ex-capitaine se leva, ouvrit le buffet, fouilla derrière une pile de torchons et en sortit une bouteille ventrue et des verres. Gaston avait suivi son manège.

— Laisse, dit-il, je m'en occupe.

Commençant par Moïse, il versa à chacun de la goutte avant de se retrouver devant l'Époumoné. Son verre était vide, mais les couleurs étaient revenues sur ses joues. Il le resservit et tous sirotèrent en silence le kirsch âpre.

— Personne ne va t'empêcher de boire, dit Estublat. On ne se bat pas contre les moulins à vent.

Tous attendaient la réaction de Jean Charzol. Il sourit, se baissa, prit sous la table une bouteille cachetée, discrètement remontée de la cave un peu plus tôt. Il la tendit à Moïse.

— Il te faut ta dose, dit-il. Tout le monde le sait. Alors bois. Essaie simplement de ne pas dépasser un verre par heure... et de tenir jusqu'à demain avec cette bouteille.

Estublat regarda le maître de Largnac avec des yeux ronds, puis éclata de rire. Les autres l'imitèrent. L'atmosphère se détendit. L'un après l'autre, comme selon un rituel bien réglé, ils regardèrent Jean Charzol avec un brin de défi. Régis accompagna sa mimique d'un commentaire.

— T'es un madré, toi, grogna-t-il.

— On fait quoi maintenant, moi en particulier ? demanda Gorget avec ironie, en cajolant sa bouteille.

Jean se leva, posa les poings sur la table et demanda :

— D'abord, est-ce que vous voulez rester et m'aider ?

— Tu paieras ? le défia Gaston.

— On fixe un minimum de salaire, le même pour chacun, moi compris. Ensuite, on partagera les bénéfices.

— C'est ton bien, dit Régis, dubitatif. Comment tu y gagnes, toi ?

— Parce qu'on développe l'exploitation et qu'on investit. Voilà comment j'y gagne.

— Et qui fait les comptes ? demanda Chandelle.

Ils dévisageaient Jean qui désigna du menton Moïse, l'ivrogne.

— Moi ? balbutia-t-il, stupéfait.

— Oui, toi, affirma Jean.

— Mais c'est une lourde responsabilité ! Et si je me saoule en faisant les comptes ?

— Je te casse la gueule, dit Régis.

— Tu sais t'occuper de la paperasse, oui ou non ? s'exclama Gaston.

— Ouais, je suis d'accord. C'est son rôle et il n'aura droit de se saouler qu'une fois le travail fini, ajouta Chandelle, l'homme pratique.

— La cause est entendue, conclut Gaston.

— Nous autres, on s'occupera des arbres, reprit Jean. Chandelle se chargera en particulier de tout ce qui est char et ferraille, Gaston des harnais et des chevaux, et par conséquent du débardage. Régis et moi, on coupera les arbres. Ça vous va ?

Tous hochèrent la tête.

— Jeannot, tes chevaux, on peut les monter ? demanda l'unijambiste.

— Je l'ai jamais fait. Ce sont des bêtes douces tant qu'on les maltraite pas. Si tu les apprivoises, t'en feras ce que tu voudras.

— Si j'arrive à grimper dessus, j'en fais mon affaire. Pour le débardage, ça devrait aller. Ils marchaient bien, hier soir, quand je les guidais. Pas besoin de forcer sur les brides. On se comprend bien. Et toi, Chandelle, les chars, tu sens ça comment ?

— J'sais pas, dit Chandelle. Le métier, j'l'ai peut-être perdu.

— T'auras intérêt à t'y remettre, conclut Estublat.

— Et toi, Régis, ironisa Moïse plagiant Gaston, la cognée, le passe-partout, ça te dit ?

— Ça m'évitera de penser, enfin, si personne ne vient m'emmerder.

— Fais pas attention, capitaine, dit Gorget. Il râle tout le temps, mais il ne rechigne pas à l'ouvrage.

— On commence quand ? demanda Estublat à Jean.

— Dès qu'on aura fait l'inventaire du matériel et qu'on l'aura remis en état. Cet après-midi, ça risque d'être un peu court. Alors demain matin. On a tout vu ?

— Ben non, dit Régis.

— Qu'est-ce qui manque ? demanda Charzol d'un ton un peu vif.

L'autre le regarda en dessous.

— La soupe ! Qui va faire la soupe ? dit-il d'une voix grave.

— Un volontaire ?

— Ouais, Moïse ! gronda l'homme sombre. La paperasse, y en a pas encore, et il faut qu'il reste au chaud !

Tout le monde rigola et l'on félicita l'Époumoné qui grimaçait.

9

Funérailles

Tôt levé ce lundi matin, Jean Charzol était pressé d'aller visiter Me Montchovet. Pour lui rendre sa berline, bien sûr, mais surtout pour apprendre ce qui se tramait vraiment dans le pays. En bon terrien, il soupçonnait de sordides histoires de gros sous. Qui mieux qu'un notaire connaît ces choses-là ?

— Tu m'aides à atteler, Gaston ? Je reviendrai en milieu de matinée.

— T'as pas besoin d'un cocher ? lui demanda l'unijambiste, tandis qu'il passait les bricoles aux bêtes. Si je dois m'installer chez toi, il faut que je prenne quelques effets.

Les autres renchérirent. Tous quatre avaient la même préoccupation.

— Il faut que je rende la voiture dès ce matin, question de courtoisie. On rentrera pour midi. Gaston, tu monteras une des bêtes, à tes risques, je te préviens. Si elles ne veulent pas, tu rentreras à pied. Vous autres, vous retournerez au chef-lieu cet après-midi, avec le char à bancs, si on arrive à le remettre en état, ou un tombereau, j'en ai aperçu deux dans la remise. Un des deux doit pouvoir rouler.

Désignant les chevaux, il poursuivit :

— Il faut que ceux-là s'habituent aussi à tirer seuls.

Contents de bouger, Boulet, le bai, et Canon, l'alezan, sitôt sollicités par Gaston, partirent au trot sur la neige gelée. Jean, qui cette fois encore voyageait dehors, sourit. Il laissait son domaine sous bonne garde. Un doute fugace l'assaillit. Les gars seraient-ils à la hauteur ? Ne seraient-ils pas tentés par leurs vieux démons ? Gorget semblait le plus vulnérable. Sans doute n'était-il que le plus désespéré...

— Pendant que je serai avec le vieux, tu pourrais passer chez le bourrelier, si ta patte ne te tourmente pas trop ?

— T'inquiète. Rentrer à pied de La Chaise-Dieu à Largnac, ça serait peut-être un peu dur. Mais pour marcher dans les rues, j'ai pas même besoin d'une canne. Le bourrelier, ça me va. On fera les ajustements nécessaires.

Alfred du Buisson, le clerc sournois, dut les entendre. La berline était à peine arrêtée qu'il jaillissait de l'étude du notaire.

— Vite, vite, Me Montchovet a eu un accident sur la route d'Allègre. Il est blessé, peut-être mort. Il faut y aller !

Les arrivants se regardèrent.

— Montez, dit Jean. On passe prendre le médecin ?

— Il est déjà parti.

— Et c'est arrivé où ?

— Au grand virage entre Clersanges et Saint-Pal-de-Senouire. Le maire revenait par là avec son char à bancs, il a tout vu.

Jean était monté dans la berline, bien décidé à tirer les vers du nez de cette face de carême nommée Buisson. Assis sur la banquette d'en face, il regardait par la fenêtre en se rongeant les ongles. Une vieille habitude à voir le bout de ses doigts.

— Vous semblez inquiet, monsieur du Buisson, demanda Jean d'un ton neutre.

L'autre hésita à répondre.

— C'est mon patron, répondit-il enfin.

— Vous l'aimez vraiment ?

L'air profondément ahuri du clerc étonna l'ex-capitaine. L'affection n'avait rien à voir dans l'inquiétude du barbichu.

— Pourquoi cette urgence ? Pourquoi vous précipiter sur les lieux ?

— Il faut que l'étude continue, bafouilla le clerc. Je dois pouvoir continuer à...

Il se mordit les lèvres. En avait-il trop dit ? Il n'ouvrit plus la bouche.

La berline filait, guidée par des ornières de glace. Elle glissait, dérapait. Gaston la redressait en souplesse malgré le mauvais dévers des courbes et les descentes brutales. Sitôt que la voiture flottait, il jouait du frein ou sollicitait les hongres pour la remettre en ligne. Dans l'habitacle, les deux hommes, muets, se cramponnaient comme ils le pouvaient.

Le voyage parut interminable, et pourtant l'unijambiste menait les bêtes à un train d'enfer.

— Hoooooooh !

L'ordre donné aux chevaux surprit les passagers. La voiture s'arrêta. Jean sauta sur la route. Le cabriolet du notaire gisait, renversé dans le fossé. La jument avait été dételée et le notaire emporté. Jean regarda alentour.

— Il doit être à la ferme là-bas, dit Estublat. Regarde les traces dans la neige.

Il secoua les rênes. La berline repartit et obliqua aussitôt vers la ferme.

Il y avait du monde.

— On est parti chercher le curé, dit une *biate* tout de noir vêtue.

— Où est-il ? demanda Jean.

— Au presbytère, répondit la sainte femme.

— Pas le curé, dit Jean, le blessé !

Elle lui montra une porte au fond. Comme dans toutes les fermes du pays, l'escalier menant à l'étage partait de la cuisine, derrière une cloison de bois. Il grimpa les marches de sapin brut. Un petit palier s'ouvrait sur la chambre des maîtres. Blême, la tête entourée d'un linge blanc qui s'imbibait lentement de sang, le notaire gisait sur un grand lit. Jean observa le vieil homme. Ses deux yeux au beurre noir l'inquiétèrent. Il grimaça.

— Il a le crâne rompu, c'est bien ça ? demanda-t-il au bourgeois penché sur lui, le médecin à l'évidence.

— Exactement, répondit celui-ci sans quitter du regard son patient, puis il dévisagea Jean.

— Qui êtes-vous donc ? demanda-t-il sévèrement.

— Un ami.

Le docteur avait froncé les sourcils, vaguement hostile. Une voix faible l'interrompit.

— ... eannot, balbutia le blessé.

— J'ai amené votre adjoint, M. du Buisson.

Le blessé eut une petite grimace en voyant le barbichu.

— ...acoche ...ans ... cabriolet, lui dit-il péniblement.

Le clerc, une lueur dans les yeux, se jeta dehors.

— Écoute, ...eannot, reprit le notaire. Mon chapeau... la... lé... le... semain... étude...

— Cessez de le tourmenter, sinon il va passer, dit sévèrement le médecin.

Le vieil homme tourna les yeux vers lui. Il voulait parler. L'autre tendit l'oreille.

— Toi, la paix ! dit le moribond distinctement.

Le médecin se redressa, outré. Le regard de Montchovet revint sur Jean, qui s'efforça de sourire. Le moribond voulut encore parler, mais il ne parvint qu'à une sorte de hoquet. Son dernier souffle. Le demi-solde vit son regard s'éteindre. Il lui ferma les yeux tandis qu'une émotion brutale le submergeait. Il se redressa, s'écarta du lit. Déjà, telles des corneilles sur une charogne, des vieilles en noir se précipitaient pour dévêtir le cadavre.

L'ex-capitaine était arrivé tête nue. D'un geste naturel, il ramassa le chapeau du notaire et sortit. Nul n'y prit garde. En sortant, il croisa le clerc qui, un sac en cuir à la main, arrivait, l'air satisfait.

— Il est mort, dit Jean.

— Ah ! dit l'autre en s'arrêtant net. Puis, indifférent à son interlocuteur, il entreprit d'ouvrir la sacoche.

— Je vous ramène ? demanda Jean.

— Dans un petit moment, dans un petit moment...

L'inquiétude l'avait quitté, celui-là. Il avait sans doute trouvé ce qu'il cherchait.

Le demi-solde revint vers la berline, à quelques mètres de là.

— Il est mort, hein ? demanda Estublat.

— Oui. Comment le sais-tu ?

— Suffit de voir ta tête.

— Je vais marcher un peu. Le sieur du Buisson veut qu'on le ramène tout à l'heure.

Gaston leva les sourcils.

— Que veux-tu, c'est la voiture du notaire. On ne peut pas laisser son clerc comme ça, expliqua Charzol.

— Je vais avec toi, dit l'estropié en descendant de son siège.

— Avec ta patte dans la neige ? Ton pilon va s'enfoncer.

— Tu me soutiendras.

Ils marchèrent lentement.

— C'était vraiment ton ami, le vieux Montchovet ? demanda l'unijambiste, puis il se tut.

Silencieux, ils rejoignirent la route.

— Je le connaissais à peine, dit Jean doucement. Et pourtant j'ai beaucoup de chagrin.

— Et pourquoi ?

— Ça va te paraître idiot, mais il m'a tout de suite fait confiance. Il m'a traité... comme un fils.

Il s'arrêta. Estublat claudiquait, appuyé contre son épaule. Il ne disait rien, le regardait.

— J'aurais voulu mieux le connaître. J'aurais voulu... J'aurais voulu qu'il soit... mon père !

L'ex-capitaine avait dit ça tout à trac. C'était sorti tout seul. Tous deux en furent estomaqués.

— Mais ton père...

Gaston se mordit les lèvres. Le géniteur de Jean n'était qu'un ivrogne, disparu lorsqu'il était encore enfant. Il voulut détourner l'attention de son compagnon.

— Qu'est-ce que c'est que ce chapeau ? demanda-t-il.

Jean regarda le couvre-chef qu'il tenait distraitement.

— Un souvenir... un souvenir de lui.

Ils étaient arrivés sur la route, près du cabriolet couché dans le fossé.

— C'est bizarre qu'il ait versé là, dit Estublat. Je ne comprends pas. Il a sûrement heurté un obstacle. Un sanglier a pu traverser la route, quelque chose comme ça.

— Il y aurait des empreintes.

Ils inspectèrent les alentours. À quelques mètres en direction d'Allègre, la neige avait été râpée en forme d'éventail sur le côté droit de la route.

— Qu'est-ce que c'est ? demanda Jean.

Estublat eut une moue d'ignorance. Des traces de roues s'entremêlaient. Jean les observa distraitement. Son compagnon suivit son regard.

— Un fameux tombereau, dit-il, désignant certaines d'entre elles. Le cerclage des roues était plus large qu'une main. Non, pas un tombereau, ça avait quatre roues. Tiens, voilà le passage du train avant. Il y a eu des traîneaux aussi. Combien de temps s'est écoulé entre l'accident et notre arrivée ? Une heure ? Une heure et demie ? Il en passe des gens par ici !

— Il a dû partir avant l'aube, réfléchit le demi-solde, à moins qu'il ait couché en route.

Ils étaient revenus dans la cour de la ferme. Le petit clerc attendait, impatient.

— Rentrons ! dit-il. Je vais avoir beaucoup d'ouvrage.

Les deux arrivants le contemplèrent, le visage neutre.

— Installez-vous, dit Jean. Je monte auprès du cocher. J'ai besoin de grand air.

Sans l'écouter, l'autre s'installa dans la berline. Jean voulut aider son compagnon à se hisser sur le siège du cocher.

— Regarde, lui objecta ce dernier en l'écartant.

En deux mouvements, il fut en place. Jean sourit. Même amputé, Gaston était dans la force de l'âge.

Arrivé à l'étude, le clerc descendit, l'air important. Il ouvrit la porte de la maison du défunt. Jean l'aborda.

— Auriez-vous la clé de la remise, que je puisse rentrer la berline ?

— Je n'ai que faire de ces détails, dit le pédant. Gardez la voiture jusqu'à nouvel ordre.

Tandis qu'Estublat faisait son bagage, Jean passa chez le bourrelier. Les colliers étaient prêts.

— Combien je vous dois ? demanda-t-il, fouillant sa poche à la recherche de sa bourse.

— J'peux pas tout faire, mon garçon, tes harnais et ton compte. T'auras qu'à repasser. Mais *vaï,* ça presse pas.

L'attelage à collier sembla plaire aux deux grands chevaux. Ils gagnèrent sensiblement en puissance. Malgré les trente-cinq kilomètres parcourus dans la matinée, ils revinrent au grand trot à Largnac, s'offrant même un petit temps de galop sur le plat. En vingt minutes, ils furent rendus.

Les cantiques criards résonnaient dans l'abbatiale de La Chaise-Dieu. Une brochette de béates, de veuves et de pucelles troublées par leurs premières pulsions s'efforçait péniblement au chant choral. Debout au fond de la nef, sous le gigantesque Christ en bois, Jean Charzol ne prêtait attention ni aux répons chantés, ni à l'assistance. Tout au plus avait-il remarqué le clerc du défunt, empreint de componction, près de la famille.

Vieux républicain, Montchovet souhaitait-il vraiment être enterré à l'église ? Peut-être en eût-il ricané. Mais voilà. Il ne ricanerait plus. La bourgeoisie vellave, solidement réinstallée après l'éclipse révolutionnaire, imposait qu'un notaire, notable par essence, soit inhumé religieusement.

Jean était triste. Le défunt l'avait réancré dans le pays, lui avait offert sa chance. Pourquoi cet homme qu'il connaissait à peine avait-il ainsi pris soin de lui ? À contempler cette boîte oblongue drapée de noir, le demi-solde éprouvait une profonde nostalgie qu'il n'osait nommer douleur. Pour la première fois, lui, le solitaire, avait trouvé un aîné bienveillant. Jusqu'alors, il avait ignoré la force d'une telle affection. Et là, dans la pénombre de l'abbatiale, il ressentait le grand vide du deuil. Pourtant, si brièvement que ce fut, il avait connu cette chaleur, cette gratuité du sentiment paternel. Oui, gratuité. Bien évidemment, le vieil homme avait des arrière-pensées, mais sa sympathie, son souci de lui étaient authentiques. Comment exprimer ce qu'il ressentait ? C'était comme si... comme si le notaire avait comblé en lui un gouffre dont il ignorait l'existence. Accompagner le vieil homme en terre lui était devenu nécessaire. Cette mort tuait-elle chez lui un reste d'enfance ? Se sentait-il abandonné par un aîné ou un père ? Pas seulement. Le rôle que lui avait assigné le vieil homme lui avait révélé les limites de sa solitude, son besoin de solidarité, d'en recevoir comme d'en offrir. Étrange faiblesse, étrange force en vérité ! Elle l'avait conduit à lier son destin à celui de réprouvés qui, en fait, lui ressemblaient. La confiance du vieux notaire avait fini de le construire. Elle l'avait « achevé » ! Non pas comme un blessé que l'on tue, mais comme une voûte que l'on verrouille avec une clé de pierre sculptée.

L'office passa très vite à méditer ainsi.

Jean se retrouva dehors, suivant le corbillard tiré par un bidet étique, ombre lugubre sur la neige éclatante de soleil. Sous le dais mité aux plumets noirs cahotait le pauvre mort. Suivaient famille et amis. Ceux-ci avaient du chagrin. Pas les notables, présents parce qu'il le fallait et qu'on les verrait. Jean Charzol marchait plus loin, hors du cortège.

Il sentit une présence. Une femme derrière lui. Son cœur se mit à battre avant même qu'il osât la reconnaître. Que faisait-elle là ? Elle aussi semblait triste. Jean ralentit pour se laisser rattraper. Restant à distance constante de cette procession à laquelle elle n'appartenait pas, elle ne prit garde à la manœuvre.

Il l'aborda.

— Tu l'aimais, ce vieil homme ? questionna-t-il en patois.

Elle sursauta, leva les yeux sur lui. Ses paupières battirent sur ses grands yeux gris.

— Il luttait contre les Ombres, répondit-elle.

— Les Ombres ?

— Oui. Un des seuls à oser.

Elle le dévisageait. Qui voyait-elle ? Un homme osseux, presque trop grand, aux traits rudes, aux yeux vert-chat, aux tempes blanchissantes. Le trouvait-elle engageant, attirant, inquiétant ? Lui, pour la première fois, la voyait de jour et ne pouvait détacher son regard. Elle n'était pas rousse comme sa mère. Sous la coiffe de dentelle, ses cheveux d'un blond doré avaient des reflets pâles. Sa minceur accentuait ses formes féminines. Esquisse permanente de sourire, ses lèvres entrouvertes laissaient deviner deux dents perlées. L'ovale clair de son visage rappelait les belles Romaines, admirées lors de ses campagnes italiennes. Son sourire timide révélait deux fossettes.

— Vous vous êtes fabriqué des raquettes pour me suivre dans la forêt, dit-elle.

C'était vrai. Il s'était pourtant cru discret.

— Tu sais donc qui je suis ? demanda-t-il.

— Vous êtes Jean Charzol, et les Ombres vous veulent du mal.

— Tu me veux du mal, toi aussi ?

— Je n'y arrive pas. Ma mère voudrait bien, pourtant.

— Et pourquoi ?

— À cause des Ombres, justement. Ma mère leur obéit. Elles vous en veulent. Je ne les aime pas. Elles me font peur.

— Ta mère les craint, elle aussi.

— Plus que moi encore. À cause de moi, peut-être.

— Comment t'appelles-tu ?

— Alice. Alice Chardac.

Le convoi funéraire s'éloignait. Ils n'y prirent garde. Jean eut soudain envie de la saisir, de la serrer dans ses bras. Ça se vit dans ses yeux. Alice frémit, mais ne bougea pas. Elle en fut étonnée. De tels regards l'effrayaient d'habitude. Mais là, elle devinait d'autres émotions, transcendant ce désir d'homme. De l'admiration, du respect peut-être, quelque chose d'autre encore qu'elle ne sut pas nommer.

— J'ai besoin de la forêt, dit-elle après un silence.

— Moi aussi.

— Je sais, répondit-elle.

La grille du cimetière grinça. Suivi du cortège piétinant, le corbillard s'y engagea, s'arrêta bientôt devant une stèle de pierre moussue dont la dalle basculée découvrait un caveau. On y descendit la bière.

Goupillonnant l'eau bénite, l'assistance défila devant la tombe ouverte, puis s'éloigna. Le croque-mort saisit la bride de sa haridelle et emmena le char funèbre.

Il ne resta plus que le fossoyeur en blouse de paysan. Il cracha dans ses mains, empoigna sa pelle.

— Allons saluer le mort, dit Jean.

Ils avancèrent au bord du trou. Les pelletées de terre tambourinaient sur le cercueil. Ils restèrent immobiles. Les chocs s'assourdirent, tandis que la terre noyait l'ultime trace du vieil homme : cette belle caisse en bois moulurée, vouée à pourrir avec son contenu.

— Qui affrontera les Ombres désormais ? demanda Jean comme ils s'éloignaient.

— Vous !

— Moi ?

— Vous avez déjà commencé...

Ils revinrent en silence vers l'abbatiale devant laquelle attendait la berline.

— Monte, proposa Jean.

— Non, non, dit-elle. Je vais marcher, rentrer par les sentes. J'ai besoin... j'ai besoin d'être seule... À cause de vous.

Il réfréna son élan vers Alice, ressentit chez elle un mouvement analogue, mais elle se tourna et partit d'un pas vif. Désemparé, il la vit s'enfoncer sous la voûte gothique qui flanquait l'église.

10

Veillée

Une semaine passa. Les hommes de Largnac s'étaient mis à l'ouvrage. Les vétérans, estropiats ou capitaine, bon gré mal gré, s'adaptaient à la vie du domaine. Deux fois Régis était parti parce qu'un mot ou un ordre lui avait déplu. Il était revenu, ramenant la première fois une hachette, la seconde un tonnelet de poix, comme s'il était simplement allé faire des emplettes. La colère tombée, il sauvait ainsi la face. Bien entendu, aucun de ses compagnons ne le démentit. Chandelle n'en faisait qu'à sa tête, mais son grand sens pratique fit très vite oublier de s'en inquiéter. Gorget se saoula deux ou trois fois. Seul Estublat jouait complètement le jeu et maintenait par son humour la cohésion parfois flageolante du groupe. Jean Charzol, lui aussi, avait mis de l'eau dans son vin. Ainsi s'imposa la grande discussion du soir, après la soupe, dans l'odeur des pipes et de la goutte, concernant l'ouvrage du jour et celui du lendemain. L'ex-capitaine avait d'abord pris conscience que, n'étant plus à l'armée, il lui fallait convaincre plutôt qu'ordonner. Ensuite, il avait découvert que lui aussi pouvait être convaincu, et donc qu'il devait écouter. C'était si nouveau que cela ne se fit pas sans mal. Plusieurs fois, il se retint de chasser ces cinglés d'estropiats. Il piqua quelques colères homériques. Estublat ricanait. Chandelle, homme calme, s'inquiétait. Moïse buvait, ce qui l'aidait à faire le dos rond. Régis, enfin, serrait ses poings massifs et Jean prit conscience que, un de ces quatre matins, il pourrait bien ramasser un coup à assommer un bœuf. La première paie, solennellement effectuée par Gorget, finit d'arrondir les angles.

On avait mis en coupe une parcelle plantée au temps de Louis XIV, un bon siècle auparavant. Certains arbres, déjà morts, feraient du bois de chauffe. Les survivants dépassaient les trente-cinq mètres. Des sapins magnifiques. Pour les débarder, Estublat harnachait Boulet et Canon en tandem. Il les menait par la bride dans les pentes. Sa vie avait changé depuis que Chandelle lui avait taillé un pied de bois articulé. Il marchait plus aisément et ne s'enfonçait plus autant dans la neige ou la boue.

C'était une belle journée d'hiver. Repliée dans les creux, la neige n'était plus qu'un piège à lumière. Bien chaussé de ses brodequins militaires, Jean descendait la pente raide vers La Dorette, en contrebas. L'ex-capitaine se sentait bien. L'ouvrage avançait, la vie rude dans le bois l'enchantait et il avait livré ses premières *buttes*. Cette vente inaugurale le rassura : il pourrait entretenir cinq personnes.

Il allait à grande allure, plantant les talons dans la terre meuble. Allongées par la pente, ses enjambées dépassaient deux bons mètres. Il voulait voir, avant le crépuscule, la pointe sud de son domaine, séparée de La Souchère par la largeur de la rivière. Il atteignit l'eau. Gonflée par le redoux, elle ne fut pas aisée à passer sur les pierres affleurantes.

Il longeait le courant vers l'amont lorsqu'une voix fraîche l'interpella :

— Où tu vas, capitaine Jeannot ?

Il tourna la tête. Débouchant d'une sente, le teint rosi par le grand air, demoiselle Anguier, six ans et demi, le dévisageait de ses grands yeux bleus.

— Bonjour Anna, tu te promènes ? demanda-t-il bêtement.

En robe brune et chaussée de sabots en frêne clair, tout neufs, elle trottait avec vivacité. Un petit bonnet de toile blanche cachait ses boucles brunes. Dans l'air vif de l'après-midi, elle semblait heureuse comme une truite dans le courant.

— Pas le temps ! Avec tout mon travail !

Son sérieux l'amusa.

— Ah bon, dit-il, tu gardes des bêtes ?

— Non, non, mais la Berthe Landi, je lui ai porté du beurre.

— La Berthe Landi ?

— La *biate* qui m'apprend mes lettres, et puis le « caté » aussi.

Cette abréviation oubliée lui revint en un éclair : le catéchisme !

— Et tu sais lire ? demanda-t-il.

— Pas encore, mais bientôt. Je pourrai dire à mon petit frère tout ce qu'il y a dans le livre.

— Le livre ?

Il était perplexe : lettres... catéchisme... béate... Évoquait-elle l'Évangile ? Il sourit en coin. Une telle lecture était bien improbable à son âge.

— Et d'où il sort, ce livre ? demanda-t-il circonspect.

— Ben, du colporteur ! Tu sais, le vieux qui passe avec son âne bâté et qui vend des aiguilles. Un gars « pas de chez nous » qui vient du Rouergue.

— Et tu sais où c'est, le Rouergue ?

— Ben oui, c'est très très loin. C'est papa qui l'a dit.

Elle s'arrêta, le regarda de biais pour bien le pénétrer de l'exotisme du coureur de chemin, puis poursuivit :

— Le livre, c'est ce vieux qui l'a apporté. Papa le lit beaucoup parce qu'il y a le calendrier avec la lune qui monte et qui descend. Et *pi*, ça dit quand il faut semer le blé de printemps, tailler les pommiers et tout ça.

— Ah, c'est un almanach ! s'exclama Jean.

— C'est ça ! Papa l'appelle comme ça. Même qu'il est tout neuf, « l'amanac ».

— Ton vendeur d'aiguilles, il passe souvent ?

— Chaque hiver.

— On l'a pas vu, à Largnac. Il est venu ces jours-ci ?

— Hier, même qu'il a dit des choses.

— Ha bon ?

— Il a dit qu'une bande de Verdets court dans le pays. On l'a vue au Puy, à Allègre, et même à Craponne.

— Des Verdets ?

— *Ouiche*, des Verdets. Chais pas c'qu'c'est, mais c'est méchant. Surtout pour toi.

— Pour moi ?

— C'est papa qui l'a dit. Tu veux que je répète ?

Elle souriait, l'air en dessous. Intrigué, Jean acquiesça.

— « Ça m'emmerde pour le Jean Charzol, il a dit, avec tout ce qu'on dit sur lui dans le pays ! »

Elle pouffa, enchantée par le gros mot soudain autorisé, puis, sans préavis, s'envola. « *Adiu*, capitaine Jeannot », cria-t-elle de loin. Pensif, il la regarda courir vers sa maison. Le temps avait passé vite en si bonne compagnie. Il était arrivé au village sans même s'en rendre compte.

Scrutant les grands arbres, il pensait à cette rencontre. Le charme enfantin de la fillette le faisait songer aux enfants qu'il aurait d'Alice. En revanche, son propos l'inquiétait. Si le souci de son père à son égard le réconfortait, la menace des fanatiques du comte d'Artois ne devait pas être sous-estimée. La Terreur blanche avait fait des centaines de morts en 1815, l'année précédente.

Le temps filait. À Largnac, les cinq hommes vivaient en vase clos. Ce jour-là, un cheval était libre. Comme les victuailles s'épuisaient, Gorget l'attela au char à bancs et, bien couvert pour protéger ses bronches délicates, partit vers le bourg.

Le soir, il rentra préoccupé.

— Qu'est-ce que tu as ? lui demanda Gaston en lui tendant un verre de vin chaud.

— Les ragots. On parle beaucoup trop de nous.

— Et on dit quoi ? demanda Jean.

— Eh bien, toi, tu es un revenant, sans doute malfaisant. Tu as acquis le bois de Jagonaz par des moyens peu catholiques et tu as de la chance que le vieux Montchovet soit mort car il aurait pu révéler des choses sur toi ! Sans compter que décapiter les loups au sabre en a scandalisé plus d'un. Personne n'aime ces bêtes-là, mais la manière fait peur.

— Et sur nous ? s'enquit Chandelle.

— On nous accuse d'être un nid de bonapartistes décidés à mettre le pays à feu et à sang. On porte la poisse et il va arriver malheur, aussi bien à nous qu'à ceux qui nous fréquentent.

— Qu'est-ce qu'on dit d'autre ? grogna Régis.

— Paraît que Barlière a brûlé. Tu sais bien, la ferme du Luc Vivandier. Ils auraient tous grillé vifs, lui, sa femme et leurs deux petits.

— Un accident ? demanda Jean.

— C'est la conclusion des gendarmes, mais certains n'y croient pas trop. Dans le climat actuel, les gens disent n'importe quoi.

— Et tu as appris tout ça en faisant les courses ? ironisa Estublat.

Moïse ne répondit pas.

— Bon, alors, qui t'a raconté toutes ces calomnies ? intervint Chandelle.

— La mère Puchat, évidemment, le coupa Gaston. Comment va-t-elle ?

Moïse grimaça. Au moment où il s'efforçait de rendre plus discret son penchant pour le vin, il n'aimait pas trop révéler son passage par l'estaminet.

— Elle va bien, dit-il après une hésitation. Elle nous défend tant qu'elle peut et ça la fait mal voir des imbéciles, majoritaires en nombre comme chacun sait. Quand même, pas mal de gens l'écoutent.

— C'est tout ? demanda Jean.

— Ben, ça te suffit pas ? ironisa Gorget.

— Je veux dire... pas d'allusions aux diableries, mauvais sorts et autres chevaux infernaux, des trucs comme ça ?

— Ben, les *biates* font de grands signes de croix quand on parle de nous. Il paraît que ces femelles aux cons racornis clabaudent tant et plus sur ce que font cinq hommes ensemble, cachés au fond des bois. Elles nous accusent avec des simagrées d'avoir le « petit défaut ».

— C'est quoi ça ? demanda Régis.

— Les hommes qui pratiquent « la botte Florentine ».

— Hein ! ?

— Qui « donnent dans la manchette ».

— Quoi ?

— Des « pêcheurs d'étrons à la ligne » !

Régis grommela, les autres s'esclaffèrent. Gaston poursuivit :

— C'est un scandale d'accuser ainsi d'honnêtes tâcherons qui abattent des arbres et ne vont au bordel que le dimanche !

Les rires redoublèrent. Jean songea que, comme en temps de guerre, il lui faudrait prévoir des moments de détente pour son équipe. Ils n'étaient pas des moines, bûcheronnaient tout le jour, rentraient recrus de fatigue pour dormir et recommencer. Les bois étaient peu propices aux rencontres, sauf peut-être celle d'une fée aux cheveux de lin, aux yeux de ciel d'hiver et à la silhouette gracile qui courait les bois par tous les temps, suivie par un grand chien gris.

— Il faut qu'on voie du monde, dit Jean. Qu'on sorte, qu'on fréquente des filles. Pas seulement pour baiser. On pourrait tous s'établir. On a l'âge, après tout.

— Parle pour toi, gronda Régis. Qu'on me foute la paix !

— Chacun fait comme il veut, dit Gaston. C'est vrai qu'une femme gentille et une maison, ça serait pas si mal maintenant qu'on a un travail.

— Avec la gueule que j'ai, dit Chandelle avec amertume.

— Qu'est-ce qu'elle a, ta gueule ? dit Gaston. Le Jeannot avait raison. Ta blessure, quand on sait, on la voit plus. Si nous, on l'a oubliée, pourquoi les autres ne l'oublieraient pas ? Toi aussi, Moïse, tu pourrais trouver une petite, conclut-il.

L'Époumoné réfléchit.

— Quand je boirai plus...

Les autres se turent. Cette phrase, improbable dans la bouche de leur frère d'armes, méritait le respect.

Jean réfléchissait intensément. Les autres le regardaient en coin. Il parla enfin.

— Gaston, c'est vrai ce que disait Chandelle l'autre jour ?

— Quoi ?

— Que tu as été duelliste ?

— C'est vrai. J'étais pas mauvais au sabre. J'ai souvent participé à des duels. Mais c'était de la connerie.

— Pourquoi t'as arrêté ? demanda Chandelle.

— Mon meilleur ami est mort bêtement comme ça. J'ai bien eu envie de tuer l'autre, mais la vendetta, c'est sans fin. Alors j'ai juré d'arrêter.

— Qu'est-ce que tu sais faire avec une lame ? demanda abruptement Jean Charzol.

Il dégaina son sabre accroché au-dessus de la cheminée et, sans prévenir, le lança garde en avant à Gaston qui se leva brusquement, l'attrapa au vol et se retrouva instantanément en garde. Une lueur dansait dans l'œil de l'ex-capitaine qui affichait un air narquois. Cela ressemblait à un défi de spadassins joué au théâtre.

— Joli réflexe, dit Jean. Tu faisais sûrement des trucs spectaculaires pour impressionner ou terroriser un bravache agressif.

— C'est fini, tout ça, dit Estublat.

Mais, sabre en main, il vibrait. Le vin chaud ? Plutôt la nostalgie d'un talent de jeunesse. Pour suivre cet étrange dialogue, Régis, qui regarnissait le feu, avait posé sur l'épaisse table en bois une bûche ronde haute comme une botte et d'un bon demi-pied de diamètre.

— Tu pourrais nous montrer ? demanda Jean.

Il avait son éternel sourire en coin. Des lueurs inquiétantes brillaient dans le regard de Gaston. Devant ses quatre compagnons médusés, se dressait soudain un superbe bretteur de la Vieille Garde. Malgré son pied de bois, il avança d'un pas, en une impeccable approche d'escrime. Un éclair parabolique, un choc sec, et la bûche fut fendue.

— Regardez la table, dit-il.

Les moitiés du rondin gisaient sur le sol. Le plateau ne portait aucune trace.

— Il fallait un bon coup de merlin pour fendre ce billot, dit Chandelle. Faire ça au sabre et arrêter le coup, c'est pas banal.

— Tu peux sûrement faire mieux, commenta Jean, délibérément goguenard.

Gaston se concentra. Leva un regard de braise sur l'ex-capitaine.

— Tu sais faire de la couture ? demanda-t-il.

— Ben oui, pourquoi ? répondit Jean.

Il y eut un reflet métallique, un chuintement. Les spectateurs en restèrent médusés. Pâle tout d'un coup, Jean Charzol s'assit.

— Bravo, dit-il oppressé. C'était magnifique et terrifiant. Tu n'as rien perdu de ta virtuosité.

Gaston aussi semblait essoufflé.

— Pourquoi tu m'as fait faire ça ? J'étais hors de moi. Un chien fou comme avant. J'aurais pu te blesser.

— Assieds-toi, dit Jean. Moïse, ressers-nous un coup de vin chaud. On en a tous besoin.

Dans le silence, les hommes attablés burent lentement. Éclairés par le chandelier posé sur la table, ils s'entreregardaient, puis leurs yeux convergèrent sur l'ex-capitaine.

— Ces ragots doivent cesser, dit-il. Il faudra ensuite savoir pourquoi cette Talaurina nous dénigre comme ça. Elle ne le fait pas sans raison.

— Toi, tu as une idée derrière la tête, dit Estublat dont la voix conservait encore une trace du bref paroxysme qu'il venait de vivre.

— Bien entendu, et une idée qui repose pour beaucoup sur ton adresse au sabre.

— Ça, j'avais compris. Alors, raconte...

Il exposa son projet. Les autres hochèrent la tête.

— Je n'irai pas, déclara Régis. Je ne veux voir personne.

— Tu garderas Largnac, alors. Si ça te va...

Ils avaient soupé en silence, puis, l'heure venue, s'étaient habillés pour affronter la nuit et le froid. La neige fondait au soleil, mais elle regelait sitôt le soir tombé. Moins dix, une température de saison pour ce 20 janvier 1816.

— Tu montes Boulet ?

— J'irai à pied. Chandelle a perfectionné l'articulation de ma prothèse. Ce sera un test.

— La pente est raide. Tu es sûr de toi ?

— T'inquiète, capitaine. Ça me détendra.

Laissant Régis, ils prirent la sente. Ils allaient tranquillement afin que l'unijambiste suive à son rythme. Il semblait à l'aise. Pour mener les chevaux lors du débardage, il avait appris à évoluer en terrain difficile, non sans douleurs, mais pour rien au monde il ne l'eût avoué. Il s'était adapté, et ses compagnons oubliaient presque sa mutilation.

Au débouché du bois, ils dominaient les fermes édifiées au bord de La Dorette, sombres pour la plupart. Une seule fenêtre brillait. Comme prévu, tout le village ou presque veillait chez le Firmin.

Arrivés à la porte, alors qu'ils avaient marché à la lueur des étoiles reflétées par la neige, Jean battit son briquet d'étoupe et alluma la lanterne que portait Moïse. Puis il frappa. La porte s'ouvrit sur le maître de maison.

— *Adiu*, dit Charzol avec un grand sourire. Tiens !

Il déposa une grosse bouteille ventrue dans les mains du sournois.

— De la goutte, et de la bonne. Une prunelle de par ici. Pour la veillée et pour toi. Tu m'en diras des nouvelles.

— Entrez ! dit l'autre, subjugué.

Que faire sinon les accueillir ? La lanterne éclairait les arrivants et toute l'assistance l'avait vu accepter la bouteille. Des gens du pays, des voisins qui plus est, venus à la veillée. Malgré son envie, il lui était impossible de leur claquer la porte au nez. Même si, comme il en était persuadé, ils avaient le mauvais œil, certaines choses ne se font pas.

Les quatre hommes entrèrent. Firmin leur désigna des chaises, en retrait, pas trop proches du feu, pour les oublier dans la pénombre. Ils s'installèrent à la grande table sur laquelle Jean posa son fanal sans l'éteindre, et Gorget, une bûche, ronde, haute d'un pied et demi.

Il y avait déjà une vingtaine de personnes dans la pièce, sur des chaises paillées : les hommes assis les coudes aux genoux, mains tendues à la flamme ; les femmes, leurs carreaux à dentelle posés sur leurs amples jupes.

La conversation reprit lentement, neutre : on parla du temps, de la neige.

— En Hongrie, raconta Gorget, un soir d'hiver, tard, je glissais sur la *pulsa*. Il faisait grand froid, mais la vodka, la goutte de là-bas, réchauffe bien. Le paysage se réduisait à une ligne. Je vous explique. En bas, la plaine, plate comme vous ne pouvez l'imaginer, vu qu'il n'en existe pas à moins de deux cents lieues d'ici. Donc, la plaine plate. Et blanche, immense jusqu'à l'horizon parfaitement rectiligne. Au-dessus, un ciel noir sans une étoile, le vide infini. Le traîneau filait au galop dans le tempo sourd des sabots du cheval sur la neige. C'était le battement de la terre. Une sorte de vertige m'a pris, je flottais, j'étais ailleurs...

— T'étais saoul ! dit un nommé Narcisse Grenier.

L'assemblée éclata de rire.

— Saoul d'amour ! Sur le siège, à côté de moi, une belle Caucasienne m'enlaçait. On était tous les deux emmitouflés dans la même peau d'ours. C'était beau et triste, et vous savez à quoi je pensais ? Aux montagnes douces, aux grands bois, aux fermes de granit, aux filles d'ici...

Il se tut. Quelqu'un applaudit. Fier d'avoir mystifié son auditoire, Gorget rayonnait. Jouant avec la lumière chaude de la lanterne, la pénombre avait gommé sa couperose. Jean le trouva rajeuni. Des souvenirs l'envahirent, liés aux propos de Moïse. Pourquoi ne parlaient-ils pas ainsi le soir, tous les cinq, à Largnac ? La magie des veillées. Jean n'était pas le seul sous le charme. Tous écoutaient. En particulier Marie Nalette. Elle fixait l'orateur, les yeux émerveillés. Lui aussi l'avait vue. Elle était veuve, la Marie. La consomption avait tué son homme. Phtisie, avait dit le médecin. Depuis, elle vivait seule, de travaux de couture, de son jardin et de sa vache. Elle avait un peu de bien aussi. Une femme douce, au charme discret.

Le récit romantique de Gorget, le lettré, avait brisé la glace. Tout le monde parlait en même temps maintenant. La bouteille tournait de main en main. On sirotait la prunelle dans ces petits verres épais qu'on fabriquait au Puy.

Jean observait l'assistance. Son regard rencontra celui de la Belette fixé sur lui. Il manifesta une légère agitation, puis se maîtrisa. Sur ses genoux, la jeune Anna dormait. Le demi-solde en fut rassuré. L'affection enthousiaste de la petite aurait pu nuire à son père. À côté d'Anguier, sa femme. À ses pieds, dans le berceau d'osier, le tout petit.

On frappa à la porte.

Bousculant le Firmin qui lui ouvrait, la Talaurina entra en furie. Jean eut un sourire carnassier. Quelqu'un était allé la chercher, comme il l'avait prévu.

Elle était seule. Il en fut rassuré. Il eût détesté l'attaquer comme il allait le faire en présence d'Alice, sa fille. Les conversations s'éteignirent les unes après les autres. Chandelle, dans la pénombre qu'il affectionnait, fut le dernier à parler. Il racontait les caissons d'artillerie, les matériels, son métier, les chars aux roues énormes. Les hommes l'écoutaient, tandis que les doigts agiles des fermières faisaient valser les bobineaux de leurs carreaux de dentellières. Il s'arrêta net en voyant la rousse flamboyante, en cheveux, qui se précipitait dans la pièce. Jean se leva et lui fit face, la dominant de sa haute stature, écoutant sa diatribe à l'auditoire.

— Il n'y a pas assez de malheur dans ce pays. Il faut que vous frayiez avec ces malfaisants, ces suppôts du tyran qui ont passé un pacte avec le diable. Ce Napoléon ! Un étranger ! Un Corse ! Je vous ai dit qu'ils avaient le mauvais œil. Qui sait ce qu'ils font tous les cinq là-haut à Largnac, quelle sorcellerie, quelle diablerie !

L'auditoire se taisait. Jean, tendu, attendait l'opportunité d'intervenir. Il redoutait en lui la montée d'une de ses terribles colères. Chandelle lui sauva la mise.

— ... Et celui-là, glapit la Talaurina en désignant Chandelle. Avez-vous déjà vu une tête pareille ! C'est pas le fils du diable, ça !

— Tais-toi, femme, ordonna le borgne d'une voix cinglante.

Levé comme un ressort, il saisit la lanterne posée sur la table et la brandit à hauteur de son visage, exhibant sa terrible cicatrice. La partie gauche de son visage avait pâli. La droite, ravagée, semblait par contraste plus colorée, plus horrible surtout.

— Les guerres, clama-t-il. Nombre d'entre vous les ont faites. Certains y ont laissé une jambe ou un œil. D'autres un ami ou un frère. Vous croyez que j'aime me voir ainsi ! Imaginez une brûlure terrible qui vous fait porter les mains à votre figure. Vous sentez sous votre paume une bouillie sanglante, atrocement douloureuse, où remuent des débris d'os. La peur de mourir, là, tout de suite, vous broie le cœur. Alentour, les autres courent au milieu des détonations. Vous tombez à genoux, tenant votre visage, en pleurs, sauf que vous ne pleurez que d'un œil parce que l'autre pend sur votre joue, arraché. Vos compagnons vous regardent, horrifiés. Une douleur insupportable vous assomme. Les balles sifflent autour de vous. Vous espérez que l'une d'elles vous éteindra comme une bougie. Alors vous cesserez de souffrir. Mais non ! La torture s'installe, s'accroche, se cramponne. Le temps s'étire. Chaque seconde fait plus mal que la précédente, et ça dure des jours, des semaines. La fièvre vous tient. Vous n'avez plus le sens du temps. Vous ne vous rappelez plus rien sinon cette souffrance qui lentement s'assourdit. Et un jour, vous oubliez un instant votre malheur, puis cet instant s'allonge. Vous guérissez, mais vous ne pouvez plus vivre la guerre. Elle vous effraie à jamais. Vous êtes vivant, mais vous êtes un autre. Convalescent dans un hôpital militaire, un jour, vous sortez. Alors surgit une autre horreur. Vous croisez le regard d'un enfant qui se met à hurler, se réfugie dans les jupes de sa mère. Alors elle lève les yeux sur vous, porte la main à sa bouche et se mord le poing. Bouleversé, vous retournez à l'hôpital en quête d'un miroir. Vous demandez aux bonnes sœurs qui, elles, vous regardent. Elles vous connaissent, vous savent monstrueux. Elles ont l'habitude. Une monstrueuse habitude. Vous osez, vous leur demandez une glace. Elles tergiversent, se dérobent. Alors vous cherchez par vous-même. Vous ouvrez des portes au hasard, vous voulez savoir. Enfin, vous trouvez, et vous découvrez cette terrible boursouflure grenue, à la fois rosâtre, mauve et brunâtre, avec des stries, des plis, des ravines. C'est affreux, et c'est vous ! C'est vous que vous voyez ! Et cette gueule, vous l'aurez jusqu'à la fin de vos jours. Vous décidez que cette fin est proche. Vous avez envie de mourir. Mais on ne meurt pas ainsi. On ne se condamne pas à mort pour avoir été une victime. On survit malgré soi. Alors, quand cette femme vous traite devant vos voisins de monstre démoniaque, vous criez que vous êtes une victime et qu'elle a le cœur noir comme l'enfer et que le monstre, c'est elle !

La Talaurina n'avait pu lutter. Quand Chandelle s'arrêta, elle tenta, tremblante, une contre-attaque.

— Voilà bien les sorciers et leurs maléfices. Ils vous feraient pleurer sur leur sort. Je vous prédis que ces hommes vont apporter le malheur et la mort sur La Souchère si vous ne les chassez pas. Je lis dans le futur.

Jean s'avança, immense ainsi éclairé en-dessous par la lanterne. Ses yeux luisaient d'une rage péniblement retenue. Sa voix sèche trancha comme une lame.

— Tu avais prévu les malheurs du Gu, hein. Pas difficile à réaliser, ta prophétie. Toute personne qui connaît les herbes, comme toi, peut empoisonner des vaches ! Des poisons, y en a plein les bois. L'aconit, la jusmiaque, les amanites, la digitale, tu les conserves en poudre dans ton antre. Touche à un seul cheveu des gens de La Souchère, et ta fin sera sans sorcellerie mais sanglante.

— Je n'ai que faire de vos rodomontades, mon pouvoir me protège, bêla la sorcière d'une voix aiguë.

— Ah oui ? dit Gaston qui s'était levé.

Les villageois ne virent qu'un éclair d'argent, mais la bûche sur la table fut fendue. Et ils virent Estublat, un sabre luisant à la main. Un silence de mort s'installa.

— Il a fendu la bûche d'un seul coup, dit le Firmin.

— Et sans abîmer ta table, précisa aimablement Moïse.

La Talaurina tremblait. Pourtant, elle défia le bretteur :

— Approche ta lame de moi et tu seras foudroyé !

L'ancien escrimeur, cambré, tourna son visage vers la femme. Dans sa main, le sabre en position attaque. Elle ne pouvait le voir. Son corps, de biais par rapport à elle, le cachait. Une pose d'escrimeur que plusieurs reconnurent.

— Crois-tu ? dit-il.

Tout le monde pressentit le geste, attendit l'instant. Un reflet vif à nouveau. La femme poussa un cri. Les regards convergèrent vers elle. Le haut de sa robe, fendue de l'encolure à la manche, dévoilait son épaule. Elle y crispa sa main.

— Elle est blessée ! s'écria une femme.

— Elle n'a rien, dit Estublat. Si j'avais voulu, sa tête aurait volé.

— Femme, dit alors Jean d'une voix grondante d'être contenue, je sais ce que tu caches (elle suivit son regard vers sa main crispée). Sache que nous t'interdisons tout nouveau ragot, toute malfaisance envers nous comme envers les gens de ce village. Tu entends ? Sinon, c'est moi qui prédirai ton malheur et on me croira.

Une femme s'était levée. Elle s'approchait de la Talaurina qui la repoussa. Elle ne voulait pas d'aide. Elle jeta sur l'assemblée un regard traqué. Tout le monde remarqua sa pâleur. Elle ne dit plus rien, se retourna, se rua vers la porte. Moïse s'y était adossé, la bloquant.

— Encore une chose, femme, dit Jean enfin calmé. Tu es une excellente rebouteuse. Ça, nous le respectons. Ni mes compagnons ni moi ne te voulons du mal. Cesse tes attaques et tes malveillances et nous te laisserons en paix. Continue à nous nuire et tu pourras tout craindre.

— Vous tous, villageois... dit-elle, soudain.

— Tais-toi, femme, dit Jean doucement en se frottant l'épaule.

Elle se tut.

— Laisse-la partir, Moïse, reprit l'ex-capitaine. Je crois qu'elle a compris.

— Firmin, s'écria Estublat, ressers-nous une tournée ! Ça fera du bien à tout le monde.

Tous trinquèrent. Étaient-ils absolument sincères ? Il est permis d'en douter.

11

Les Ombres

À la fin janvier, un redoux fit fondre la neige, puis une vague de gel raffermit les chemins de terre, durcit les creux fangeux. Le débardage en fut facilité. Traîner des troncs de plus d'une tonne dans la pente avait redonné à Boulet et à Canon les belles rondeurs musclées des chevaux de trait. Les hommes en étaient presque aussi fiers que Gaston, leur habituel cocher. Certains sapins auraient pu faire des mâts de navires. Quand les extraire se révélait impossible, on se résignait à les tronçonner. Régis sciait en grognant, à cadence rapide. À l'autre bout du passe-partout, Jean tenait le rythme. Au début, il avait souffert, puis la mauvaise graisse de sa vie de garnison avait fondu. Chandelle et même Estublat, l'unijambiste, les relayaient parfois.

L'ex-capitaine avait occulté la menace des Ombres, mais pas son attirance pour la belle Alice. Souvent, en fin de journée, il hantait les bois jusqu'au crépuscule pour recenser ses arbres, bien sûr, mais surtout pour la voir. En vain parfois. Il rentrait alors l'œil sombre. Ces soirs-là, tous mangeaient en silence, posément, comme des gens qui ont déjà eu faim.

Prétextant une histoire de pension militaire, il se rendit à La Chaise-Dieu le jour de la Chandeleur. Il espérait voir la jeune fille à l'office religieux. Mis à part son minois aperçu dans les bois, il ne l'avait vue qu'à l'église, à Noël d'abord, puis aux funérailles du notaire. Suivrait-elle la procession ? Il se souvenait de celles de son enfance. Précédés d'une ribambelle d'enfants de chœur en soutanelles rouges et surplis immaculés, quatre hommes portaient un dais rehaussé d'or sous lequel l'abbé, en chasuble chatoyante, brandissait le soleil rayonnant de l'ostensoir. Sur deux rangs, capuchons sur les yeux, le chapitre des moines suivait, chantant du grégorien. Derrière venaient les bannières des corporations, et enfin la foule pieuse menée par les béates. Les hommes fermaient la marche. Des galapiats, dont le jeune Charzol, couraient autour du lent convoi qui visitait toutes les chapelles votives de la paroisse.

Ce jour-là, le curé, un paysan rougeaud, représentait à lui seul le clergé. Il pleuvinait, et la belle Alice n'était pas là.

Nouvelle déconvenue. C'était folie de se raconter que, lors des funérailles du notaire, leur rencontre présageait un avenir. Elle n'était qu'une gamine, s'était envolée tel un papillon. Un rêve. Un rêve sans importance. Installé sur le siège du cocher, Jean mit Canon au trot. Il revenait le moral en berne. Qu'importerait la bonne marche de son exploitation, si sa maison ne s'emplissait pas un jour de cris d'enfants ? Et ses enfants, il les voulait d'Alice. Dépité, il poussa sa bête au galop. Le char à bancs tressautait dans les ornières gelées, au risque de verser. Il filait à travers bois quand il la vit jaillir du couvert. Il tira les rênes, sciant presque la bouche de l'alezan fauve qui, bonasse, s'arrêta.

La jeune femme s'approcha et leva des yeux implorants vers Jean. Celui-ci sauta de son siège et la serra spontanément dans ses bras. Elle tremblait.

— Les Ombres, dit-elle. Les Ombres sont revenues. Fais attention à toi, Jean, fais attention !

— Alice, toi et moi...

— Après ! Quand il n'y aura plus d'Ombres...

Elle se dégagea doucement et fila sous les sapins. Il voulut la suivre. Babines retroussées, son molosse s'interposa, grogna. Comprenant qu'il obéissait à Alice, il s'arrêta, contemplant le couvert où elle avait disparu.

Il remonta sur son siège et fit claquer son fouet. L'alezan repartit vivement, comme s'il ressentait le bonheur neuf de son maître, follement heureux de cette rencontre, du souci qu'elle avait de lui, de l'avenir entrebâillé.

D'un autre côté, Jean Charzol ne pouvait plus ignorer ces Ombres. Il devait les identifier, prévoir leurs probables attaques, les neutraliser. Il y réfléchit en vain. Il ne pouvait qu'attendre dans un Largnac cadenassé comme une forteresse.

Il revint alors à sa vie quotidienne, au foisonnement des idées et impressions qui l'habitaient lors de ses explorations à travers sa propriété : un grand manteau de sapins couvrant une montagne arrondie. Dès que les accidents du terrain la dévoilaient, la longue colline de Jagonaz emplissait l'horizon. Sa majesté s'imposait lorsqu'on la contemplait de la combe de La Dorette ou, à l'ouest, de l'autre côté du Replat, un hameau d'où l'on apercevait Largnac au sommet d'une pente raide. Cette double pente boisée l'émerveillait, même si sa propriété s'arrêtait à sa crête. Seul le versant est lui appartenait, celui qu'illuminait le soleil du matin. Il le trouvait magique et Alice en était l'âme, la fée tutélaire. Au fond de lui-même, il assimilait dans un même bonheur son amour pour sa terre et sa passion pour la jeune fille. Les deux l'émerveillaient et ses pensées vagabondaient sans transition de l'une à l'autre.

Sa terre ! À la hauteur des arbres, il datait les parcelles. Les coupes avaient cessé une dizaine d'années auparavant. Pour une durée équivalente, il pourrait exploiter une quantité accrue de grumes. Il en tirerait dix fois le prix payé pour son domaine. Une fortune, à investir dans de nouveaux bois. Cet inestimable cadeau du notaire défunt avait nécessairement un prix. Il lui fallait le déterminer et le payer. Il pensait souvent au vieil homme, à sa dette envers lui, envers sa mémoire. Pris par l'urgence, il n'avait pas éclairci les dessous de cette affaire. Il n'en avait pas recherché les coupables. Aujourd'hui, la réalité le rattrapait.

Il avait désarmé la Talaurina et pensait la tenir, mais maintenant les ragots calmés, apparaissaient les Ombres. Il tira brusquement sur ses rênes. Le cheval, au pas, s'arrêta. « Ma mère leur obéit, avait dit Alice à l'enterrement du notaire. Elles vous en veulent. » En cessant de monter les villageois contre eux, la sorcière n'obéissait plus à ses maîtres. Un mauvais sourire apparut sur ses lèvres : elle était en danger ! Sa fille aussi, par conséquent. Son rictus s'effaça. Privées de leur sorcière, les Ombres entraient en scène. Ce n'était sans doute pas la première fois. Qui se cachait sous ce terme ? Qui terrifiait la sorcière comme les paysans alentour ? En tout cas, l'avertissement d'Alice était clair. Plus que jamais il devait rester vigilant.

Huit jours plus tard, assis autour de la table, les cinq hommes soupaient d'un ragoût de chou et de pommes de terre, mijoté avec une belle couenne de lard.

— J'ai pensé à un truc, dit Moïse l'Époumoné en torchant son écuelle.

— Raconte, l'encouragea Estublat.

— Depuis plus d'un mois, vous bûcheronnez en dépit de la neige et du froid. Les branches, les écorces, tous les rémanents de la coupe, ça fait une montagne, même si on s'enfume à faire brûler du bois vert dans cette cheminée pour ne pas perdre de temps à débiter des arbres morts pour se chauffer.

Jean l'observait. Régis n'avait pas levé les yeux et mangeait avec application. Gaston et Chandelle attendaient la suite.

— On va en faire du goudron, compléta Gorget.

— Un four à poix, dit Estublat en hochant la tête. Tu sais comment on construit ça ?

— Mon grand-père travaillait à celui de Jullianges, dit Chandelle. J'allais le voir quand j'étais galapiat.

— Ça nous débarrasserait de tout ce fatras. Le garder, c'est risquer des incendies d'été, dit Estublat. Des fagots, on a de quoi en faire jusqu'à l'année prochaine, et si on les vend, on n'en tirera pas grand-chose. Ça alimenterait un four pendant des mois, et en plus des goudrons, ça nous laisserait du charbon de bois pour la forge de Chandelle.

— Comment ça marche, un four à poix ? demanda Jean. J'en ai vu, dans le temps, mais je n'en sais pas grand-chose. On distille les branches ?

— Elles servent surtout à chauffer le four. On tire la poix des chutes, des talons d'arbres, des souches et des têtes de grumes.

— Et il faut quoi ? Je veux dire, du pin ou du sapin ?

— Les deux, mon capitaine, répondit Moïse. Et les goudrons, on s'en sert pour traiter les cuirs, les cordages, les coques de bateau, le bois aussi. Bien badigeonné à la poix, il ne pourrit plus. Quand on aura une scierie, on pourra vendre des poutres imputrescibles.

— On n'en est pas là, rétorqua Chandelle. Pour une scierie, faudrait creuser un bief et installer un moulin sur la rivière. Si on ne mécanise pas, on va bricoler.

— Et toi, Régis, t'en penses quoi ? demanda Jean.

Le paysan trapu termina de mastiquer, avant de répondre :

— Peut-être ben qu'on pourrait le fabriquer, ce four.

— Tu saurais faire ?

— Ben, faudrait terrasser pas mal pour faire une cuvette surélevée, puis la paver en pierre ou en brique jointoyées de glaise, avec une goulotte droite qui descend vers le tonneau où on récupère le goudron.

— Pourquoi droite ?

— C'est pâteux, la poix. Si ça refroidit trop vite, ça durcit et ça bouche. Alors on la ramollit avec une barre de fer portée au rouge et ça coule de nouveau.

— Dis donc, t'en sais des choses, toi, admira Moïse.

L'autre lui jeta un regard noir. Un homme sombre, Régis, qui n'aimait que le travail. Une façon de se fuir. « Que fuit-il donc ? », se demanda Jean Charzol.

— ... Ensuite, on bâtit le four. Il faut une cheminée centrale, un agencement particulier de branches à brûler et des bûchettes à distiller, puis on recouvre le tout de mottes de terre. Alors, on allume par le haut puis on laisse consumer jusqu'à ce que la poix coule. Ça prend des heures et des heures...

Ils fumaient la pipe. Une habitude des camps. Moïse buvait du vin, par petits verres. Sa consommation s'était stabilisée, organisée, ritualisée. Il vivait son intempérance sans importuner les autres. Un progrès. Jean en était content, mais se gardait bien de dire quoi que ce soit.

Assis en demi-cercle autour du feu, ils discutèrent tard dans la nuit, bougies et quinquets éteints pour éviter de « gâcher ». Sensibles au calme de l'heure tardive, ils parlaient à voix basse. Ce calme leur permit d'entendre un bruit. Oh, pas fort, mais insolite. En fait, un simple « plouf ».

Ils s'arrêtèrent, se regardèrent et retrouvèrent leurs vieux réflexes d'embuscade. Du doigt, Estublat désigna la porte de derrière. Chacun empoigna ce qui lui tombait sous la main, un bâton, une pioche qui traînait, un couteau. Régis avait ramassé sa cognée. Une arme redoutable dans ses mains. Jean avait décroché son sabre installé au-dessus de la cheminée.

Ils sortirent en silence. Noirs sur la nuit, ils contournèrent la maison, trois par la droite, deux par la gauche. Le ciel clair mais sans lune permettait à peine de se déplacer. Rien entre la maison et l'écurie. Ils convergèrent vers cette dernière, la contournèrent et se retrouvèrent face au puits. La petite porte de la hutte de pierre qui l'abritait béait. L'ex-capitaine la contourna en courant. À trente pas, quelqu'un semblait glisser vers les bois. Jean se jeta à sa poursuite, buta contre un obstacle, s'étala. Au bruit, la silhouette se retourna. Elle n'avait pas de visage. Interdits, les poursuivants s'arrêtèrent. Quand ils se reprirent, il n'y avait plus personne à poursuivre.

Jean s'était relevé. Les hommes se taisaient.

— C'était quoi ? demanda enfin Moïse.

Régis se signa.

— Une diablerie, dit Estublat.

— Un revenant. La sorcière a raison. Cette maison est hantée !

— Drôle de fantôme qui se sauve quand on arrive, dit Jean.

— Mais son visage, le contra Régis.

— Un masque, dit Jean, un simple masque.

— Qu'est-ce qu'on fait ? demanda Chandelle.

— On inspecte le puits. Va chercher de quoi éclairer.

Cinq têtes se penchèrent par la porte étroite. L'eau clapotait une dizaine de mètres plus bas. Jean brandit la lanterne.

— On n'y voit rien, dit Régis.

— Justement, objecta Estublat, on devrait voir la lumière se refléter dans l'eau. Il y a quelque chose là-dedans.

— Il faut voir ce que c'est, dit Jean, et repêcher cette cochonnerie.

— Pourquoi « cochonnerie » ? demanda Moïse Gorget.

— Qu'est-ce qu'on jette la nuit dans le puits des autres, d'après toi ? ironisa Estublat.

— On va accrocher la lanterne à la corde du sceau, dit Chandelle, l'esprit pratique comme toujours, et la faire descendre.

— Que quelqu'un retourne à la maison, dit Jean, pour surveiller.

— Le temps de voir ce que c'est, répondit Moïse, et j'y vais. Ça m'évitera de prendre froid.

Ils regardèrent le halo du fanal s'enfoncer dans le tube vertical.

— C'est quoi, ce truc ? s'exclama Gaston Estublat, d'un ton dégoûté.

Un objet sanguinolent cachait presque toute la surface de l'eau.

— Une tête de vache ! constata Régis.

— Une charogne pour empoisonner le puits ! Il faut la sortir de là tout de suite ! On va aller à la pêche, l'accrocher à quelque chose, une fourche ou un croc.

— Quelqu'un doit descendre, estima Jean.

Le silence lui répondit.

— J'y vais, décida-t-il.

Les autres hochèrent la tête.

— Il faut un câble, dit Chandelle.

Il accompagna Moïse vers la maison, en ressortit une seconde lanterne à la main, se dirigea vers la remise, y entra, revint bientôt portant une forte corde, une faucille et un palan.

— Avec ça, tu pourras accrocher cette saleté, dit-il à Jean en lui tendant l'outil.

— Et ça, c'est quoi ? demanda ce dernier en désignant le moufle.

— T'es pas léger, capitaine. Ça nous permettra de te descendre, de te maintenir et, éventuellement, de te remonter sans trop de fatigue. À moins que tu n'préfères passer la nuit en bas.

Jean se sentit oppressé durant la descente dans l'étroit boyau, et pas seulement parce que la corde nouée autour de son torse lui coupait le souffle. À proximité de l'eau, il remonta les jambes pour ne pas se mouiller, s'érafla sur les pierres du parement, avant de se caler les genoux d'un côté du conduit, le dos de l'autre. La lanterne le brûla. Par réflexe, il détendit la jambe gauche, la trempant jusqu'au genou dans l'immonde brouet. Elle était passée sous la charogne. Il voulut la remonter, mais la charogne se coinça par les cornes, lui bloquant le pied. La panique le saisit. Il détestait se trouver dans cette tombe verticale au sol liquide. D'un violent effort, il se ressaisit. Pour se décoincer, il appuya sur la tête du bovin avec sa faucille. Il s'escrima ainsi un moment qui lui parut fort long, parvint enfin à se libérer. L'eau clapotait contre l'objet infect avec un bruit creux. Il fallait en finir. Pied redressé, l'ex-capitaine remonta lentement la jambe, entraînant le fardeau flottant. Il parvint à saisir une oreille, tira la tête de vache contre lui. Des sanies gluantes en dégoulinaient. Trempé, il commençait à avoir froid. Il tenait sa capture de la main droite, la gauche étant prise par la faucille. À un pied de sa tête pendouillait la lanterne. Il y accrocha l'outil. Les voix impatientes de ses compagnons résonnaient au-dessus de sa tête.

— Alors, tu y arrives ?

— Remontez la lampe ! cria-t-il.

La corde qui l'attachait se tendit, le drossant sur la paroi.

— Pas moi, la lampe ! brailla-t-il.

Il la vit s'élever.

— Doucement, la faucille est attachée après !

Du fanal rayonnait un tore de lumière qui montait, montait. La profondeur du puits parut effroyable à l'enterré. Son cœur cognait. De nouveau il se sentit mal, respira à fond, repoussant une nouvelle fois son angoisse. Enfin, il vit des bras se tendre et saisir la faucille.

— Je l'ai ! cria Estublat. Je te renvoie la lanterne.

Jean en avait assez. Il voulait sortir de là.

— Pas besoin, hurla-t-il. Remontez-moi !

Tirée brutalement, la corde l'étouffa un peu plus. La tête de vache s'accrochait, heurtait les pierres, se bloquait. Approchant de la lumière, Jean distingua la couleur de la bête : un rouge brique. « Un Salers, songea-t-il, une saloperie de Salers avec ses cornes en lyre. » La tête se coinça de nouveau.

— Arrêtez, haleta-t-il.

Achevant de se tremper du jus répugnant suintant de la charogne, il la remonta contre lui, parvint à la mettre en diagonale, cria qu'on tire à nouveau. Même en se guidant de sa main libre, il heurtait sans cesse la paroi. Enfin, il entra dans la zone éclairée et atteignit la margelle du puits.

— Débarrassez-moi de ça ! beugla-t-il devant l'air ahuri de ses compagnons.

— Mais c'est immonde, dit Estublat, contemplant la frimousse bovine.

Jean faillit s'étrangler de rage, mais simultanément l'unijambiste saisit la dépouille et la jeta dehors. L'ex-capitaine entendit le choc quand elle heurta le sol. Libéré, il s'accrocha à la margelle tandis qu'Estublat l'aidait. En arrière, Chandelle et Régis tenaient la corde. Il se cogna une ultime fois et fut enfin hors du puits.

Tandis que Régis brandissait le fanal, les deux autres le détachaient. Le contemplant, ils éclatèrent de rire. Jean, d'abord furieux, fut saisi à son tour. Le soulagement n'était pas étranger à cette hilarité.

— Si tu te voyais, dit Estublat entre deux hoquets.

— En plus, je suis roué de coups, dit Jean.

Les rires redoublèrent, puis doucement se calmèrent.

— Je rentre avant d'attraper la mort ! dit enfin le demi-solde. Régis, Chandelle, une corvée pour vous. Il faut purger le puits, tout de suite !

— On s'en charge, dit Chandelle. On va tirer une cinquantaine de seaux. Ça devrait suffire.

— Rentrons cette cochonnerie, dit Jean à Estublat.

— Qu'est-ce que tu veux en faire ? demanda l'autre.

— L'examiner.

Ils saisirent chacun une corne de la dépouille et regagnèrent la maison.

L'ex-capitaine s'était dévêtu et lavé devant le feu avec l'eau du réservoir installé au-dessus de la pierre d'évier. Rhabillé, réchauffé, il examina sa découverte.

— Qu'en pensez-vous ? demanda-t-il aux deux autres.

— Une vieille vache, dit Gaston.

— Fraîche, dit Moïse, toute fraîche. On l'a tuée cette nuit.

— Et pas loin d'ici, compléta Estublat. Ça pèse au moins trente kilos, un truc comme ça. On n'trimbale pas ça sur des lieues.

— À moins d'être un démon, objecta Gorget en se signant.

— Un démon qui se sauve dans les bois ? objecta Jean.

— Faut qu'on se débarrasse de cette charogne.

— Surtout que la vache, avant de la tuer, on l'a sûrement volée. Si on en trouve un morceau ici, à tous les coups on va nous accuser, commenta l'Époumoné.

— Justement, on va la garder pour la montrer et expliquer où on l'a trouvée.

— Tu vas la garder jusqu'à quand ? demanda Estublat.

— Aucune inquiétude, dit Jean. Avant demain soir on aura eu de la visite et on nous accusera d'avoir volé cette vache. On expliquera alors ce qui nous est arrivé.

Leur corvée terminée, les autres rentrèrent.

— J'ai vérifié les portes de la remise et de l'écurie, dit Chandelle. Personne n'a touché aux chaînes ni aux cadenas.

— Et le puits ?

— On l'a refermé et verrouillé, hein, Régis ?

Le paysan trapu opina.

— Faut monter la garde, dit-il d'un air sombre, et ce n'est qu'un début.

On le savait pessimiste, mais sa remarque était de bons sens.

— Bonne idée pour ce soir, dit Jean. Une heure et demie chacun. Ça nous rappellera des souvenirs. Demain, on s'organisera. Quelques chausse-trappes nous éviteront les nuits blanches.

Il ne se passa plus rien cette nuit-là.

12

Colère

Dans toute zone forestière, on coupe les arbres pendant l'arrêt de la végétation. La campagne d'abattage de Jean Charzol avait commencé fin décembre, avec deux mois de retard. Elle se terminerait fin mars, à la remontée de sève. Jusqu'à cette date, il n'y avait pas de temps à perdre. Les habitants de Largnac avaient pourtant décidé de rester à la maison après leur nuit mouvementée. C'était la première précaution à prendre après ce massacre d'une vache dont on n'allait pas manquer de les accuser. Retard dans l'exploitation du bois ne signifiait pas temps perdu. Il y avait de l'ouvrage à Largnac. Sous la direction de Régis, les hommes construisaient un métier de scieur de long. Jean avait souhaité pouvoir obtenir des planches et des poutres jusqu'à cinq toises de long. Il fallait donc un système à double étais, dont un au moins pourrait coulisser, plutôt que la simple chèvre géante des scieurs itinérants, fabriquée en rondins bruts.

Ils avaient bien avancé lorsque apparurent au coin du pré une bonne douzaine de villageois excités. En tête, le Firmin, et derrière lui des hommes armés de fourches, de haches ou de houes. Trois ou quatre femmes fermaient la marche. La Belette n'était pas parmi eux, mais son épouse courait avec les loups.

— Voleurs, sorciers ! braillèrent-ils dès qu'ils les aperçurent.

Jean s'arrêta de travailler. Ses compagnons l'imitèrent. Les cinq de Largnac attendirent, leurs outils à la main. Des outils tranchants, comme ceux d'en face, du genre cognée, plane à équarrir ou scies affûtées.

— Qu'est-ce qu'on t'a volé, Firmin ? demanda l'ex-capitaine.

— Une vache ! Dans mon étable. Fouillez partout, vous autres, je suis sûr qu'elle est là !

— Et comment qu'elle est là ! clama Jean. Venez voir, tous.

Il avança d'un pas, saisit jovialement le bras du paysan au nez tordu et le mena devant un volume biscornu caché par une *boge* en jute qu'il retira brutalement.

— Tu reconnais ta vache ? demanda Jean, la voix dure.

Les arrivants eurent un haut-le-corps devant le massacre qui répandait malgré le temps frais une odeur douceâtre.

— Ben oui, c'est ma Violette, dit le paysan décontenancé.

— Alors je t'accuse d'avoir tenté de nous empoisonner ! brailla Jean le plus fort qu'il put. Tu es venu cette nuit un masque sur la figure pour jeter cette tête dans le puits. Voilà ce que tu as fait. J'ai couru après toi, mais tu as fui dans les bois.

— Mais c'est pas moi !

— Alors qui ?

Les villageois se regardèrent, gênés.

— Posez vos outils et entrez chez moi, ordonna Jean. On sera au chaud pour parler.

Vingt ans d'armée avaient appris le commandement au capitaine Charzol. Tous obéirent. Les hommes de Largnac restèrent debout. Les arrivants, une fois assis, se virent gratifiés d'un verre de vin.

— Cette vache volée et décapitée, c'est une malveillance pour nuire aussi bien à vous qu'à nous, dit le demi-solde. Vous y perdez une vache. Nous, d'une part on se fait accuser de vol de bétail, d'autre part on tente de nous empoisonner ! D'une pierre deux coups. Si on ne fait pas rendre gorge au voleur, il continuera. Hier, il s'est attaqué au Firmin à cause de la veillée chez lui où on s'est invités ! Alors maintenant, vous allez me dire qui cherche à me nuire !

— Ben, on n'sait pas, dit un paysan. La Talaurina, elle t'en voulait, mais, depuis la veillée de la semaine dernière, elle n'dit plus rien.

— C'était un homme, la nuit dernière, qui s'enfuyait, pas une femme. Je vais vous dire, moi. La Talaurina, l'autre soir, elle avait peur de nous. On a tout fait pour ça ! Eh bien, elle a quand même eu le courage de nous menacer. Vous savez pourquoi ?

— Parce qu'elle déteste les sorciers et leurs chevaux du diable ! dit un jeunot.

— Gaston Estublat vous montrera nos chevaux tout à l'heure, rétorqua Jean. Pour l'instant, on parle de la Talaurina ! Elle ne m'avait jamais vu avant mon arrivée ici. Je lui ai rendu une visite de bon voisinage pour la Noël, deux jours après mon arrivée. Courtoise d'abord, elle m'a menacé quand elle a compris que j'étais le nouveau propriétaire de Jagonaz ! Qu'en dites-vous ?

Jean les toisa les uns après les autres. Constatant leur silence, il poursuivit :

— Elle est chargée de terroriser certains paysans propriétaires ! Vous n'avez pas compris que quelqu'un l'y oblige ? Elle en a peur. Il la fait chanter. Qui est-ce ? Le même qui a volé et tué ta vache, Firmin, et qui a jeté sa tête dans notre puits !

— Elle ne reçoit d'ordres de personne ! Elle fait ce qu'elle veut ! Elle a un pouvoir sur les forces du mal, reprit le jeunot.

— Elle a un don de rebouteuse. Et c'est tout. Elle n'avait jamais menacé personne jusqu'à l'année dernière ! Qui est arrivé l'année dernière dans le pays ? Qui voulait acheter Jagonaz, ne l'a pas eu et voudrait m'effrayer pour que je revende à bas prix ? Parce que c'est de ça qu'il s'agit ! Vous savez de qui je parle ! Alors, dites-le !

Les hommes baissaient le nez comme des écoliers fautifs devant le maître.

— Je veux savoir qui ! hurla Jean en se penchant en avant, l'air furieux.

— Les émigrés, dit une jeune fille longiligne et boutonneuse, en se tortillant sur sa chaise.

— Quels émigrés ?

— Ben, on n'sait pas. Ils sont arrivés l'année dernière. C'est eux qui rachètent les terres.

— Quelles terres ?

— Ben, celles des pendus...

— Tais-toi, glapit une matrone.

— Y a pas que la Talaurina qu'il terrorise, ironisa Jean, vous aussi. Libres à vous de vous faire égorger comme des moutons. Nous, on va lutter. Pour nous, pour vous aussi. Avec ou sans vous, je finirai par savoir !

D'autoritaire, son attitude se fit affable. Il poursuivit d'un ton adouci.

— Maintenant, je vais vous faire visiter Largnac. On vous ouvrira toutes les portes. Vous pourrez tout voir. Gaston, tu peux sortir les chevaux, que nos voisins voient les bêtes de l'enfer ?

— Pas la peine, dit le Firmin, on te croit.

— C'est moi qui insiste ! Mais après, je ne veux plus la moindre accusation gratuite, c'est bien compris !

Traînant la patte, ils visitèrent la maison et ses dépendances sans, bien entendu, trouver la carcasse de la bête massacrée. Puis le groupe des visiteurs se retrouva autour de Boulet et de Canon. Deux géants aux formes rondes, au bas des pattes velues, aux énormes sabots.

— C'est quoi, ces marques, dit avec méfiance l'adolescent crédule qui se révéla être le fils du Firmin.

— Des coups de sabre. Ils étaient à Waterloo. Après la bataille, ils ont été mal nourris et leurs blessures n'ont jamais été soignées. Ils étaient squelettiques quand je les ai achetés. Un mois de plus et ils crevaient. Il a fallu débrider leurs plaies et les nettoyer. C'était il y a juste deux mois, à Reims. Ensuite, je suis rentré de là-bas, à pied, avec eux. Ils portaient mon barda. Rien de plus, et surtout pas moi. Ils ont marché et bien mangé. En arrivant ici, ils étaient encore maigres, mais ça n'avait rien à voir. Ils étaient guéris. Ça fait un bon mois maintenant qu'ils mangent comme quatre et travaillent comme six. Ils sont redevenus comme avant.

Ces grosses bêtes placides n'avaient rien de diabolique. Superstitieux, peut-être, mais bons maquignons, les gens de La Souchère ne s'y trompèrent pas.

Les conversations s'étaient dépassionnées. On était entre gens du pays, après tout. Boutefeux quand on touchait à leurs biens, ils étaient redevenus, face à l'évidence de leurs préjugés, des gens civilisés. Ils prirent courtoisement congé.

Au moment où ils s'éloignaient, Jean interpella le Firmin :

— On vient avec toi, Estublat et moi, dit-il. On n'emmène pas une vache sans laisser de traces. Tu as autant intérêt que nous à trouver le voleur. Si tu le veux bien, on va examiner ton étable.

L'homme au visage de travers ne pouvait refuser.

À La Souchère, la Belette venait au-devant de sa femme. Jean évita son regard. Ajouté à la méfiance de son épouse, il craignit qu'un échange de coups d'œil, neutres selon leur accord, ne soit porteur de doutes, que l'un ou l'autre confonde soudain sentiment joué et ressenti réel. Anguier semblait perplexe. Il tenait la main d'Anna. Jean se souvint de son dialogue avec elle, au bord de La Dorette. Son ami d'enfance s'inquiétait pour lui. Il en fut rasséréné.

Comme si elle avait deviné son trouble, la fillette se précipita vers lui. Alors, il s'accroupit pour l'accueillir. Elle passa ses bras autour de son cou, lui fit une grosse bise qu'il lui rendit avant de la renvoyer à sa mère. Elle obéit, un peu étonnée de la brièveté de leur rencontre, mais se calma devant son sourire. Jean espéra que cet échange affectueux entre lui et l'enfant avait été plus discret que s'il l'avait soulevée dans ses bras. Il se releva, soucieux. La veille, il avait pris conscience du manque de scrupules de ses adversaires. La pendaison du Gu n'était sans doute pas un suicide finalement, et si la disparition de la vieille carne ne l'avait guère troublé, il se refusait à mettre en danger les enfants de la Belette. Qui sait si son attachement pour eux n'allait pas inspirer ces assassins...

S'éloignant du petit groupe familial, il suivit le Firmin. Estublat boitillait à son côté.

L'œil méfiant, le paysan les observait tandis qu'ils fouinaient, nez au sol, autour de l'étable. Nulle trace sur la porte sans serrure. À quoi celle-ci aurait-elle servi ? En Velay, on ne volait plus le bétail depuis les guerres de religion. Ils entrèrent dans le bâtiment. L'odeur forte du purin, familière et moite, saisit Jean. Une seconde, il suffoqua.

— Viens voir !

Estublat désignait la superbe empreinte d'une semelle à bout carré dans une bouse à demi sèche. Tout le monde allait en sabot à La Souchère, surtout à l'étable, le Firmin et Jean compris. Seul Gaston l'unijambiste portait des chaussures montantes, à cause de son infirmité justement. Le pied articulé flottait dans les sabots. Estublat leur préférait les brodequins à hautes tiges que lui avait adaptés Béchu le bourrelier. Ils tenaient son mollet, du moins ce qu'il en restait. Ils ne trouvèrent pas d'autre indice à proximité du bâtiment.

— Alors ? demanda le fermier.

— Ton voleur portait des bottes à bouts carrés, dit Estublat.

— Rien par là, dit Jean inspectant la cour.

— Et pour cause. Il a contourné l'étable, affirma Gaston.

Devant l'air étonné de Jean, il poursuivit :

— Regarde. En l'emmenant par le pré, il a pu s'éloigner avec la vache hors de vue des maisons, et particulièrement de celle du Firmin.

Les trois hommes remontèrent le pré. À la limite du chemin vers Chamborne, ils remarquèrent une suite de brisures d'anciennes crêtes de boue gelée. Avec l'hiver, on ne mettait pas les bêtes au pré, et les paysans n'avaient pas la moindre raison de traîner par là. Dès lors, ces traces pouvaient s'interpréter comme celles d'un homme et d'un bovin. À un mètre de là, un pied bifide confirma l'hypothèse : le voleur était passé par là.

De ce coin d'herbe, on dominait les maisons. Un peu plus loin, la route de Chamborne s'incurvait. Derrière la courbe, elle cessait d'être visible du village. Jean prit cette direction.

— Pour aller ainsi truffe au vent, toi, tu penses à un truc ! s'exclama Estublat. Tu cherches quoi ?

— Un char. Ils en avaient sûrement un, répondit Jean. Et avant ça, une flaque de sang. Ils ont dû couper la tête de la malheureuse Violette par ici. Quant à la carcasse, ils l'ont pas emportée à pied !

Les trois hommes avancèrent, scrutant le sol.

— Ici ! s'écria le Firmin, qui s'était pris au jeu.

En bordure du bois, une tache brune jouxtait un tas de branchages. Ils approchèrent. Même atténuée par le gel, une odeur de charogne flottait. Sous les feuillages desséchés, ils trouvèrent des lambeaux de tripaille que n'avaient pu arracher les loups, dont on remarquait les traces. Ils avaient dû faire bombance. Les boyaux d'une vache ? De quoi nourrir toute une meute !

— Les loups ont-ils hurlé cette nuit ? demanda Jean au Firmin.

— J'ai vaguement entendu quelque chose, mais j'ai cru que les chiens s'énervaient.

— En parlant de chiens, ceux du village ont-ils aboyé ? demanda Estublat.

— Pas plus que d'habitude. Ils gueulent toutes les nuits au moins quatre ou cinq fois !

— Les roues du char, maintenant, dit Jean.

Ils les trouvèrent un peu plus loin, suffisamment visibles pour que Gaston s'exclame :

— T'as vu la largeur ! Ça ne te rappelle rien ?

Si. Ça rappelait quelque chose au demi-solde. Ils se regardèrent.

— On ne trouvera plus rien, dit l'ex-capitaine en se tournant vers le paysan. Tu vas aller voir les gendarmes, hein, Firmin. Tu leur montreras ce qu'on a découvert. Tu peux leur dire de passer à Largnac s'ils veulent voir la tête.

Sur le chemin du retour, Estublat s'appuyait lourdement sur l'épaule de Jean. Les événements de la matinée et la descente rapide en compagnie des émeutiers l'avaient éprouvé.

— Tu as mal ? demanda l'ex-capitaine.

— Oui, mais j'ai souvent mal. Ça s'apprivoise, les douleurs, tu sais. Les plus familières, je ne les écoute pas et je les oublie presque. D'autres m'inquiètent, et celles-là sont pénibles.

— Comme maintenant...

— Oui, comme maintenant. Lorsque le moignon s'irrite et s'échauffe, j'ai peur des blessures. Ça s'est déjà produit. Elles mettent un temps fou à cicatriser, et pendant ce temps-là, je me traîne misérablement.

— Si tu t'installais là, dans ce petit rayon de soleil ? Dix minutes pour remonter à Largnac, dix autres pour ramener Boulet, et tu remontes sur son dos.

— Non. Si j'avance comme ça, appuyé sur toi, ça va. Mais c'est pour toi...

— T'occupe...

— D'accord, Jeannot. Revenons à nos histoires. Tu as parlé des gendarmes au sujet de cette tête de vache. Tu ne préfères pas les éviter ? Ils cherchent des noises aux prétendus bonapartistes. Alors nous, un groupe de vétérans installés ensemble...

— Justement. Nous n'avons rien à nous reprocher, et ça, il faut le clamer haut et fort. De toute façon, les villageois parleront. Et si les pandores font correctement leur boulot, ils monteront à Largnac. Mais il ne sortira rien de leur enquête.

— Ouais ? Pourquoi ?

Jean réfléchissait.

— Toute cette peur dans le pays... La maréchaussée aurait dû y mettre bon ordre depuis longtemps !

Gaston haussa les épaules.

— Pourquoi ne l'ont-ils pas fait ?

— Des ordres supérieurs. Ou simplement la peur des chefs. C'est un gros risque de mettre en cause des gens réputés proches du pouvoir, dit-il.

— Des émigrés...

— C'est bien ce qu'a dit la grande sauterelle, hein ? Tu vois qui ça pourrait être ?

— Pas vraiment, mais je sais qui pourrait nous informer.

Jean leva un sourcil interrogatif.

— La mère Puchat. Elle sait toujours tout, cette femme.

Estublat se tut. Ils progressaient lentement, pesamment.

— C'est quelqu'un d'étonnant, tu sais, reprit Gaston. Elle seule nous a empêchés de nous décourager. Surtout Régis.

— Régis ? Mais il n'a rien !

— Rien de visible, mais c'est un estropiat comme nous. Peut-être le plus atteint.

Face à l'incompréhension de son compagnon, Gaston poursuivit :

— Il n'a plus rien entre les jambes. Il voulait se détruire, et c'est un têtu, le Régis. J'n'sais pas comment elle l'a fait changer d'avis.

Estublat avait passé son bras par-dessus l'épaule du capitaine qui lui tenait la taille, supportant une bonne partie de son poids. Il n'était pas léger, le Gastounet. Depuis un mois qu'ils travaillaient de l'aube au couchant, lui aussi s'était refait des muscles. Jean transpirait, mais pour rien au monde il n'eût voulu être ailleurs. Ces hommes, il les avait pris avec lui en désespoir de cause. Des épaves !... Qui s'étaient révélées de sacrées recrues ! La mère Puchat l'avait bien laissé entendre. Elle ne s'était pas trompée. Il avait raison, Estublat, cette bonne femme savait juger les hommes ! Ses estropiats jouaient maintenant à fond l'aventure de Largnac. Dans l'inquiétude qui le taraudait depuis la veille, ils se révélaient d'irremplaçables soutiens. Sans eux, il eût été désarmé face à cette bande organisée, car il avait fallu plusieurs hommes pour voler une vache, la tuer et la dépouiller sur place... Il se reprit. S'attendrir était inutile. Rien n'agacerait plus ses compagnons qu'un accès de sensiblerie. Des épreuves, ils en avaient eu leur lot, et de bien plus terribles que celle-ci. Force et calme. Voilà ce qu'il devait montrer, même si des bouffées d'angoisse le saisissaient parfois. Gaston le regardait. Il lisait sur son visage. Il était temps de le rassurer.

— Je songeais à ces traces, dit-il. Leur largeur t'a frappé comme moi ? Tu pensais au notaire, hein ? À son accident ?

— Qui peut-être n'en était pas un...

— Je commence à le croire. Il faudrait en être certains.

Ils se turent, perdus dans leurs pensées.

— On va se rendre sur place, conclut Jean. Sur les lieux mêmes de ce prétendu accident, je veux dire. En route, on achètera des pièges à loup pour en mettre tout autour des bâtiments, histoire de calmer les visiteurs nocturnes.

— Des cordes aussi, fines mais solides, compléta Estublat.

— Des cordes ?

— Ouais. Un souvenir d'Espagne. Les partisans installaient des collets à contrepoids. Mais, au lieu de lapins, c'est des soldats de l'Empire qu'ils attrapaient. Tu marchais dessus et ça te soulevait à deux toises du sol, pendu par une patte, la tête en bas.

— Il faudrait mettre ça à la porte de la grange.

— Ou de l'écurie...

— Non, de la grange. Réfléchis. Toi, par exemple, comment tu ferais pour nous nuire ? demanda Jean.

— Avec un canon, plaisanta Gaston, ce serait vite réglé.

— Trois ou quatre voleurs de vache n'ont sûrement pas ce genre d'engin. Quoi d'autre ?

— Une bombe. Cinquante livres de poudre placées à l'angle du bâtiment. Une mèche, et paf ! la maison s'effondre.

L'un comme l'autre aurait su où se procurer l'explosif. Trop de guerre, trop longtemps, offre aux vétérans ce genre d'accointance. Jean hocha la tête et commenta :

— Un attentat à la bombe ? Difficile de faire passer ça pour un accident. Même les gendarmes de La Chaise-Dieu comprendraient et seraient contraints d'enquêter. Non, l'idée la plus simple, c'est de mettre le feu.

— Une maison en pierre et au toit de tuiles romaines comme Largnac ne s'incendie pas facilement. Tu as raison, le point faible, c'est la grange ! Du foin qui brûle, ça fait des flammes suffisantes pour incendier la charpente. Une fois le toit effondré, le bâtiment est foutu.

— Mettre le feu à la grange, c'est pas si facile en fait. La porte du fenil est au premier étage, au-dessus des stalles pour chevaux. Quoique... en grimpant sur quelque chose, un tombereau par exemple.

— Organisons un traquenard, conclut Estublat. Bonne idée, le tombereau. Dressé à côté de la porte de l'écurie, il serait une belle incitation à grimper. Notre collet serait installé au bas du timon dressé contre le mur. La porte de la grange laissée entrebâillée accroîtrait la tentation. Derrière, bien sûr, on coucherait la vieille cuve en métal pour qu'une torche ou une lanterne jetée tombe dedans. Sur le fer, un brandon ne peut faire aucun mal.

13

Enquête

Au sortir des bois, le vent balayant le col les gifla. Courbés en avant, ils reprirent leur marche. Distraitement, Jean remarqua que le métier de scieur prenait forme.

Régis et Chandelle s'étaient arrêtés de travailler pour les observer. Soudain, le trapu dégringola de son perchoir et courut vers eux, aussitôt suivi du borgne.

« Il s'est passé quelque chose », s'inquiéta Jean.

Il inversait les situations. Il le comprit dès la question de Régis.

— Il est blessé ? demanda-t-il.

— Non, non, dit le demi-solde, il a un peu trop forcé. Je l'aide à marcher pour qu'il ne se blesse pas avec sa jambe de bois.

— Je vois, dit Chandelle. Il faudra améliorer ce truc, hein, Gaston ?

Estublat sourit, tandis que Régis grommelait qu'on l'avait dérangé pour rien. Jean rit.

— C'est comme ça que tu travailles ? dit-il en le regardant, l'air faussement sévère. Un rien te distrait !

L'interpellé lui jeta un regard noir puis, quand même, esquissa un sourire avant de se remettre à grogner.

À Largnac, Moïse examinait le moignon irrité. La peau, rougie, n'avait pas cédé. Avec la même attention, Chandelle manipulait la jambe de bois.

— Regarde, Gaston, dit-il. Ici, je vais rembourrer de laine, puis recouvrir d'un cuir souple. Du coup, tu t'appuieras sur toute la surface, et pas seulement sur les côtés. Ça t'irritera moins.

Jean, en retrait, les observait. Gaston discutait avec Moïse et Chandelle. Il comprit soudain que le premier soignait l'unijambiste depuis longtemps, tandis que la prothèse créée par le borgne avait tissé entre les trois hommes un lien fort... Entre les quatre, en fait : Régis n'en perdait pas une miette et fronçait ses épais sourcils lorsque Estublat semblait souffrir.

Le demi-solde pensait avoir créé une escouade autour de lui. Il se trompait. C'est lui qui avait intégré cette escouade. Il se sentit de trop et eut envie de boire un coup, comme lorsque, militaire, il était découragé. Il alla remplir une chopine au tonnelet, chercha un verre, hésita, et en ramena cinq.

Ils burent le vin en apéritif. La visite des villageois furieux, puis l'enquête à La Souchère avaient dévoré la matinée. Ils se mirent à table plus tôt que d'habitude.

Goûtant le ragoût, Régis le goinfre grimaça. La tambouille de Gorget, cuisinier médiocre il est vrai, avait ce jour-là un arrière-goût de brûlé. Le constatant, Jean se dit qu'il lui faudrait améliorer l'ordinaire. Les autres y prirent moins garde. Ils écoutaient le compte rendu de Gaston.

L'estomac lesté, les cinq compagnons fumaient avant de reprendre leur tâche lorsqu'on frappa à la porte.

Jean alla ouvrir.

— Entrez, messieurs, dit-il aux deux pandores qui venaient d'attacher leurs chevaux aux anneaux scellés dans la façade. Asseyez-vous.

Ils restèrent debout, guindés. L'adjudant, un homme grisonnant, se tenait devant son collègue, un tout jeune brigadier.

— Qu'est-ce que c'est que cette histoire de tête de vache ? demanda-t-il avec brusquerie.

— Que vous a dit le Firmin ? demanda Estublat.

L'autre le foudroya du regard.

— Je m'adresse à M. Charzol. Pas à vous.

— Ce qui ne vous interdit nullement la courtoisie, monsieur l'adjudant, dit tranquillement Moïse. Vous n'agissez pas sur commission rogatoire, ce me semble. Vous enquêtez simplement sur le vol et le massacre d'une vache. Alors asseyez-vous comme vous y invite le capitaine Charzol, notre ami et associé.

Le ton de Gorget était courtois, vaguement goguenard. Celui d'un homme qui se sait dans son bon droit et ne s'en laisse pas conter.

— Adjudant, dit Jean d'un ton calme, un voyou a jeté dans notre puits une tête de vache. Nous l'avons aperçu, mais à notre approche il s'est enfui dans les bois. Une charogne dans un puits, cela revient à une tentative d'empoisonnement, un geste criminel. Par ailleurs, vous n'ignorez pas que, depuis mon arrivée, mes associés et moi sommes en butte à un dénigrement systématique destiné à ruiner notre réputation. Et comme cela ne suffit pas à nos détracteurs, nous avons désormais droit à des actes de malveillance.

— Juridiquement, on les qualifierait de voies de fait, compléta Moïse.

— Imaginer que nous ayons massacré cette malheureuse vache n'a aucun sens, vous en conviendrez, poursuivit le demi-solde. Nos amis de La Souchère, venus nous voir ce matin, l'ont bien compris. Ils ont dû vous le dire. Tenez, la voilà, cette tête !

Chandelle et Régis la ramenaient, tenant chacun une corne.

— On vous la laisse à titre de pièce à conviction ? demanda l'ancien étudiant en droit. Ou bien devons-nous l'enterrer ?

Le jeune gendarme voulut faire du zèle.

— Il cherche à nous embrouiller, chef. Ce sont des bonapartistes !

L'adjudant lui lança un regard furieux.

— Chapuis ! s'exclama soudain Estublat, dévisageant ce dernier. Nous nous sommes croisés à Terragone. Suchet venait de reprendre la ville. Il y aura cinq ans en juin, le vingt-huit pour être précis. Je te remets maintenant. Nous avions le même uniforme, le même grade dans la même armée ! Étions-nous des « bonapartistes », ou simplement des soldats de l'Empire ?

Le pandore piqua un fard. Le jeunot se hérissa.

— Un gendarme, c'est pas pareil. Il obéit à ses chefs ! Il obéit au pouvoir légal !

— Regardez-moi, l'interpella brusquement Chandelle. Vous croyez que je suis reconnaissant de ma gueule à Napoléon ? Ce dictateur nous a plus maltraités, mes compagnons et moi, que tous ces émigrés qui se haussent du col depuis le retour du roi.

Dévisagé par l'œil unique du borgne, hypnotisé par l'horrible cicatrice, le jeune homme avait pâli.

— Nous n'avons rien à faire ici, conclut abruptement l'adjudant.

Se tournant vers Jean, il reprit après une hésitation :

— Vous voulez porter plainte, monsieur Charzol ?

— À quoi cela mènera-t-il ? répondit-il en soupirant. J'aimerais mieux que vous remontiez à ceux qui cherchent à terroriser le pays, et pas seulement nous. Et qu'on les mette hors d'état de nuire. Quant à la tête de Violette dans notre puits...

— Violette ! s'épouvanta le jeunot.

— C'était le nom de la vache... Nous en avons vu d'autres et saurons nous défendre.

— Par les voies du droit, bien entendu, compléta Gorget. Contrairement à d'autres, les voies de fait ne sont pas dans nos manières.

Le gendarme ne répondit pas. Il salua militairement, imité après un temps de retard par son adjoint, puis tourna les talons.

Les cinq hommes attendirent que décroissent les pas de leurs chevaux.

— Alors, on va examiner les lieux de l'accident ? demanda Estublat à Jean, comme si l'intermède gendarmesque ne s'était pas produit.

— Quel accident ? demanda Moïse, toujours curieux.

— Celui du notaire.

— Qu'est-ce que c'est que cette histoire ? grogna Régis.

— Près de la tripaille de la vache, il y avait une trace de char large comme la main. Il y avait la même dans la neige, pas loin du cabriolet renversé de Montchovet, expliqua Gaston. On pense que ça vaut le coup d'aller voir.

— Alors, le notaire, ce n's'rait pas un accident ? intervint Chandelle. Les agresseurs seraient les mêmes que ceux de cette nuit ?

Jean réfléchit avant de répondre :

— Je le pense. Les contrats de vente de Largnac et de Jagonaz étaient prêts chez le vieux notaire avant même mon arrivée. Il y avait donc un autre acquéreur pour la propriété. Son prix était certainement encore plus bas que le mien. Qui chercherait à nous isoler, à nous effrayer, sinon l'acheteur déçu ? Il avait dû terroriser la dame Anglade qui m'a vendu cette terre. Pour cela, il utilisait sans doute les talents de la Talaurina. Il la tient, celle-là, et la tient bien ! L'autre soir, elle craignait cet inconnu presque autant que nous. On a pris barre sur elle, et il ne peut plus compter dessus. Dorénavant, il est contraint de passer à la voie de fait, comme dit Moïse. Il devient méchant. Pour nous défendre, il faut en savoir plus sur lui. Donc enquêter.

L'ex-étudiant hocha la tête.

— Un mois après, vous ne trouverez plus grand-chose, dit-il.

— Sans doute, dit Jean, mais il ne faut rien négliger. Cette charogne jetée dans notre puits avait pour but de nous livrer aux villageois furieux. Nous ne pouvons plus attendre.

— Rendons-leur la monnaie de leur pièce, dit Régis. Une bonne petite expédition...

— Contre qui ? objecta Gorget.

— Qui veut nous détruire sinon ceux qui en voulaient au notaire ? dit Estublat. On a voulu croire qu'il n'était question que de ragots. On se racontait des histoires. La meilleure défense, c'est...

— L'attaque, ouais, le coupa Moïse. D'accord, les gars ?

Il questionnait Régis et Chandelle.

— Faut pas nous emmerder, grogna le premier.

— On revient de loin, compléta le second. Ça commençait à aller mieux, et voilà que cette sorcière de Talaurina vient nous insulter. Passe encore là-dessus, mais que ses complices tentent de nous empoisonner, puis de nous faire massacrer, là ça va plus. On trouve quelques fusils, quatre ou cinq grenades, et on les détruit comme des nuisibles !

— Il faut d'abord les identifier avec certitude, et c'est ce qu'on va faire, commenta Jean. Ensuite, on verra. On ne quittera pas la légalité, mais elle n'empêche pas la légitime défense.

Ils approuvèrent. Gaston se leva.

— Je vais atteler, décida-t-il.

Il partit en boitant sur son pilon. Il l'avait repris le temps que Chandelle lui améliore sa prothèse. Ils avaient dîné tôt. Malgré la courte visite des gendarmes, l'après-midi commençait à peine.

Il faisait grand beau, frais, mais sec. Par vent calme, en février, le soleil est agréable. Estublat avait tenu à prendre Canon, le bai à crinière blonde, « pour l'habituer à tirer seul ». Ils allaient à un trot régulier. L'ancien duelliste tenait les rênes. Son compagnon se laissait mener. Ils allaient vers Allègre, passèrent bientôt Clersanges.

— Ralentis, dit Jean. On y est presque.

Ils arrivèrent au pas, inspectant les abords de la route. Ce qu'ils cherchaient ? Ils n'en savaient rien. L'ex-capitaine descendit pour mieux inspecter le sol.

Le char le suivait. De sa position dominante, Gaston lui aussi l'observait, espérant que son point de vue élevé pourrait aussi être révélateur. Ils dépassèrent l'embranchement menant à la ferme où l'on avait porté Montchovet, moribond. Rien ne les avait frappés. Ils étaient déçus.

— Dans l'autre sens ! s'exclama le cocher.

— Qu'est-ce que tu veux dire ?

— Montchovet, il venait du Puy. Si on veut se mettre à sa place, il faut faire demi-tour et revenir.

— Et à toute vitesse ! Je suis sûr que le vieux fonçait. Sa petite jument était rapide et son cabriolet, léger.

Canon galopait avec une tranquille puissance, moins vite sans doute que le demi-sang du notaire. Pourtant, le char à bancs chassa dans la courbe qui s'accentuait. Adroitement, Estublat le garda en ligne.

— Hooooo ! ordonna-t-il en tirant ses brides.

— L'accident a eu lieu là, reprit-il. À l'endroit où le virage se resserre. Je n'ai rien vu de suspect. Et toi ?

— Attends, dit Jean. On recommence, mais doucement.

Ils revinrent sur leurs pas, reprirent l'itinéraire critique, lentement cette fois.

Outre la ferme en retrait, une masure bordait la route juste avant le virage. Ils en virent sortir une vieille tout en noir, manifestement intriguée par leur manège.

— Un dernier coup d'œil et on va satisfaire sa curiosité, dit Jean.

Ils reprirent leur progression.

— Stop ! dit Jean.

Il descendit et approcha d'un piquet de clôture planté au-delà du fossé. Il le secoua. Il était passablement déchaussé. Alors il s'agenouilla, baissa la tête et observa la route au ras du sol, se releva. Un pieu analogue se dressait dix toises plus loin. Jean se dirigea vers lui, chercha à l'ébranler. En vain. Il revint vers le premier, traversa la route. Une petite butte la flanquait. En symétrie du piquet, il tâtonna du pied sur le sol, heurta un obstacle caché par l'herbe jaunie, se baissa et trouva une tête de ferraille, l'empoigna, la tira et se retrouva assis par terre, une longue broche à la main.

— Alors ? demanda Gaston.

— Tu te souviens, cette trace dans la neige en forme d'éventail ?

— Ouais.

— Elle correspond à cette barre de fer que je viens d'arracher. Et en face, il y a ce piquet à demi déchaussé.

— Un câble ! comprit Estublat. Tu as raison, un câble tendu. Le cheval au galop s'y prend les pattes, la corde s'écarte et marque la neige de ce balayage qu'on avait remarqué.

Ils regardèrent autour d'eux. À une dizaine de mètres, un bosquet. Même dénudé par l'hiver, il avait pu dissimuler un homme ou deux. À l'arrivée du cabriolet, il leur suffisait de tendre une corde dissimulée sous quelques poignées de neige. Compte tenu du virage et de la déclivité de la route, le croc-en-jambe à la jument aurait suffi pour expédier le notaire dans le décor.

— On a trouvé, dit Estublat. C'était bien un attentat !

— Ou autre chose. Peut-être qu'on se raconte des histoires. Il faudrait être sûrs, avoir un témoignage.

La vieille les regardait toujours. Jean se dirigea vers elle. Gaston suivit avec le char.

— *Adiucha*, dit Jean.

La femme le salua en réponse.

— C'est là que s'est tué le notaire de La Chaise-Dieu ? poursuivit-il.

— Hé ! oui, *beauseigne*.

— Juste après les fêtes, il ne devait pas circuler grand-monde sur la route. Surtout à potron-minet. Sûr que vous dormiez ! Le raffut a dû vous réveiller...

Il provoquait.

— Oh ! j'dormais point ! se récria-t-elle. Du raffut, y en a eu, ça oui. Quand j'ai mis le nez dehors, la jument hennissait les pattes en l'air. Et le notaire était là, les bras en croix, le museau dans la neige.

Elle désignait le talus.

Le récit de la vieille les laissa songeurs.

— Un grand merci, la mère, conclut Jean après un petit temps. Et que Dieu vous garde.

— *Adiu.* Vous êtes comme tous les autres. Z'avez rien cru de ce que j'ai dit. Personne ne croit jamais la vieille Armande Fayard. Y disent que j'n'suis qu'une vieille folle.

Elle se tourna et rentra en bougonnant dans sa masure. Les deux hommes remontèrent sur le char.

— Huuue, dit Gaston.

Le bai démarra. Cent mètres plus loin, l'estropiat le fit tourner sur place pour revenir vers La Chaise-Dieu.

— Et maintenant, qu'est-ce qu'on fait ? demanda-t-il.

— On attend les événements et on tâche d'en savoir plus, répondit Jean, l'air sombre.

Seul Canon, au grand trot, semblait heureux de son sort.

Ils avaient parcouru en silence une demi-lieue environ, quand Estublat dit :

— Barlière est à quinze cents mètres sur la gauche.

— Barlière ?

— Le domaine du Luc Vivandier, tu sais, celui qui a brûlé vif avec sa famille. Ça vaut le coup d'aller jeter un œil. Peut-être qu'on découvrira quelque chose.

— On y va, répondit Jean.

— Enfin, si on peut passer. Jusqu'à Mouret, pas de problème, mais après, sur le petit chemin défoncé, avec la boue... Je ne peux pas marcher comme il faut avec mon pilon.

— On verra bien.

Ils débouchèrent devant la ferme. Squelettes d'une maison morte, les murs de granit se dressaient hiératiques. Les fenêtres aux vitres éclatées évoquaient des orbites vides. Jean sauta du char à bancs. Des bûches à demi consumées et les vestiges d'un tombereau brûlé traînaient devant l'entrée. Le cerclage d'une roue disparue en cendre tenait debout contre l'huisserie de pierre. Du vantail ne subsistaient que les gonds de fer.

— Viens voir, dit-il.

Gaston descendit à son tour et claudiqua vers le demi-solde. Il prit appui sur un des brancards du tombereau pas tout à fait brûlés, retira sa main aussitôt, la porta à son nez.

— Ça colle, dit-il, et ça sent la poix.

— C'est comme ça qu'on a mis le feu, dit Jean. Un tombereau de bois bloquant la porte, du goudron vidé sur les bûches… Le résultat est garanti.

— Tu crois qu'ils ont enfermé le Luc Vivandier, sa femme et ses gosses pour les griller tout vifs ?

— En tout cas, ils ne pouvaient pas sortir par là.

L'ex-capitaine contourna la ruine. Traditionnellement, dans les hautes fermes du Velay, la salle à vivre donnait sur l'étable. Il s'en approcha. Contre le mur mitoyen, gisaient des sacs de grain éventrés par l'incendie. Les restes de l'un d'eux gisaient sur le seuil. Gaston avait suivi Jean.

— Les sacs empilés contre le mur étaient trop proches de la porte, dit-il.

— Ouais. L'un d'eux a dû basculer et l'a bloqué.

— Quand le feu a pris, le Luc, qu'était un costaud – tu te souviens qu'on l'appelait le « Grand Luc » –, il a dû se jeter sur la porte. Sous le choc, les sacs en équilibre instable ont dû basculer, bloquant toute sortie.

— Et les fenêtres ? dit Estublat.

— T'as pas vu ? Elles sont barreaudées.

Atterrés, ils revinrent vers leur char.

Le soleil baissait sur l'horizon. Il leur restait une bonne heure de route avant d'entrer à Largnac, davantage s'ils s'arrêtaient pour l'achat de divers pièges à rôdeurs. Canon au grand trot, ils allaient silencieux, ruminant leurs macabres découvertes.

— Il est parfait, ce cheval, même attelé seul, dit enfin l'ex-capitaine pour se changer les idées.

— T'as eu l'œil, avec eux, Jeannot. La première fois que je les ai vus, ils m'ont bien plu, mais efflanqués comme ils étaient, j'aurais jamais cru qu'ils reprendraient comme ça.

Ils roulèrent un petit moment, puis Gaston poursuivit tout haut sa pensée :

— Pour débarder les grandes *butes*, je les attelle en tandem. Depuis qu'ils ont repris leur poids, ils ont doublé leur force, et largement. Ça m'a donné une idée.

— Ouais ?

— Le porte-grumes. Il faut le modifier pour qu'on puisse y atteler nos deux bêtes soit en tandem, soit de front.

Ce « nos » choqua l'ex-capitaine. Ces chevaux lui appartenaient. Largnac et le bois Jagonaz aussi ! Il avait épargné durant vingt-deux ans avant de s'établir. Il était pro-pri-é-taire ! Il se reprit. Ces biens, la chance en avait payé les trois quarts. L'énorme travail abattu depuis six semaines, il le devait au courage des estropiats. Et il avait passé un contrat avec eux. Ils tenaient largement leurs engagements. Les quatre hommes étaient ses associés, pas des journaliers ! Ce possessif de Gaston était un signe d'appartenance. Il était vertueux ! Vaincu, le démon de l'avarice paysanne, avec sa blouse délavée, son foulard rouge et son grand chapeau, se retira les doigts crispés sur sa bourse.

— En tandem ou de front ? répéta-t-il mécaniquement.

— Les deux, mon capitaine. En tandem, ça passe mieux sur les sentes étroites, mais de front, je suis sûr qu'ils se sentent mieux !

Jean lui jeta un regard ironique.

— Ne te moque pas des chevaux, clama Gaston. Ils sont terriblement sensibles. Si tu oublies ça, tu en fais des esclaves sans intérêt. Si tu veux en tirer le meilleur, tu dois les comprendre et les aimer !

Jean opina gravement. Estublat avait raison et le contredire eût été imbécile. Plus grave, ça l'aurait blessé.

À La Chaise-Dieu, ils firent leurs emplettes. Ils les chargeaient à l'arrière du char à bancs quand leur parvinrent les échos d'une algarade. Curiosité ? Sentiment partagé de malaise ? Ils se regardèrent puis laissèrent là leur attelage pour se diriger vers la dispute. Sur la place de l'abbaye, à quelques pas, deux bourgeois et trois béates invectivaient une vieille femme courbée sous le poids de deux cabas.

— Elle n'va pas à la messe, glapissait la première.

— Elle fait gras le vendredi, complétait la deuxième.

— Elle jette les hommes faibles dans l'ivrognerie, aboya la troisième.

— Ma fille, pérorait un bourgeois condescendant, beaucoup plus jeune que la vieille, vous allez taire vos ragots ou il vous en cuira. On ne veut plus vous entendre dire que ces bonapartistes de Largnac sont de braves gens, alors que ce ne sont que des voleurs et des sodomites !

— De qui parlez-vous donc, mon bon ? demanda d'une voix froide Jean, qui arrivait dans son dos.

L'autre se retourna comme si une vipère l'avait mordu. L'arrivant reconnut simultanément l'insultée et l'insulteur : la mère Puchat et Alfred du Buisson, le clerc chafouin de feu Montchovet.

— Je ne vous permets pas de me parler sur ce ton condescendant, s'insurgea-t-il. Vous ne savez pas à qui vous parlez !

Les béates de noir vêtues se signèrent. Puis, telles les corneilles de la tour Clémentine, s'égaillèrent en piaillant. Estublat, un pas derrière elles, regretta amèrement que son infirmité l'empêchât de leur botter les fesses. Sur sa gauche, l'autre bourgeois, le marchand de couleurs de la place, reculait à petits pas. Il se tourna brusquement et traversa en hâte le cercle des badauds où dominaient les paysans. « C'est pas tout ça, grommela-t-il, mais j'ai à faire. »

Corde prête à se rompre, la colère de l'ex-capitaine approchait le seuil de rupture. Il serra les poings dans les poches de sa grande blouse indigo pour éviter d'étrangler le petit clerc.

— Vous êtes encore là ? dit-il d'une voix vibrante qui se voulait caustique. Je croyais l'étude fermée jusqu'à l'arrivée du nouvel acquéreur.

La pâleur de son interlocuteur aurait dû inquiéter le petit coq qui, au contraire, se rengorgea.

— Et si je l'achetais, vous seriez bien étonné ?

— Avec quel argent ? demanda Jean d'une voix sourde.

— Celui qu'on va récupérer sur vous, accapareur des biens de la noblesse !

— Nous reparlerons de ça quand vous voudrez, répondit sourdement Charzol, et aussi de la mort « accidentelle » de votre maître. En attendant, présentez vos excuses à Mme Puchat.

L'autre croisa les bras, cambré, l'œil fulgurant de défi.

Estublat serrait dans ses mains le bâton qui l'aidait parfois à marcher. Il n'eut pas à s'en servir. Jean, toujours en proie à sa colère glacée, tendit la main, l'index dressé, comme pour évoquer une imparable sentence. Le coquelet regardait le doigt, prêt à le mordre, quand, d'un geste vif de l'autre main, le demi-solde lui saisit l'oreille et la tordit avec méchanceté. Buisson se plia en deux, couinant comme un surmulot.

— *Je vous prie d'accepter mes excuses, madame Puchat,* dit Jean. Allons ! On répète, Alfred, vilain garnement !

Le justicier accentua sa torsion. Grimaçant de douleur, le petit clerc finit par obéir. Le demi-solde le repoussa et le lâcha. L'autre recula de trois pas indécis, avant de retrouver son équilibre.

— Je vais de ce pas porter plainte chez les gendarmes, glapit-il.

— C'est ça, intervint Estublat. Tu leur expliqueras que tu as insulté une dame et que le capitaine Charzol t'a tiré les oreilles et forcé à t'excuser.

Un éclat de rire général salua cette saillie. Jean réalisa qu'un attroupement de curieux avait assisté à l'algarade. Sa colère céda à ce rire collectif. Il regarda la mère Puchat qui pouffait, la déchargea de son cabas puis, avec un grand sourire, lui donna le bras. Gaston, de l'autre côté de la femme, agit de même.

— Mes amis vous feront la peau ! cria le petit clerc qui s'éloignait.

Jean tressaillit, puis reprit sa marche.

— Tu es fou, Jeannot, dit la vieille femme. Ceux-là sont des bandits. Ils vont se venger.

— Justement, il faut en finir avec cette terreur et faire la lumière sur tout ça. S'il faut se battre, on se battra !

— Nous sommes cinq maintenant, dit Gaston. Et nous avons quelque chose à défendre.

— Six, dit la bistrote.

— Six, répéta Jean Charzol.

Ils descendirent la rue en plaisantant, le pilon d'Estublat sonnant sur le pavé.

14

Pièges

Ils rentraient dans le crépuscule hivernal, assis côte à côte, silencieux.

— Un ennemi de plus, dit Estublat après un long moment. On n'avait pas besoin de ça. Pourtant, si c'était à refaire, je tordrais le cou à ce gratte-papier. S'attaquer à la mère Puchat est une ignominie.

— C'était déjà notre ennemi. Fait-il ou non partie de la bande, voilà la vraie question.

— En tout cas, il la connaît.

— Souviens-toi, quand on l'a emmené sur les lieux de l'accident, de l'attentat plutôt, il était excessivement pressé.

— C'est vrai. Je l'ai vu se précipiter vers le cabriolet renversé pour y prendre les bagages du notaire. Il les a ouverts sur place. Je le revois feuilletant une liasse de papiers, de plus en plus nerveusement. À la fin, il l'a refourée dans le sac, d'un geste furieux.

— Je me souviens qu'il a fouillé de la même façon la sacoche du notaire, répondit Jean. Il n'avait donc pas trouvé ce qu'il cherchait. Peut-être bien des actes de ventes litigieux ou quelque chose comme ça.

— Ça expliquerait sa hâte de revenir à La Chaise-Dieu. Rappelle-toi, il s'est précipité à l'étude sans même nous remercier de l'avoir ramené.

— Un *mastafier,* sous ses grands airs.

Bercés par le grondement régulier du cheval au trot, ils se turent, chacun suivant ses pensées.

— Arrête ! dit Jean, alors qu'ils entraient dans les bois.

— Un loup, en plein jour ? s'étonna Estublat.

— C'est le chien d'Alice, la fille de la Talaurina.

Gaston sourit en coin.

— Ah ! oui, dit-il, ton amoureuse...

Jean en resta bouche bée, puis il sourit.

— C'est vrai, dit-il en confidence. Mais n'en parle pas aux autres.

Gaston rigola.

— Tu as raison, inutile de le leur dire. Ils savent déjà que, foin de cuber les arbres, tes promenades du soir te mènent vers un frais minois. Ça fait rigoler tout le monde, sauf Régis, quand tes escapades retardent la soupe du soir. Allez, descends ! Ne la fais pas attendre.

— Mais, mais, mais... balbutia le quadragénaire qui avait rougi comme un gamin.

Il se tut. Sourire en coin, l'unijambiste tira les rênes du cheval, qui s'arrêta.

« Yaaa ! », cria-t-il sitôt l'ex-capitaine descendu. Tendant brusquement ses traits, Canon arracha sa charge et prit le galop. Jean les regarda disparaître au tournant du chemin. Cinquante pas plus loin, le « chien » gris courait en arabesques au débouché de la sente dont la jeune fille allait surgir. Il s'y dirigea le cœur battant.

Elle ne sembla pas surprise.

— Il m'avait prévenu, dit-elle. Je savais que c'était toi.

Le chien gris s'approchait. Jean tendit la main vers lui. Babines retroussées, il fit un écart.

— Un loup ! s'exclama-t-il.

C'était dire à Alice qu'un animal maudit l'accompagnait. Il n'avait pas voulu la mettre mal à l'aise et se maudit de voir la colère luire dans ses yeux.

— C'est une bête libre, dit-elle. Elle m'est fidèle et me protège. Nous nous comprenons.

— Mais comment...

Elle devina ce qu'il n'exprimait pas.

— J'suis pas une meneuse de loups. Sa mère a été tuée lors d'une battue. Passant par là, j'ai entendu des petits jappements. Il était blotti au creux d'une souche, sous des feuilles mortes. Une petite boule de poils, un louveteau perdu. Je l'ai nourri au lait de chèvre, il a grandi.

— Il court avec les autres, ne put s'empêcher de rajouter Jean. J'ai vu ses traces, un matin. Elles rejoignaient celles de la meute. C'est un prédateur !

— Qui ? Lui ou toi ? répliqua-t-elle vivement. Tu as décapité leur chef d'un coup de sabre.

— Comment sais-tu que c'était moi ? Comment sais-tu que je maniais un sabre ?

— Les paysans ont des fusils et s'en servent. Et puis, il a été tué la nuit de ton arrivée. Les loups connaissent les coutelas, pas les sabres. Il ne s'est pas méfié. Tu l'as décapité net.

Elle marqua une pause et le contempla avec gravité.

— Tu n'es pas le Firmin qui prend plaisir aux cris des cochons qu'il saigne. Je ne te vois pas lui cisailler le cou avec un couteau comme un bohémien voleur de moutons. Tu l'as tué d'un geste de rage. Je sais tes colères, Jean Charzol. Oui, je sais ça.

Elle était en deçà de la vérité. Sa rage avait conduit Jean à achever cette bête qui ne pouvait plus nuire. Terrifié à l'idée de perdre la jeune fille, il tenta de se justifier :

— Il attaquait mes chevaux, dit-il.

Son propos risquait d'empirer les choses. Il le savait, mais ne pouvait se taire. Il était ainsi fait, « têtu comme un âne rouge », disait sa grand-mère. Ce qu'était un âne rouge, en revanche, il n'en avait pas la moindre idée.

Elle le regardait gravement, lisant son trouble autant qu'elle écoutait ses paroles, comme si deux conversations s'échangeaient entre eux.

— Tes bêtes sont géantes, répondit-elle enfin. D'un coup de sabot, elles tueraient n'importe quel loup.

C'était vrai, bien entendu. Jean les revit à Waterloo, piétinant les Anglais.

— Surtout maintenant, poursuivit-elle. Ils sont de plus en plus puissants.

— Des chevaux de l'enfer ? demanda-t-il amer.

Elle frissonna.

— Tu les aimes, ils t'obéissent, comme lui.

D'un geste brusque, elle désigna son compagnon à quatre pattes qui l'observait, attentif.

Peiné, furieux contre lui-même, il se mit en marche, le regard perdu. Elle allait en silence, détaillant, sans qu'il s'en rendît compte, son visage ravagé de chagrin.

— Tu as eu peur de ces loups. C'était une nuit de pleine lune, dit-elle doucement.

Il la dévisagea, n'osant croire à sa rédemption. Ses yeux gris luisaient dans son beau visage déterminé où se lisaient encore les flous de l'enfance. Il la découvrait compréhensive et forte. Il se sentit dompté par l'humanité de cette fille sauvage qui traitait les loups comme des gens et savait absoudre la violence d'un homme.

— Je... je ne les toucherai plus.

— Eux non plus. Ils te craignent maintenant. Tu as parlé leur langage en agissant comme eux.

Elle respectait les loups et l'assimilait à l'un d'eux. Envoûté, il s'arrêta, la contempla et la prit dans ses bras. Elle se cambra, un éclair dans les yeux. Il approcha sa bouche de la sienne en une pulsion confusément calculée. Elle le mordit au sang, sourit, puis approcha ses lèvres, lécha la goutte pourpre qui perlait, puis l'embrassa. Un baiser maladroit qu'il lui rendit. Elle ferma les yeux. Alors le temps s'arrêta.

Quelques éternités plus tard, ils reprirent souffle. Il voulut parler.

— Alice, je...

— Plus tard, dit-elle. Quand les Ombres seront parties. Elles sont revenues.

— Je sais. La nuit dernière...

— Aujourd'hui !

— Tu les as vues ?

— Non. Ma mère m'a chassée avant leur arrivée.

— Tu ne t'es pas cachée pour les attendre, pour les observer ?

— J'étais comme dans un rêve. J'avais besoin des bois.

Ils marchaient côte à côte, sans se toucher. Émerveillé, Jean la sentait rayonner. Comme sa mère, elle avait un don. Il en fut certain. Il faudrait qu'elle essaie de soigner les entorses, les articulations démises. Il n'y avait là ni magie ni sorcellerie, simplement un talent constaté, sinon expliqué. Son esprit voltairien – depuis le début du siècle, par bribes, il avait découvert la pensée des Lumières – lui interdisait d'y croire. Pourtant, les grands bois sombres, la bise hurlante et la neige aux congères hautes comme deux hommes chuchotaient des histoires de forces occultes, discrètes, perfides. Cette fille, qui le tenait sous son charme, en possédait une part. Et si sa bienveillance se transformait un jour en malignité ? Il frémit, orienta sa méditation vers les Ombres. Pourquoi Alice les nommait-elle ainsi ? Il osa le demander.

— Parce que c'est ce qu'elles sont ! répondit-elle, candide. Quand elles rendent visite à ma mère, je sens une lourdeur m'envahir, le sommeil m'accable et, si je ne sors pas prendre l'air, je m'endors. Chaque fois que je les ai vues, elles étaient noires, dissimulées par de grands manteaux, avec des contours flous, même en plein jour.

— Elles ne viennent pas seulement la nuit ? demanda-t-il, songeant au sommeil évoqué.

— Le jour aussi.

— Et, malgré la lumière, elles restent des Ombres ?

— Oui.

Une nouvelle fois, la peur du mystère s'insinua en lui. Il lutta. Sans explication logique, il sombrerait dans la folie environnante. Il se raidit, la regarda et lui prit la main.

— Reste prudente, dit-il, et si tu sens que les Ombres vont venir, viens me chercher.

Pris d'une inspiration, il ajouta :

— Et ne bois que de l'eau, surtout pas les tisanes de ta mère !

Elle ouvrit de grands yeux.

— Il y a des plantes qui envoûtent et endorment. Tes Ombres, ce sont sûrement des gens normaux. Des bandits qui terrorisent ta mère.

Elle se serra contre lui.

— Tu me protégeras, hein, Jean ?

Pour calmer sa détresse, il la prit dans ses bras. Ils s'embrassèrent, s'embrasèrent. Mais en février, à La Chaise-Dieu, à la nuit tombante, il fait trop froid pour se rouler dans l'herbe.

À Champvieille, aucune voiture ne stationnait devant la porte de la rebouteuse. Ses clients éclopés étaient repartis. Par ailleurs, aucune berline tirée par deux chevaux maigres n'était en vue. Ils se séparèrent. Jean s'éloigna, se retourna pour la regarder. Elle s'éloignait d'un pas vif et gracieux. Le loup folâtrait autour d'elle. L'ex-capitaine ressentit soudain une étrange estime pour l'animal.

Il faisait nuit quand il poussa la porte ouvragée de sa maison. La table était mise. Une bonne odeur de cochonnaille venait de la marmite accrochée dans l'âtre. À l'évidence, Moïse cherchait à se faire pardonner la soupe rimée de la veille. Assis devant le feu, les quatre hommes devisaient, un verre à la main.

— Tu vois, dit Estublat à Chandelle, on aurait dû entendre un grand cri, puis une salve de jurons. Rien, il rentre tranquille comme Baptiste. Donc tu as mal placé tes pièges.

Jean grimaça. Chandelle rit.

— Maintenant qu'il est là, je vais installer le dernier devant la porte.

— Ah ! bon, dit Jean. Heureusement que je ne suis pas allé voir si l'écurie était bien fermée...

— C'est-y bête ! s'exclama Moïse. On aurait su si toute cette installation servait à quelque chose.

— J'y vais, dit Chandelle. Viens, Jean. J'en profiterai pour te montrer les chausse-trappes.

— Dis-moi simplement où elles sont, que je ne me fasse pas prendre si nous avons une alerte cette nuit.

— Au plus simple, dit Régis. Juste devant les portes. Là où on s'arrête pour mettre une clé dans une serrure... ou tenter de la forcer.

Ils apprécièrent la potée au lard, puis fumèrent leur pipe. Le premier, Jean se leva pour aller se coucher.

— Couvre-toi bien, lui dit Chandelle. Car le mieux est de laisser ta fenêtre ouverte. Si on fait tous ça, sûr qu'on entendra les rôdeurs et autres malveillants.

— Même s'ils font doucement ?

— J'ai planté des petits piquets un peu partout, répondit le borgne, avec des grelots accrochés. Y en avait tout un stock dans la remise. Dans la nuit d'ici, le tintement d'un seul grelot s'entendra mieux qu'un coup de canon à Austerlitz !

Ce ne fut pas une sonnaille gentillette qui réveilla l'ex-capitaine, mais un cri aigu. Il se leva en hâte, passa un pantalon sur son caleçon, un gros pull sur sa chemise et délaissant ses sabots, il enfila ses bottes. Il voulait pouvoir courir sans risque de se casser la figure comme lors de sa poursuite de leur empoisonneur de puits.

En bas, ses hommes allumaient des lanternes, s'armaient en silence. Estublat avait pris le temps de mettre sa prothèse. À la main, il tenait un sabre dégainé. Jean jeta un œil à la cheminée. Le sien était en place. Il le cueillit.

— Gare dehors, chuchota Chandelle, faisant allusion aux pièges.

Ils sortirent, se séparèrent en silence pour couvrir au mieux le terrain. Une flamme brûlait, par terre devant la grange. Au-dessus, un énorme paquet de chiffons, évoquant un dindon pendu par une patte, s'agitait en vain. Ça ne criait plus.

Régis et Jean approchèrent prudemment, de deux côtés différents. Chacun tenait une lanterne.

— La Talaurina ! s'exclama Jean.

Le visage à l'envers de la voisine apparaissait au milieu de la corolle inversée de ses jupes et jupons. Ses jambes, revêtues de gros bas de laine, étaient prises dans le nœud coulant d'une corde. Un coquelicot noir tenu par la queue plutôt qu'une dinde ? De toute façon, elle était ridicule.

— Bravo, Gaston, dit Moïse à Estublat qui arrivait. Ton collet espagnol est parfait.

Il avait ramassé la torche. Une branche de pin entourée d'un chiffon trempé dans la poix. De quoi brûler trois quarts d'heure.

Les cinq hommes faisaient cercle autour de la femme humiliée.

— On va la brûler, dit Régis. On en sera débarrassés une fois pour toutes. Pas la peine de battre le briquet. Sa torche fera l'affaire.

— Oui, mais il faudrait brûler la grange. Sinon sa mort ne passera pas inaperçue, objecta Moïse.

— Elle en a une, de grange, rétorqua Régis. On va la ramener gentiment chez elle et la rôtir dans la sienne.

Chandelle s'activait. Jean, qui n'avait encore rien dit, comprit qu'il neutralisait les pièges à proximité pour qu'on puisse décrocher le gibier capturé. Il tremblait, ce gibier, de froid et de peur.

— On la décroche, dit-il, et on la rentre à l'intérieur. On sera mieux pour discuter de son sort. Gaston, tu la surveilles. À la moindre velléité de fuite, tu lui coupes la tête !

— Une main suffira, pour commencer, rigola Estublat.

Jean et Régis avaient empoigné la femme chacun par un bras, tandis que Chandelle et Moïse s'efforçaient de détacher la corde. Une fois la femme libérée, ils remirent le piège en place.

Fermement encadrée, la Talaurina fut emmenée. Le temps de parcourir les vingt mètres pour rejoindre la maison, Estublat posa la lame de son sabre sur l'épaule de la prisonnière, le tranchant frôlant son cou. Elle haletait, terrorisée.

Les cordes ne manquent pas dans une exploitation forestière.

Sitôt dans la grande salle à vivre, ils l'attachèrent sur une chaise puis, sans daigner remarquer son existence, s'appliquèrent à choisir son supplice.

— Si on la brûle pas dans sa grange, alors y a qu'à la sabrer, dit Régis. On laissera son cadavre dans les bois, au-delà de Champvieille. On la dit sorcière et meneuse de loups, eh ben tout le monde croira que ses chéris l'ont bouffée. On identifiera ses restes à ses vêtements.

— Vous vous souvenez..., compléta Moïse. En Russie, les loups dévoraient d'abord les boyaux, puis les membres, et finissaient par les joues, avant de s'acharner sur les vêtements pour ronger la carcasse.

— Même qu'on reconnaissait plus le copain quand ils avaient fini, confirma Chandelle.

La femme gémissait à ces évocations tranquilles.

— Tais-toi ! intima Gaston, ou je te coupe les oreilles.

Elle se mordit la langue et se tut.

— J'ai une idée, dit Régis. On lui casse les jambes et on la laisse dans le bois. Les loups l'attaqueront et elle sera bien obligée de se défendre avant que l'un d'eux l'égorge. C'est pas la même blessure, une morsure et un coup de sabre. Ça sera plus réaliste.

— Dans ce cas, renchérit Chandelle, il faudra lui faire une blessure déjà sérieuse. À un bras, par exemple. Pour que le sang attire les loups. Pour l'affaiblir aussi. Souviens-toi, en Espagne, les corridas. Eh ben, ils font saigner le taureau avec leurs trucs ! Comment ça s'appelle déjà ?

— Les banderilles, dit Jean.

— C'est ça, les banderilles. Ça me fait penser... un jour, à Séville... dix-huit coups d'épée, il a fallu, pour faire crever la bête.

Ils parlèrent plusieurs minutes de corrida, décrivant des scènes de plus en plus sanglantes. La Talaurina avait repris ses gémissements.

— Elle fait beaucoup de bruit, dit Jean. On s'en occupe tout de suite ?

— Ouais, ouais, approuvèrent les autres.

— Non, non ! hurla-t-elle.

Jean se planta devant elle.

— Pourquoi, non ? De toute façon, un incendie volontaire, c'est la peine de mort. N'est-ce pas, Moïse ?

— C'est qualifié de crime, confirma l'ex-étudiant en droit. Et comme tel, effectivement passible de la guillotine. Au fait, vous savez qu'on s'en sert toujours pour les criminels de droit commun ?

Les autres hochèrent la tête.

— Donc, si on t'exécute, ce ne sera que justice, dit l'ex-capitaine à la prisonnière.

Il s'était volontairement dressé devant elle, juste au-dessus d'une des lanternes sciemment laissées sur une table. Éclairé par-dessous, il était terrifiant. Il avait utilisé la même astuce lors de la veillée.

— On t'avait prévenue, et tu continues à nous nuire. On va te faire disparaître, et voilà tout !

— Je vais tout vous dire, s'écria-t-elle, tout !

— Je ne suis pas sûr que ça nous intéresse, dit Jean, négligemment.

Se tournant vers ses compagnons, il s'écria :

— On va l'emmener. Tout de suite ! Préparez-vous !

— C'est le comte ! C'est lui qui m'a obligée, pour racheter les terres !

— Tu inventerais n'importe quoi pour échapper à ton sort, dit Jean, jouant les indifférents.

— Il veut... il veut terroriser tout le monde pour qu'on lui vende les terres à bas prix. Je... je dois faire peur aux gens, et si ça ne suffit pas pour qu'ils lui vendent leurs domaines, il les tue. Il en a pendu trois l'été dernier !

— Tu oublies le Luc Vivandier brûlé vif avec femme et enfants, grinça Gaston.

Elle baissa la tête.

— Avoue qu'il te paie pour tes malveillances, intervint Moïse d'une voix cinglante.

— Non, non. Il me menace de mort, et même pire. Et je sais qu'il le fera... Il dit qu'il va tout révéler et me livrer aux gendarmes qui m'enverront à l'échafaud.

— De quoi elle parle ? demanda Estublat.

— Dénude son épaule, dit Jean, et tu comprendras.

Il obéit, la dévêtit avec une certaine délicatesse que, du fond de sa terreur, elle ne remarqua pas. Une rosace boursouflée apparut sur son épaule droite.

— Qu'est-ce que c'est ? demanda Chandelle.

— Flétrissure, dit Moïse. Marquage au fer rouge des prostituées criminelles. Ça se fait encore, mais de moins en moins.

Il avait parlé comme un médecin examinant une plaie. Il leva les yeux vers les autres.

— Pour être condamnée à cette mutilation infamante, il faut avoir commis un sacré forfait. Elle n'est pas passée loin de la corde, ou plutôt de la guillotine.

Penchée en avant, la Talaurina était secouée de sanglots silencieux.

— Elle va tout nous raconter, dit Jean, calmement.

15

Une histoire lamentable

— Je suis du pays, commença-t-elle. De Saint-Paulien. Je m'appelle Marie Ollia...

Elle avait découvert son don très tôt.

Une masure servait de tanière à sa famille. Son père, journalier, buvait sa maigre paie à l'estaminet. Sa mère perpétuellement enceinte nourrissait péniblement, et fort mal, une nichée dont le nombre augmentait avec les naissances annuelles et diminuait au gré des épidémies de même périodicité. Les oreillons ou la rougeole, qui donnaient la fièvre aux enfants du voisinage, tuaient régulièrement un ou deux bambins Ollia sous-alimentés. Seule Marie, l'aînée, parvenait à survivre en mangeant ce qu'elle pouvait grappiller chez elle, et surtout les restes qu'une voisine laissait à son intention dans une écuelle sur l'appui de sa fenêtre, comme on le fait pour les chats errants. Passablement revêche, ladite voisine pensait, par cette insigne charité, gagner son paradis, à moins qu'elle ne soignât une maternité rentrée, car on la savait bréhaigne.

Solitaire et sauvage, poussant comme une mauvaise graine, la jeune Marie, à l'aube de ses sept ans, se fit un ami d'un corniaud arthritique, sans maître ni attache, qui errait dans la campagne, se nourrissait d'ordures et de rapines occasionnelles : un levraut des bois ou un poussin de basse-cour. Leur rencontre s'était faite autour d'une couenne que la petite avait trouvée et tenté de déguster. Elle était si rance qu'elle avait eu un haut-le-corps, recraché sa bouchée et jeté sa conquête au chien qui, en proie à une crise de rhumatisme, avait peiné à l'atteindre avant de la gober sans vergogne. Avait-il regardé l'enfant avec gratitude ? La petite en fut persuadée. Elle avait besoin de reconnaissance, fût-ce celle d'un chien. Elle l'avait caressé sur la tête, timidement d'abord, puis s'était enhardie. Palpant sa patte avant droite, elle reconnut une anomalie. Elle eût été bien incapable de dire comment. Sourcils froncés, elle tritura cet étrange nœud avec détermination et le sentit se défaire d'un coup, tandis que le chien glapissait brièvement avant de remuer la patte avec satisfaction.

Il s'était écarté, encore perclus.

— Reviens ici ! avait-elle ordonné.

Que s'était-il passé dans la cervelle obscure du vagabond ? Il était revenu. Alors, passionnée, elle l'avait entraîné dans la remise encombrée qui jouxtait la masure familiale. Dans le coin secret qu'elle s'y était aménagé, elle avait manipulé tout le corps du corniaud et dénoué muscles et tendons avec un intérêt croissant. Ses doigts reconnaissaient sans mal les disharmonies de ce corps de chien. À l'issue d'un massage en règle, le chien ingambe était allé courir les bois. Il était revenu avec un garenne qu'il lui avait fièrement présenté. Quand elle avait voulu s'en saisir pour le porter à sa mère qui l'aurait dépouillé et mis à la casserole, le corniaud s'était ravisé et enfui avec sa proie.

Quelques jours plus tard, aussi perclus que la première fois, il revint implorant. Elle l'accueillit froidement, le pétrit pourtant, tant ce modelage de chairs vivantes lui donnait un exaltant sentiment de puissance. À l'issue de quoi, elle le congédia d'une tape. Ragaillardi, il partit en chasse. Il réapparut, vantard, un poulet dans la gueule. Marie avait appris la ruse pour éviter les taloches de ses père et mère. Le corniaud l'avait grugée une fois. Ce serait la seule. Contournant le chien qui, prudemment, gardait sa proie hors de portée, elle ferma la porte de la resserre, emprisonnant le chasseur. Comme il refusait de céder sa prise qui piaillait encore, elle lui flanqua sur l'échine une volée de coups de bâton, si bien qu'il finit par lâcher le poulet. N'ayant qu'une patte valide, le gallinacé tenta vainement de fuir.

Un billot se trouvait devant la pile de bûches bien rangées. Une hachette y était plantée. La gamine en connaissait l'usage, sa mère lui ayant montré comment faire du petit bois. Elle décapita tranquillement la volaille, lui coupa les pattes au bas du pilon et, souveraine, les donna ainsi que la tête, au chien qui les croqua.

C'est ainsi que le corniaud fit allégeance à la petite rebouteuse. S'instaura entre eux un échange de bons procédés qui allaient orienter la vie entière de Marie Ollia.

Des mois plus tard, le chien périt d'un coup de fusil. On ne pille pas impunément les basses-cours en Velay.

Elle avait des talents de conteuse, la Talaurina. Même attachée, elle tenait son auditoire en haleine. Elle eut un léger sourire. Il déplut à Régis qui se leva d'un bond, brandit sa cognée au-dessus de sa tête et, dévoré par l'envie de l'abattre, gronda :

— Tes belles histoires ne m'endormiront pas, sorcière. Un autre sourire et je te fends la tête.

Personne ne bougea. La femme les observa l'un après l'autre, de plus en plus inquiète. Moïse souriait en coin, l'air amusé, mais par quoi ? Son récit ou la colère du paysan trapu ? Chandelle manifestait une haine palpable. Elle regretta amèrement d'avoir qualifié de diabolique son visage ravagé. Celui-là ne le lui pardonnerait jamais. Elle croisa alors le regard de Charzol. Pensif et impénétrable, il l'inquiéta plus encore. Elle subodorait un homme calculateur et froid, parfaitement capable de décider sa mort. Elle frémit.

Les regards convergeaient vers elle.

— Continue, dit Estublat qui s'était mis à jouer avec son sabre.

Celui-là serait capable de la découper vivante, rien que pour montrer sa virtuosité.

Elle reprit son récit.

Peu à peu son talent avait été reconnu, et contre quelques pièces accaparées par ses géniteurs, elle exerçait ses talents avec des fortunes diverses. Un jour, elle soulagea un vieil aristocrate, qui la voulut chez lui. C'est ainsi que son père la vendit cinq pièces d'or au comte, seigneur du lieu.

Elle ne revit jamais sa famille.

Encore enfant, elle se trouva plongée dans un nouvel univers : un château fort à demi ruiné, avec des escaliers en colimaçon et des couloirs venteux éclairés de meurtrières étroites. Les énormes salles voûtées l'effrayaient, avec leurs fenêtres trop petites et leurs cheminées trop grandes où jamais on ne faisait du feu. Il existait bien une partie plus récente pour les maîtres, mais les domestiques logeaient dans la vieille forteresse, et elle avait peur.

Frêle, toute jeunette, elle fut aussitôt exploitée par les autres servantes, sans doute du fait de sa fréquentation du maître de céans, qui suscitait leur jalousie : elle triturait son dos de quinquagénaire. L'aisance de mouvements ainsi recouvrée donna des idées à l'aristocrate. La jeune fille dut étendre sa zone d'action et l'homme l'initia à des jeux qui n'étaient pas de son âge. Elle acquit ainsi des compétences imprévues qui lui valurent des friandises. Un jour, l'épouse du satrape, une rondouillarde frisant la quarantaine, les surprit lors de ces massages non conventionnels. Au lieu de battre son vicieux de mari, elle rossa la petite. Pour se faire pardonner, elle la convoqua un peu plus tard dans son boudoir, où elle aussi se fit palper de façon peu honnête.

Un tel apprentissage affina son don. Un jour, une idée lui vint : si elle savait dénouer, elle devait aussi pouvoir nouer. Elle apprit ainsi à « inverser » les gestes bénéfiques et à créer de grandes douleurs. Elle testa cette hypothèse sur les autres domestiques, dont elle gagnait le pain en faisant leur travail. Son premier cobaye fut la femme de chambre. Un jour de brimades particulièrement excessives, elle lui saisit une main, exerça en son creux plusieurs pressions sauvages qui la firent défaillir de souffrance. C'était une rougeaude hommasse, forte comme un cheval, et voilà que la maigrichonne qui « soulageait monseigneur » la conduisit au bord de l'enfer le temps de se signer... et l'y maintint celui d'un « Ave » ! « Cette fille est le diable ! », gémit sa proie. Le propos enchanta la gamine. Elle ajouta le verbe acéré à la torture et, à l'aube de ses treize ans, ses tâches ménagères étaient remplies par des compagnes asservies par ses menaces et subissant régulièrement l'expérimentation de nouveaux tourments. Il lui fallait en effet répéter maintes fois chaque exercice avant d'en acquérir la parfaite maîtrise.

À défaut de bonheur, elle découvrit le pouvoir, qui améliora sa vie.

Mais voilà, son maître, seigneur de terres pauvres, était si âpre au gain qu'il subit la seule révolte paysanne du pays.

Un jour caniculaire du temps de la Terreur, ses métayers et fermiers, aidés de ses domestiques, vinrent mettre le feu au château. Allez incendier avec quelques bottes de paille une forteresse multiséculaire aux murs de quatre pieds d'épaisseur ! Tandis qu'ils s'échinaient, le comte, bon chasseur, parut à la fenêtre du premier étage, une pétoire à la main. Sans hésiter, il plomba le meneur. Tandis qu'on emportait sa victime ensanglantée, il annonça qu'il avait vingt fusils chargés et en épaula un deuxième. La débandade fut immédiate. Le lendemain, au soleil levant, lorsque les émeutiers arrivèrent, plus nombreux et encadrés de quelques jacobins du Puy, les châtelains avaient déguerpi, emmenant Marie Ollia pour toute domesticité.

Depuis la prise de la Bastille, le comte, en bon Vellave aux pieds ancrés dans la terre, avait pris ses précautions. Outre les fusils chargés en permanence, il avait obtenu au Puy, par ruse et corruption, tous les papiers nécessaires au voyage d'un honnête marchand. Il avait surtout accumulé, en pressurant comme jamais ses paysans, un sac d'or qui, en cet été 1793, représentait une courte fortune, de quoi affronter plusieurs mois d'exil, le temps que les Autrichiens étrillent ces va-nu-pieds de sans-culottes. Le couple était donc parti pour Saint-Étienne, puis pour Lyon, d'où il comptait gagner le royaume de Savoie. Il emmenait la petite, tout juste âgée de quatorze ans, aucun des époux ne souhaitant se priver de ses massages et caresses.

Ils eurent tort. La population des domestiques ayant disparu, la fillette décida d'expérimenter sur ses maîtres ses explorations de la douleur. Ils allaient enfin payer leurs jouissances. À Lyon, par avarice, le faux bourgeois s'était installé dans un bouge du quartier de la Guillotière. Il avait loué une seule chambre. Dès le premier soir, la jeune Marie Ollia dut ainsi satisfaire les lubriques envies de madame sous les yeux de monsieur, lequel, mis en émoi, exigea à son tour ses caresses. Exténuée, la petite refusa et reçut aussitôt une gifle virile, propre à lui dévisser la tête. L'effet rotatif en fut aussitôt corrigé par une « contre-gifle » féminine, de vigueur analogue.

La gamine dut s'exécuter, et le diable la tenta. Tandis qu'elle œuvrait, elle repéra sous l'aisselle gauche du comte un point tendineux convenablement innervé qu'elle écrabouilla d'un geste aussi preste que vigoureux. Le bonhomme éprouva simultanément une intense jouissance et une vertigineuse douleur. Ce fut trop pour son cœur. Il trépassa.

Les glapissements de la veuve furent tels qu'aussitôt l'aubergiste survint, suivi de tout son personnel. Un client fortuné, décédé lors d'un commerce avec une très jeune fille devant une dame débraillée... Pour peu que les argousins s'en mêlent, il y avait là de quoi envoyer aux galères, pour proxénétisme, le douteux gargotier. La meilleure défense étant l'attaque, il décida de prendre les devants.

La maréchaussée débarqua, menée par le commissaire du quartier. Un homme portant beau avec son chapeau emplumé de bleu, de blanc et de rouge. Il fit les constats nécessaires. Hélas pour la pureté révolutionnaire, la veuve le corrompit après un assez maladroit marchandage qui la soulagea d'une grande partie du pécule de son mari. Le jacobin et ses sbires dûment payés, le plus simple fut d'arrêter « la coupable ». Et c'est ainsi que la jeune Marie se retrouva dans un cul-de-basse-fosse.

Il y eut procès.

Matoise et délatrice, Marie diminua son âge et accusa le défunt d'être un ci-devant ayant abusé d'elle. On crut le mensonge, pas la vérité. La pauvrette ne pouvait savoir que la veuve avait cédé aux sollicitations empressées du commissaire, sans doute afin de reprendre de la main gauche l'or confié de la main droite. Du coup, le tribunal jugea détestable qu'une mineure délinquante traitât de « comtesse » une zélée révolutionnaire. Il y avait eu mort d'homme, elle était toute jeunette, les juges, magnanimes, ne la condamnèrent qu'à la « flétrissure ».

Elle ne comprit ni le procès ni sa conclusion. On l'enferma avec les putains dans une vaste salle voûtée, en sous-sol d'un ancien couvent qui, depuis l'an I, servait de prison. Ces dames s'attendrirent et, pour la première fois de sa vie, l'adolescente rencontra compassion et affection. Elle en fut si émue qu'elle les soigna toutes sans en nouer aucune. Ces femmes de cœur ne méritaient pas de subir la face obscure de son talent.

Un matin, deux ou trois semaines après son jugement, on vint chercher Marie et ses compagnes. La lourde porte ferrée s'ouvrit sur une poignée de gardes nationaux en sabots et pantalons rayés, mal rasés mais porteurs de baïonnettes. Ils plaisantaient, claquaient les fesses des filles ou les pelotaient de leurs grosses pattes velues, sans que celles-ci s'en formalisent. Cette agitation gauloise cessa net lorsqu'on les fit suivre à pied une charrette portant cinq hommes et trois femmes, debout et les mains liées dans le dos.

Marie Ollia n'avait jamais vu la guillotine. Sa peur en fut accrue. Miarka, la virago maternelle, qui l'avait prise sous son aile, la calma :

— C'est pas pour nous, dit-elle. On n'est que des putains. Tout à l'heure, on aura bien mal à l'épaule, mais dans huit jours il y paraîtra plus. Tandis que ceux-là : couic !

Elle désignait les passagers de la charrette dont les cols de chemise ou de robe étaient grossièrement échancrés.

— On va leur couper le cou et c'est bien fait. Ce sont des ci-devant, des nobles affameurs du peuple.

— Comme le comte et la comtesse ?

— Exactement. Regarde si tu veux. Mais j'te préviens, y a beaucoup de sang. Faut avoir l'habitude.

— Ho ! j'ai coupé la tête à des poulets et à des lapins vivants quand mon chien m'en ramenait. Je sais comment ça gicle !

La foule hurlait. Le couperet tomba huit fois de suite. Un infime bruissement précédait d'une fraction de seconde un double choc. Attentive et curieuse, Marie les identifia. Le chuintement était celui de la lame tranchant le cou, os compris. Le « tchac », l'arrêt brusque du couteau sur son support. Et le « poc », la tête qui roule dans le panier.

« Scheus, tchac, poc », « Scheus, tchac, poc », « Scheus, tchac, poc ». Une étrange musique qu'elle retrouva souvent dans ses cauchemars.

Ensuite, ce fut leur tour. On les fit monter sur une estrade, à une dizaine de toises de la guillotine, où un aide-bourreau retournait des fers dans un brasero. N'étant pas liées, elles se serrèrent les unes aux autres sur cet échafaud, fixant avec inquiétude les sourcils touffus du tourmenteur. Un exempt à chapeau emplumé monta à côté d'elles et brailla leur condamnation, puis il rangea son papier et dégringola l'échelle. Il était pressé.

Miarka, tenant Marie, s'avança la première. Elle montra au bourreau une pièce d'or qu'elle laissa glisser le long de ses jupes. Le plus naturellement du monde, l'homme mit le pied dessus.

— Pour elle et pour moi, murmura-t-elle, tu appliques vite et tu n'appuies pas trop. On commence par la gamine, elle aura moins d'appréhension.

— Dénude ton épaule, chérie, compléta-t-elle, regardant la petite.

Elle hurla, surprise par une douleur atroce. C'était déjà fini. Le sang suintait à peine des chairs grillées. Miarka, la gitane, grogna sous la douleur, puis toutes deux descendirent l'échelle, libres.

Marie vécut avec les putains de la Guillotière, rendant des services domestiques, dont ceux de son art.

Le temps passa. Elle eut bientôt une bonne clientèle et vécut confortablement. Amoureuse d'un bel Italien, Miarka partit un jour comme cantinière avec un régiment de Piémontais et ne revint jamais.

À l'aube du XIXe siècle, Marie Ollia rencontra un militaire, un gars du Forez, bel homme dans un beau dolman vert de hussard. Il racontait bien les histoires en patois et claqua avec elle des mois de solde et de campagnes. Il resta dix jours, le temps de se marier et de l'engrosser, puis il repartit. Il se nommait Yvon Chardac. Elle était restée à Lyon, l'attendait. Il lui écrivait. Elle faisait lire ses lettres par une voisine ou par l'écrivain public, y répondait, parlait de la petite. Un jour, il n'y eut plus de lettre. Il était mort au champ d'honneur.

Étaient-ils dupes ? Les vétérans se regardèrent. Elle était un peu des leurs, après tout. Elle n'avait rien demandé, pourtant Jean remarqua ses mains exsangues.

— On va te détacher. Et tu vas continuer ton histoire, dit-il. Gare à toi si tu mens. Car, maintenant, nous arrivons à ce qui nous intéresse.

La lame d'Estublat trancha les liens de la prisonnière sans même l'effleurer.

— Mon sabre non plus n'est pas attaché, dit-il, et il n'est pas maladroit.

Une démonstration et une menace.

— Donnez-moi à boire, demanda-t-elle.

Eux-mêmes buvaient du vin. Ils lui en servirent un gobelet. Elle poursuivit :

— J'étais veuve d'un mari que j'avais connu dix jours, pas un de plus. Pourtant, je l'aimais. Je suis restée une douzaine d'années à Lyon. J'ai économisé et je suis revenue au pays pour acheter un domaine, être enfin chez moi. Il y a sept ans de ça. L'an dernier, le fils du comte défunt m'a retrouvée. Je l'avais à peine connu. Ses parents l'avaient mis en pension chez les jésuites en Italie. Ensuite, il s'est engagé dans l'armée des princes. Il est revenu dans la région avec les émigrés et a recherché ses parents. Il a retrouvé sa mère remariée à son jacobin et l'a reniée. Pour savoir comment était mort son père, il a lu le jugement qui condamnait sa « meurtrière ». Il me savait rebouteuse. Revenu par ici, il a entendu parler de moi, de ma réputation de guérir ou de faire souffrir. Pour mon malheur, il est venu me voir. Il avait un projet et des hommes de main pour le mettre en œuvre, d'anciens compagnons de l'armée autrichienne. Il veut tout le pays au nom des anciens droits des nobles. Il a exigé que je l'aide.

— Pourquoi ?

— Mon procès. Avec le nouveau régime, il pouvait le faire réviser et me faire guillotiner pour le meurtre de son père. Il m'a menacée de le faire si je ne l'aidais pas.

— Et tu as cru ce mensonge ! s'exclama Moïse. Ton affaire n'est pas révisable. En France, il n'y a pas de rétroactivité de la loi pour les crimes et délits de droit commun !

La profonde incompréhension de la Talaurina n'avait d'égale que celle de ses compagnons. Moïse soupira.

— Ça veut dire que nul ne peut te rejuger sur les mêmes faits. Ta condamnation est définitive.

— Alors, je ne risque plus rien de la justice !

— Plus rien.

Elle ouvrait de grands yeux qui s'emplirent de larmes.

— Plus tard, les pleurs, dit Jean d'un ton sec. Il y a plus urgent. Ton ami le comte, comment s'y prend-il pour conquérir le pays ?

Elle exposa le système de terreur et de représailles auquel elle avait participé.

— Et pour les papiers, demanda Moïse quand elle eut fini, comment font-ils ?

— Je ne sais pas. Des histoires de notaire.

— Où loge-t-il, ce bandit de comte ? demanda Chandelle.

— À plusieurs lieues d'ici. Je ne sais pas où exactement.

Les cinq hommes se regardèrent.

— Une autre question, dit l'ex-capitaine, quand le comte vient te voir, tu drogues ta fille. Pourquoi ?

Elle demeura interdite, hésitant à répondre. Un éclair dans l'œil de l'ex-capitaine sut la convaincre.

— Il... il abuse de moi. Il est encore plus vicieux que son père. Qu'importe, après tout. Violer une putain criminelle marquée d'une rosace à l'épaule, qu'est-ce que ça peut faire ? De toute façon, maintenant que j'ai parlé, il me tuera.

Les défiait-elle ? Elle semblait plutôt résignée. Le silence s'instaura. Désorientés, les hommes de Largnac attendaient la décision de Jean Charzol.

— Personne ne te tuera. Tu vas rester ici, dit Jean.

— Tu vas pas mettre le loup dans la bergerie ! se récria Chandelle.

— Moi, les loups, je leur fends la tête, dit Régis sans grande conviction.

— On peut quand même pas lui faire confiance, argua Moïse.

— Cette nuit, on va la boucler à la cave, dit Jean. On va l'installer comme il faut : paillasse, draps, couvertures, sans oublier un seau. Pour la suite, on verra demain.

Se tournant vers elle, il expliqua :

— C'est pour te protéger. Tu l'as compris, j'espère.

— Et Alice, ma fille, gémit-elle.

Les vétérans se regardèrent, puis se tournèrent vers le demi-solde.

— Je vais la chercher, décida-t-il. Elle dormira avec toi. Enfin, dormir, j'sais pas, car tu vas avoir beaucoup de choses à lui dire, tu ne crois pas ?

Elle soutint son regard, puis acquiesça.

— La fille, on l'enfermera aussi ? demanda Chandelle.

— Je verrai avec elle, répondit-il. Je pense qu'elle préférera rester avec sa mère.

Il s'habilla pour sortir.

— Jean ! l'interpella Estublat.

Il se retourna et saisit au vol son sabre que lui lançait l'unijambiste, la poignée en avant.

Il ramena la jeune fille un petit quart d'heure plus tard. Il lui en avait dit le minimum. Son loup les avait suivis à courte distance, surveillant le demi-solde de ses yeux jaunes.

— Terrorisée par les Ombres, ta mère a tenté de mettre le feu à la grange. On l'a surprise.

— Vous... vous ne lui avez pas fait de mal ?

Sa voix tremblait.

— Non. Elle en est quitte pour sa peur. Elle nous a tout raconté. Il n'y a pas d'Ombres, Alice, mais des malfaisants surgis de son passé.

— Où est-elle ? s'exclama-t-elle, angoissée.

— Chez nous, en sûreté. Nos ennemis sont maintenant les siens.

— Elle va s'enfuir pour les prévenir ! Elle a tellement peur d'eux !

— Nous l'avons enfermée. Pour l'empêcher de faire des folies. Pour la protéger, surtout.

— Je veux la voir.

Sa voix s'était raffermie.

— C'est prévu, répondit-il avec douceur. Tu dormiras avec elle. Elle te racontera ce que tu dois savoir.

— Alors tu vas m'enfermer ?

— Si tu veux être avec elle, oui. Sinon, tu dormiras dans une chambre de ton choix, en toute liberté.

— La tienne ?

Elle ne le vit pas rougir dans l'obscurité. Que répondre ? Il hésita, biaisa.

— Tu es libre, je viens de te le dire, entre autres d'être enfermée jusqu'à demain.

16

L'émigré de Berbezit

Alice avait choisi de rejoindre sa mère. On avait donc dressé dans la cave un second lit pour elle. Jean avait campé dans la grande salle afin d'entendre les femmes appeler et les libérer. Il lutta contre l'envie d'écouter à leur porte et, plus encore, contre celle d'aller chercher la jeune fille.

Son sommeil fut bref et perturbé. Il attendit leur réveil avec anxiété. Il faisait grand jour quand elles se signalèrent. Il leur ouvrit. Alice se jeta dans ses bras. Sa mère ébaucha un geste de révolte puis se résigna. L'une et l'autre avaient les yeux cernés par une longue veille.

— Je veux sortir, dit la Talaurina avec un reste de défi. Je ne supporte plus les prisons.

Elle observa son geôlier avec inquiétude. Elle n'était jamais parvenue à lui faire peur malgré ses talents. Qu'on ne la craignît pas l'effrayait. Ce constat donna à Jean Charzol des tentations d'indulgence. Il y résista, appela. Estublat apparut.

— Elle va monter pour manger, mais elle ne sort pas de la maison.

— Je la surveille, répondit l'estropié.

Il tenait un bâton qu'il fit virevolter. Jean sourit. Bâton ou sabre, il en jouait avec la même aisance. Si la Talaurina faisait des siennes, elle ne risquerait plus de perdre la tête, seulement de se faire briser un membre.

Les deux femmes montèrent l'escalier en pierre et entrèrent dans la grande salle.

— Alice, tu es libre, bien entendu, dit Jean, mais tu ne dois pas retourner à Champvieille. Les Ombres, ou plutôt le comte et ses sbires, risquent d'y venir.

— J'irai dans les bois.

— Alors évite les chemins et observe ton... chien. Fie-toi à son instinct. S'il est inquiet, tu t'éloignes.

D'une voix un peu hésitante, il reprit :

— Il y a une autre solution...

Elle leva les yeux, interrogative.

Ils prirent à sept la soupe du matin. Puis Estublat renferma Marie Ollia à la cave. Il avait du travail et ne pouvait passer son temps à la surveiller. Elle ne résista pas. Ses longs aveux de la veille l'avaient épuisée. Elle en semblait soulagée. Elle craignait certes les vétérans mais, contrairement aux autres, ceux que sa fille nommait les Ombres, ils n'étaient pas des assassins chevronnés. Elle l'avait bien compris.

Les cinq se concertèrent et il fut décidé que Régis, Chandelle et Gaston resteraient ce jour encore à Largnac. De son côté, Jean emmènerait Moïse, dont les compétences juridiques et diplomatiques lui seraient utiles dans ses investigations au Puy. Bourgeois, il savait parler aux bourgeois. Quand Jean évoqua la possibilité d'emmener Alice, ils sourirent en coin sans rien ajouter.

Mené par Boulet, le rouan à crinière noire, le char à bancs filait à bonne allure. Les deux hommes étaient bottés, vêtus de redingotes et coiffés de hauts chapeaux. Alice, habillée en petite paysanne, se réjouissait d'avoir mis des souliers plutôt que des sabots lorsque, au milieu de la nuit précédente, Jean était venu la chercher. Assise entre deux *moussus*, elle avait l'impression d'être une princesse... enlevée par son prince charmant. L'œil en coin, elle admirait le profil dur de ce grand homme osseux qui l'avait embrassée. Il s'était rasé. Elle eut envie de caresser ce menton adouci qu'elle ne connaissait que rugueux. Sa tignasse rebelle aux tempes blanchissantes l'émouvait. Qu'il eût deux fois son âge la rassurait. Quel âge, en fait ? Elle ne s'était pas posé la question. Celui d'être son père ? Elle imagina le hussard dont parlait parfois sa mère. Il était plus beau que Jean ! Certainement ! Mais il n'était qu'un mythe pour elle et, pour Marie Ollia, veuve Chardac, un souvenir pâli. Elle fut triste pour sa mère. Ce qu'elle avait appris au long de cette étrange nuit, avant de s'endormir épuisée, l'avait bouleversée, même si sa génitrice ne lui avait sans doute pas tout dit. La force de son émotion avait pallié la crudité des faits. La Talaurina, cette femme dure et médisante, était une victime. Elle avait vécu l'horreur. Alice le ressentait de tout son être. Elle était enfermée. Jean la protégeait ainsi. Jean. Elle goûta ce nom comme un fruit d'été juteux et acidulé. De nouveau elle l'observa, s'enivra du visage grave de cet homme qu'elle aimait, qu'elle avait aimé d'emblée, sans qu'elle comprenne pourquoi. Il le sentit et tourna vers elle un regard heureux.

Le temps doux donnait à la forêt de petits airs de printemps. L'ex-capitaine tenait les rênes et n'en était pas mécontent. Ça ne lui était plus possible quand il voyageait avec Gaston. Au début, constatant l'amour de l'unijambiste pour ses chevaux, il lui avait abandonné le plaisir de la conduite. Ce n'était pas sans quelque calcul. Il lui fallait faire du meneur des estropiats son allié indéfectible. Plus tard, l'intention oubliée, l'habitude resta.

Contre son flanc, il sentait la chaleur de la jeune fille et en éprouvait un immense bonheur. Étrange impression que d'être amoureux. Il lui jeta un coup d'œil. Les yeux clos, elle s'offrait à l'air vif.

Ils roulèrent longtemps au grand trot. Boulet était infatigable.

Huit, place du Breuil, l'adresse de la dame Anglade. Ils dépassèrent le numéro pour trouver un anneau où attacher le cheval qu'ils laissèrent attelé. Le char à bancs ne déparait pas en bordure de la large esplanade entièrement occupée par toutes sortes de voitures. Ils remontèrent à pied vers leur destination. Les blouses indigo des paysans émaillaient la foule affairée. Le Puy était une capitale rurale.

Alice ouvrait de grands yeux. Avec leurs fenêtres à meneaux, leurs porches décorés et les protubérances hexagonales de leurs escaliers de pierre, les maisons anciennes l'émerveillèrent. Puis elle découvrit l'élégance des femmes de la ville. D'abord, elle s'étonna de leurs coups d'œil peu amènes. Jusqu'à sa rencontre de l'ex-capitaine, ses miroirs étaient l'eau des étangs perdus en forêt, et elle détestait cette finesse qui la différenciait des lourdes paysannes : trop de regards masculins la déshabillaient au marché. Paradoxalement, l'admiration de Jean, cet homme solide surgi de guerres assoupies, l'avait violemment émue, l'émouvait toujours. Sans un mot, sans le moindre compliment, il lui avait révélé le plaisir de sa propre beauté. Sur ce boulevard, croisant des élégantes en longs manteaux bordés de fourrure et chapeaux considérables, elle s'amusait de leur agacement. Sa silhouette longue à la haute poitrine, sa blondeur, son visage d'un parfait ovale, ses traits ciselés, ses fossettes, mais surtout les amandes pétillantes de ses yeux gris les exaspéraient. Elle en ressentit d'abord un perfide amusement, mais la vindicte jalouse des passantes ne tarda pas à lui peser. Si la ville la captiva, elle sut très vite qu'elle n'aimerait pas y vivre.

Le char attaché, ils revinrent au huit de la place. Le demi-solde tira la chaîne d'une clochette sur le côté de la porte. Un tintement au loin, puis on entendit un pas traînant. La porte s'entrouvrit sur le nez pointu d'une concierge.

— C'est pourquoi ?

— Mme Anglade, s'il vous plaît.

Elle scruta les deux messieurs avec méfiance, trouva au premier l'air rogue des gens d'autorité. Le visage rond et les lunettes du second affirmaient le gratte-papier. Son maigre pouvoir de gardienne ne faisait pas le poids face à ces deux probables fonctionnaires. Elle en conçut de l'humeur.

— Troisième étage, aboya-t-elle en s'écartant.

Elle allait refermer la porte quand une fille de ferme entra à son tour. Elle la toisa, la trouva trop jolie pour être honnête.

— Où vas-tu, ma fille ? tonna-t-elle.

— Elle est avec nous, dit sèchement le plus grand des deux hommes.

Elle grommela et se replia dans sa tanière.

— Quelque chose ne va pas avec la vente ? s'exclama la dame Anglade en ouvrant sa porte.

Elle avait reconnu Jean et, tout de suite, s'inquiéta.

— Rien de bien grave, madame, dit l'homme qui accompagnait son acheteur. De simples détails administratifs à régler avec vous. Pouvons-nous entrer ?

Elle les fit asseoir dans un salon désuet, manifestement peu fréquenté.

— Vous avez sans doute appris, commença Moïse, que Me Monchovet a eu un accident de voiture, voici quelques semaines ?

— Non, je l'ignorais. Rien de grave, j'espère, reprit-elle d'un ton peu convaincu.

— Le pauvre homme est mort. Son étude, que je m'apprête à reprendre, s'en trouve bien désorganisée.

Elle dévisagea Jean Charzol, l'air inquiet.

— Vous voulez dire que notre vente...

— Notre vente est dûment payée et enregistrée, la rassura Jean. Il conviendrait cependant de prendre quelques précautions.

La dame Anglade s'alarma. Avec sa petite tête aux cheveux tirés sur un corps mou porté par des jambes maigres, elle ressemblait à une volaille inquiète cherchant un poussin manquant.

— Si j'ai bien compris ce que m'en a dit M. Charzol ici présent, vous deviez vendre le domaine de Largnac et le bois de Jagonaz à un autre acquéreur, n'est-ce pas ?

— C'est exact, hésita-t-elle.

— Vous souvenez-vous de son nom ? Il aurait acquis plusieurs terres et je ne parviens pas à trouver les actes de vente. Me Montchovet, paix à son âme, était abominablement désordonné, et ce nom me permettrait de mettre la main sur ces fichus papiers.

— Il s'agissait du comte de Saint-Capré, demeurant au château de Berbezit.

Les deux hommes se regardèrent.

— Et pourquoi ne lui avez-vous pas vendu votre domaine ? demanda benoîtement le pseudo-notaire.

Elle se troubla et détourna la tête.

— Il... il voulait payer ce superbe domaine un prix dérisoire.

— Combien ? demanda Jean.

— La moitié de ce que vous m'avez donné. Déjà que c'était une misère...

Assise en retrait, Alice écoutait, les yeux écarquillés d'étonnement.

— Les actes étaient prêts pour vendre à ce Saint-Capré, affirma Moïse. Vous étiez donc décidée...

— Vous êtes sûr que cette vente ne peut être annulée ? Même quand je vous aurai tout dit ? demanda naïvement la dame Anglade.

— Absolument, affirma Jean.

— Eh bien, voilà, je ne supportais plus cette terre. Elle est hantée. Elle est maudite !

Elle criait presque.

— Et comment l'avez-vous su ? s'enquit aimablement l'Époumoné.

— La rebouteuse. J'étais allée la voir. Pour mon dos. J'ai mal au dos. Quand ça me prend, ça me remonte le long des jambes et...

— Cette femme qu'on appelle la Talaurina, c'est elle qui vous a dit ça ? la coupa Jean.

— Oui. Elle me soignait. Pour faire la conversation, je lui ai dit que la maison de Largnac et le bois de Jagonaz m'appartenaient, qu'on était voisines puisqu'elle habitait Champvieille. Elle a pris un air catastrophé et m'a dit que le domaine était ensorcelé par les loups, et que derrière ces loups il y avait sûrement le diable.

— Et vous l'avez crue ? s'indigna Jean Charzol.

Il regretta sa véhémence. Alice se mordait les lèvres.

— Non, bien sûr. Mais j'ai eu tort. Une nuit, chez moi, à La Chaise-Dieu, il y a eu des bruits, des volets qui claquaient sans coup de vent. Puis des voix, avec des rires grinçants et les mots « Largnac » et « Jagonaz ». J'ai cru à des hallucinations. J'en ai parlé au curé.

Les trois auditeurs soulignaient ces propos de hochements de tête compatissants. Elle poursuivit :

— Le simple nom de la Talaurina l'a fait pâlir. « Ne dites pas de mal d'elle, c'est un péché. » Il était mal à l'aise. Quand j'ai parlé de la maison hantée, des loups, du diable, il s'est signé, il était tout pâle. Il m'a chassée. Après, j'ai vu le maire qui m'a ordonné de me taire. Il m'a dit que si j'en parlais, ça, affolerait les gens et que je serais responsable de tout un tas de malheurs. Alors je suis allée voir le notaire. Pour lui, tout ça, c'était des histoires. Il n'y avait pas de fantômes, mais de mauvais plaisants qui voulaient me faire vendre ma terre à vil prix. J'étais un peu rassurée, et puis ça a recommencé. Un soir de novembre, dans la rue, le diable m'a sauté dessus. Tout noir, avec des cornes. Il m'a bousculée. « Largnac est mon domaine, pas le tien », grondait-il en me bousculant. « Vends-le à mon serviteur. » J'avais tellement peur que j'ai dit oui. J'ai demandé ce que je devais faire. Il a ri d'un rire terrible, puis il a disparu.

Elle revivait son histoire, s'échauffait, s'effrayait.

— Le lendemain, il est venu me voir, le serviteur du diable, je veux dire. J'ai bien compris que c'était lui !

— À quoi ressemblait-il ? demanda Jean.

— Un grand homme méprisant d'une bonne trentaine d'années, vêtu d'une redingote usée et de grandes bottes crottées qu'il a torchées sur mon tapis. Il m'a dit d'aller chez le notaire pour vendre au comte de Saint-Capré. J'y suis allée. Me Montchovet, lui, n'a pas eu l'air étonné ni inquiet. Il m'a répété que je ne devais pas brader ma terre. J'étais ébranlée, mais le soir suivant, le diable était dans ma chambre. « J'ai vu ta mort », m'a-t-il dit. De nouveau, il m'a bousculée et il a ri... Chez le notaire, ça traînait. Le comte, le diable en fait, voulait payer un prix dérisoire, qui plus est à crédit. Je voulais refuser, puis j'ai pensé au cornu qui m'avait attaquée. Il me tuerait et m'emporterait en enfer si je désobéissais. J'ai donné mon accord. Le notaire a mis deux semaines à préparer les papiers. On a pris rendez-vous pour la signature. Puis, la veille, en soirée, il est passé lui-même me dire de venir une heure plus tôt. Quand je suis arrivée à 8 heures au lieu de 9, c'était vous l'acheteur. Vous avez payé en or le double du prix de l'autre. Et même si ce n'était pas cher, c'était quand même mieux. J'ai signé et vous m'avez amenée ici. J'étais bien contente de quitter La Chaise-Dieu. Voilà.

— Et vous n'avez plus eu de nouvelles du... diable, affirma tranquillement Jean.

— Non. Il... il ne va pas venir ici, dites ? s'angoissa-t-elle.

— Aucun danger, confirma Moïse.

Ils se retrouvèrent au Chapon doré, une excellente auberge de la préfecture. Alice découvrit des mets ignorés et en fut éblouie. Jean la couvait avec émerveillement. Moïse souriait en coin. Au dessert, il leur avoua tranquillement :

— Moi aussi, je vais me marier.

Jean en laissa tomber sa fourchette. Alice rougit.

— Tu vas te marier ? parvint à articuler le demi-solde.

— Peut-être même avant vous !

Il s'amusait, Moïse, de leur surprise. Ils étaient touchants dans leur naïveté, surtout ce grand rustaud de Jean. Alice s'était déjà reprise, et pour ne pas parler de son éventuel mariage, même si elle en brûlait d'envie, elle dit, s'adressant à « son » homme :

— Voyons, Jean... Tous les jours, il va voir la Marie Nalette. Il prend la traversière des prés qui descend tout droit sur La Souchère.

L'avait-elle aperçu lors de ses vagabondages ? Jean l'observa. Une lueur dans son œil lui confirma qu'elle bluffait.

— À leur âge, il faut régulariser rapidement, ajouta-t-elle. Pourquoi une veuve jouerait-elle les jeunes filles effarouchées ? La vie est trop courte !

Observant l'Époumoné en coin, elle poussait ses investigations par petites touches perfides. Lequel Époumoné piqua un fard.

— Félicitations ! lui dit Jean. La Marie Nalette m'a tout l'air d'être une femme bien.

Ses yeux riaient.

— Car c'est elle, naturellement.

Moïse hésita, jeta un bref regard en coin à Alice et répondit, la désignant :

— Cette sale gamine ne savait rien mais a deviné juste. Mon pauvre Jean, tu seras mené par le bout du nez.

— Comme toi, répondit-il. Méfie-toi des femmes trop douces, elles font ce qu'elles veulent des hommes. À quand la noce ?

— Ben... J'sais pas... Rapidement...

— Aurais-tu mis Pâques avant les Rameaux ? rigola Jean.

— J'avais pensé... On pourrait faire la fête à Largnac, biaisa Moïse.

Jean réfléchit.

— À La Chaise-Dieu plutôt. Dans la salle du chapitre. Ce serait bien d'avoir beaucoup d'invités. Ce serait même l'occasion...

Il réfléchissait tout haut. Ses deux compagnons le regardaient, sourcils levés.

— Et très vite ! Pourquoi pas dans huit jours ou la semaine suivante ?

Moïse Gorget en resta bouche bée.

— Toi, tu as une idée derrière la tête, dit-il enfin.

— Pas encore vraiment, dit Jean, mais ça vient.

Ils repartirent du Puy en début d'après-midi. Alice était soucieuse et le demi-solde s'en inquiéta.

— C'est ma mère... Je n'imaginais pas qu'elle ait pu effrayer les gens, leur raconter des mensonges, tout ça. Pourquoi n'a-t-elle pas prévenu les gendarmes ? Elle aurait dû tout leur raconter. C'était leur rôle d'arrêter ces malfaisants !

Les deux hommes se regardèrent, se comprirent. La vérité ? C'était la révélation du passé de la Talaurina, de sa flétrissure. Les avait-elle avoués à sa fille ? Si Alice savait, cela raviverait une douleur, si elle ignorait tout, ce serait pire.

— Ta mère est comme nous, dit Moïse. Elle a connu tant d'horreurs, vu tant d'injustices qu'elle ne croit plus qu'en elle-même. Alors, elle se bat comme elle peut.

— Mais c'était de la lâcheté.

— De la peur, dit le demi-solde. La peur, oui. Nous, on l'a connue à la guerre. Elle casse les plus braves, rend lâche et égoïste pour survivre.

— Mais toi, Jean, tu n'as jamais été lâche.

Moïse rit.

— Si on n'l'a pas été, c'est qu'on a eu de la chance. Celle de n'avoir pas connu des situations où sa propre survie dépend de la mort des autres. Ça arrive. Qu'est-ce qu'elle pouvait faire d'autre, ta mère ? Refuser et se faire assassiner ?

— Mais les gendarmes...

— Elle aurait dû dire son nom, raconter sa vie. Son histoire lui appartient, dit Jean. Elle a choisi de protéger ses secrets.

Le regard perdu sur la route qui défilait, Alice réfléchissait.

— Elle ne m'a peut-être pas tout dit, murmura-t-elle, atterrée.

Elle les regarda.

— Mais vous savez, vous ! s'exclama-t-elle. Et vous allez me dire la vérité. J'y ai droit !

Jean respira un grand coup, puis il parla avec la rudesse des campagnards que vingt-deux années passées dans l'armée n'avaient pas allégée. Mais Alice était solide comme les grands sapins de ces terres froides. Elle pouvait entendre.

— À cause de son don, elle a été amenée à soigner le comte de Saint-Capré, l'autre, le père de celui qui veut accaparer la région. Et il a abusé d'elle.

— Abusé d'elle ?

— Il l'a violée quand elle avait onze ans. Il a continué ensuite. À quatorze, pour se défendre, elle l'a fait souffrir comme elle savait le faire. Il a eu une crise cardiaque. Un procès pour meurtre a eu lieu, et elle, la vraie victime, parce qu'elle était très jeune, n'a été condamnée qu'à la flétrissure.

— Qu'est-ce que c'est ?

— Une marque au fer rouge. Tu n'as jamais rien remarqué sur son épaule droite ?

— Si. Il y a comme une fleur. Elle n'aime pas que je la voie.

— C'est ça, la flétrissure, cette cicatrice, une marque qu'on ne peut enlever et qui est facile à reconnaître. C'est comme s'il était écrit : « Je suis une putain et une meurtrière. »

— C'est épouvantable ! dit-elle en levant sur eux un regard où la colère le disputait à l'émotion.

Les deux hommes acquiescèrent.

— C'est pour ça qu'il ne faut pas juger ta mère, conclut Jean.

Les yeux d'Alice se mirent à briller de larmes.

— Vous... vous allez lui pardonner d'avoir voulu mettre le feu à Largnac ?

— Elle n'y est pas parvenue. Il n'y a pas eu de dommages pour nous. Mais on va quand même la surveiller et faire en sorte qu'elle ne recommence pas.

— Comment ça ?

— En mettant hors d'état de nuire ce bandit de Saint-Capré, dit Moïse Gorget. Comment ? Jean semble avoir une idée...

— Que vas-tu faire ? insista-t-elle d'une voix anxieuse.

— Trop tôt pour en parler. Il faut que je réfléchisse encore.

— Et ma mère, après, elle pourra revenir chez elle ?

— Bien sûr. Elle sait soigner, et les gens ont besoin d'elle. Quand elle n'aura plus aucune raison d'avoir peur, elle ne fera que ça. Et toi, tu l'aideras.

Alice ouvrit de grands yeux.

— Je pense que tu as le don, toi aussi. Tu lui demanderas de t'apprendre.

La route défilait. Boulet maintenait le grand trot malgré douze lieues dans les pattes. Il est vrai qu'il avait eu une longue pause au Puy, agrémentée de quelques mesures d'avoine dans sa musette-muselière.

On arrivait à un carrefour. Les deux hommes se regardèrent.

— On y va, répondit Gorget à l'interrogation muette du demi-solde.

L'attelage prit la route de gauche et s'enfonça dans un paysage de collines de plus en plus pentues.

— C'est la route de Berbezit ! s'exclama la jeune fille.

Le manoir des Saint-Capré se dressait au fond d'une cour aux pavés disjoints. Construite au XVIIe siècle, c'était une bâtisse de granit non dépourvue d'élégance, avec son pavillon central encadré de deux ailes symétriques. Moïse, seul sur la banquette du cocher, arrêta l'attelage devant la grille rouillée. Tenant une sacoche de cuir sous le bras, il traversa l'espace désert et remarqua des traces de roues menant à une remise fermée. Il atteignit la double porte en chêne travaillé évoquant une gigantesque porte d'armoire. Le heurtoir résonna dans un hall qu'on devinait désert. Un pas en martela les dalles et le vantail s'ouvrit. Un trentenaire au visage dur s'enquit d'un ton rogue :

— C'est à quel sujet ?

— Je viens de la préfecture du Puy, dit Gorget. Je souhaiterais m'entretenir avec monsieur le comte.

— Il ne reçoit pas, dit le cerbère.

— Mais si, mais si, l'interrompit une voix douce.

L'homme s'écarta à regret, dévoilant un personnage amaigri portant vêtement Louis XV et perruque poudrée. Moïse le suivit le long d'un couloir glacé. En retrait de deux pas, le portier les suivait. Le spectre d'un autre âge ouvrit une porte et fit passer Gorget, entra, puis referma le battant au nez de leur suiveur. L'arrivant se demanda si ce dernier n'allait pas rester aux aguets derrière la porte.

Les deux hommes se tenaient debout dans un salon délabré de belle taille. De hautes fenêtres à petits carreaux, donnant sur un parc en friche, l'éclairaient. Une lèpre humide rongeait par endroit les feuilles d'acanthe, peintes en fresque sur les murs. Les lourds fauteuils Régence, garnis de tapisseries aux petits points passablement usées, exhibaient des blessures d'où dépassait du crin. Dans la cheminée, un maigre feu peinait à tiédir l'air.

— Asseyez-vous, dit l'hôte.

Moïse le détailla. Il semblait encore jeune, avait bonne mine. Presque trop. Était-il maquillé ? Et ce grain de beauté au coin de ses lèvres était-il une mouche comme en portaient les élégantes et les précieux au temps de la Pompadour ? Ça ne tenait pas debout. Cet échalas était trop jeune pour avoir connu ce temps-là. Son habit vieillot, en soie, était tâché et déchiré par endroits, mais il n'en semblait pas gêné. Beaucoup d'aristocrates en exil avaient connu la misère. Celui-ci en était un beau spécimen. Sans doute terminait-il d'user de vieux habits.

— Monsieur, commença Moïse.

— Appelez-moi monseigneur, l'interrompit son vis-à-vis en fronçant les sourcils.

— Excusez-moi, Monseigneur. Vous êtes bien le comte de Saint-Capré ?

L'homme opina avec une grâce maniérée.

— Je suis heureux de vous voir revenu sur vos terres après ce long exil, monsieur, reprit Gorget.

— Monseigneur, reprit l'autre distraitement. Vous parlez d'exil, mais de quel exil ? J'étais en voyage ! J'ai visité l'Allemagne, l'Autriche, la Pologne et même l'Angleterre au cours des années passées.

— Et qu'y avez-vous vu, Monseigneur ? s'enquit Moïse, intrigué.

— Mais la bonne société de ces régions, naturellement, répondit l'autre.

— Et plus précisément ?

Le comte fronça les sourcils sans qu'on puisse savoir s'il était contrarié ou s'il traquait des souvenirs rétifs.

— Des gens bien nés, charmants et de bonne compagnie, finit-il par dire.

Les yeux globuleux de l'émigré dévisageaient Gorget avec une pesante insistance. Avait-il bien saisi la vérité hautement complexe du propos ? Ce regard fixe avait cette vacuité qu'on observe parfois chez les nourrissons : des miroirs de l'instant ne reflétant ni passé ni référence. Le visiteur en ressentit un certain malaise.

« Il se fout de moi », songea-t-il en détournant la conversation.

— Vous voilà donc revenu sur vos terres...

Son interlocuteur tendit ses jambes vers l'âtre.

— Mes terres, dites-vous ? Depuis la nuit des temps le domaine des Saint-Capré se situe entre Allègre et La Chaise-Dieu. Mon trisaïeul, Taddé de Saint-Capré de Marmias, époux d'une Polignac, disait qu'il accompagnait le titre de comte donné par Charlemagne à notre ancêtre en récompense de sa bravoure.

— Mais la Révolution...

L'échalas haussa un sourcil.

— De quoi parlez-vous ?

Il semblait sincère. De nouveau, Moïse se sentit désemparé.

— Mais votre absence..., reprit-il sans répondre à cette question incongrue. Les événements récents n'ont-ils pas... comment dirais-je... quelque peu désorganisé vos biens et singulièrement compliqué... la forme juridique de vos titres de propriété, par exemple ?

Saint-Capré le regarda avec une profonde incompréhension, puis sourit ingénument :

— Vous faites sans doute allusion à la paperasse. Je ne m'en soucie guère. Mon secrétaire s'en charge. Il est tout à fait compétent. Mais voyons, cher monsieur, je n'ai pas bien retenu votre nom...

— Nicolas Pontus, improvisa Gorget, agent du Trésor.

Il hésita et rajouta : « royal. »

— Pontus, dites-vous. J'ai connu à Coblence un Pontus de Trévoux. Seriez-vous son parent ?

— À Coblence ? À la cour des princes ? demanda Gorget, jouant le jeu des mondanités.

— C'est cela même ! répondit-il en se rengorgeant.

— Pontus de Trévoux était mon oncle, répondit Gorget, poursuivant son bluff.

— Alors nous sommes parents, conclut le comte. Revenez me voir, cher cousin. Nous parlerons de la famille. Je dois maintenant vous quitter, c'est l'heure de ma potion.

— Déjà ?

À peine quelques minutes d'entretien, et l'hôte manifestait une lassitude proche de l'agacement.

— Hélas ! ma santé n'est point florissante, et l'heure de ma médication est impérative, dit-il, sa voix montant d'un ton.

Maigre récolte pour l'enquêteur qui n'avait pas appris grand-chose. Il tenta d'insister.

— Il faut vous soigner, en effet, reprit-il, patelin. Que prenez-vous donc ?

— Une décoction brune passablement désagréable. Elle a un goût terreux fort marqué, mais elle m'évite d'épuisantes céphalées. N'est-ce pas commode ?

— Incontestablement, cher cousin, incontestablement, confirma Moïse, étonné par le qualificatif.

L'hôte s'était levé et se dirigeait vers la porte. Il fallut bien prendre congé. L'escogriffe démodé reconduisit son visiteur jusqu'au seuil de la demeure. Moïse lui fit un profond salut que le fat accueillit en agitant d'une main molle un mouchoir de dentelle.

Le visiteur s'éloigna décontenancé. Cet homme lui semblait insignifiant. Dehors, il grimpa prestement sur le siège du char à bancs et lança le cheval pour s'arrêter une centaine de mètres plus loin devant un bouquet d'arbres. Deux silhouettes en jaillirent qui grimpèrent à ses côtés.

17

Initiation

Un claquement de langue, une secousse sur les rênes et, docile, le rouan se mit à trotter. Mine de rien, Moïse observait ses compagnons. L'un et l'autre avaient de belles couleurs et le souffle court. Il eut un sourire discret.

— Ce Saint-Capré est totalement inconsistant, dit-il un peu plus tard, tandis que Boulet galopait pour gagner sur le crépuscule. Épris d'une noblesse compassée, il est bien loin de la réalité. Ce n'est pas notre homme.

— Tu es sûr ? insista Jean.

— Il vit misérablement, et je ne l'imagine pas en brute terrorisant la région entière pour accaparer les terres.

— La dame Anglade s'est peut-être trompée, hasarda Alice.

— Ce serait surprenant, dit l'ex-capitaine. Elle a répondu sans hésiter. Notre homme jouerait-il la comédie ?

— Possible, dit Moïse, mais je n'y crois pas. Son discours était parfaitement naturel. Il était vêtu à la mode d'il y a cinquante ans. C'est un original. Il a un secrétaire qui s'occupe de ses affaires. Un individu peu sympathique. Il m'a parlé d'une potion qui calme ses maux de tête. Une décoction brune qu'il dit fort efficace.

— De l'opium ? questionna Jean.

— Ce n'est pas exclu. Mais a-t-il les moyens de s'en offrir ? Il m'a paru bien misérable.

— L'opium, qu'est-ce que c'est ? demanda Alice.

— Une drogue issue d'une espèce de coquelicot, expliqua Moïse. Ça calme, et ça fait rêver. Lors de la campagne d'Égypte, quelques officiers supérieurs en prenaient, comme certains vizirs ou riches commerçants d'Orient, pour le simple plaisir de se sentir ailleurs.

— Ton bonhomme a peut-être une double personnalité ?

— Il paraît tout ce qu'il y a de plus inoffensif.

— Ce n'est peut-être pas lui, le comte de Saint-Capré, hasarda Jean Charzol. Il sert de bouc émissaire ou de masque. Le vrai comte se fait alors passer pour lui et reste dans l'ombre.

— C'est un peu tiré par les cheveux, non ? répondit l'Époumoné.

Ils se turent, soucieux.

— Ce détour ne nous a guère avancés, conclut l'ex-capitaine au bout d'un moment.

— Qu'est-ce que vous allez faire, maintenant ? demanda Alice aux deux vétérans.

— Qu'en penses-tu ? demanda Jean à Moïse.

— Il s'agit d'une formidable escroquerie à la terre. Si le nœud de l'affaire n'est pas à Berbezit, il doit être chez le notaire. Il a dû garder des papiers, des actes.

C'est par là qu'il faut chercher. Mais il nous manque un début de piste !

Concentré, les sourcils froncés, Jean méditait le propos. Le jour de l'accident, le clerc Buisson avait fouillé nerveusement la sacoche du mourant avant de la refermer avec humeur.

Il n'avait pas trouvé ce qu'il cherchait.

Depuis lors, presque deux mois maintenant, rien n'avait évolué. Les forbans n'avaient donc pas encore trouvé les papiers du notaire. Il leur manquait un indice, la clé de la cachette. Jean sursauta. Il venait de comprendre. La solution était à portée de main. Il lui fallait réfléchir encore, s'organiser.

— Ton début de piste, dit-il, ça se pourrait bien que je le tienne.

Alice et Moïse échangèrent un regard et se turent. Tous deux connaissaient leur homme, sa répugnance des propos hasardeux. Il ne dirait rien avant d'avoir des éléments de preuve, des débuts de certitude.

Il reprit bientôt la parole :

— On a besoin du détail des ventes faites à ce Saint-Capré. Mais, maintenant que le notaire est mort, où va-t-on s'adresser ?

— Tu as oublié qu'au pays tout le monde sait tout, dit Gorget.

— Tu penses à la mère Puchat ? questionna le demi-solde.

La nuit tombait quand ils parvinrent à La Chaise-Dieu. Laissant l'attelage à l'auberge du Coq-Rouge, ils se dirigèrent à pied vers l'abbatiale. Alice la contemplait avec admiration, et Jean en fut réjoui.

— C'est la plus belle de toutes les églises, dit-il. J'en ai mille fois rêvé durant toutes ces années.

La jeune fille sourit, heureuse de cette harmonie. Déjà ils quittaient la place, s'enfonçaient dans les ruelles. Une impression bizarre saisit les deux hommes à l'approche de l'estaminet. Une odeur désagréable, vaguement familière. Ils se regardèrent, soudain inquiets. Des maisons, des villages et même des villes en flammes, ils en avaient trop vu pour oublier leur remugle délétère.

— Ils ont mis le feu chez elle ! s'écria Jean, songeant à l'algarade de la veille.

Ils se mirent à courir.

Les fenêtres n'étaient plus que des trous sombres. La porte, à demi consumée, pendait, dégondée. Le toit s'était partiellement effondré. Ils entrèrent. La bistrote était là, au milieu des ruines de sa vie. Elle avait fait des bagages, regroupé ses pauvres biens en un tas misérable.

— Mère Puchat, appela Moïse d'une voix émue.

— Ah ! c'est toi, mon garçon, avec le Jeannot et sa promise.

Alice ouvrit de grands yeux, tandis que Jean se contraignait à sourire.

— Décidément, dit-il, moi qui me croyais discret !

Alice rit, se serra contre lui. La vieille femme sourit, puis la tristesse l'accabla à nouveau.

— Qui a fait ça ? tonna soudain l'ex-capitaine, brusquement submergé de colère.

— Les prétendus Verdets qui veulent accaparer le pays, le petit notaire en tête.

Moïse serra violemment le bras de l'ex-capitaine. Alice avait pris un air suppliant. D'un violent effort, Jean se maîtrisa.

— Comment ça c'est passé ?

— Ils étaient deux en plus de l'Alfred du Buisson, avec des cocardes blanches à leur chapeau et une feuille verte passée dans le ruban. Je les ai bien observés. Il était quoi ? 1 heure, 1 h 30. Ils se sont mis à boire, un verre, un autre, un troisième. Ils ont vite été gris. Alors ils ont commandé deux flacons de kirsch. J'ai demandé à voir leurs sous. Ils ont crié. Craignant qu'ils ne cassent tout, je leur ai apporté ce qu'ils voulaient. Ils ont continué à s'enivrer. L'un d'eux s'est moqué de moi, et ça a dégénéré en insultes, en menaces. J'en ai vu d'autres, j'attendais que ça se passe. Par malheur, le petit notaire, qui visiblement tenait moins bien l'alcool que les autres, a renversé une des deux bouteilles. La gnôle a coulé sur la table et sur une chaise. Alors, le plus grand a rigolé. Il a pris la seconde bouteille et l'a vidée sur la cloison de bois. « Écartez-vous, a-t-il dit. On va lui apprendre à vivre, à cette vieille folle. » Un gars à la boisson mauvaise. Il a sorti son briquet, a battu la pierre, et waouff ! Tout s'est embrasé. Alors, ils sont sortis. Le temps que les secours arrivent, il n'y avait plus rien à sauver.

— Les gendarmes sont venus ?

Elle soupira.

— Je leur ai décrit les agresseurs. L'adjudant semblait les connaître. Il a demandé : « Y a des témoins ? Quelqu'un d'autre les a vus ? » Sont pas courageux, les voisins. Peut-être aussi qu'y z'avaient rien vu ou bien qu'y z'avaient peur. « Je vais rendre compte », a conclu le guignol.

Les deux hommes se regardèrent.

— Alors, vous aussi, vous pensez qu'il n'en sortira rien, conclut la mère Puchat.

Ils hochèrent la tête.

— Elle était à vous, la maison ? demanda Moïse.

— C'était tout mon bien...

— Vous les reconnaîtriez, si vous les croisiez ? demanda Jean d'une voix sourde.

Il avait repris son sang-froid, mais sa rage grondait, cachée comme le feu dans un four à pain.

— Oh ! oui. Et je les poursuivrais jusqu'en enfer pour leur faire payer.

La rage du demi-solde l'avait contaminée. Le désespoir et la résignation allaient mal à la mère Puchat. Des alliés entrevus, et le courage revenait.

— Nos ennemis sont les mêmes, dit Moïse.

— « S'il faut se battre, on se battra ! », s'exclama la vieille femme. C'est bien c'que t'avais dit, l'autre jour, Jeannot...

— Oui, confirma-t-il. Même que Gaston avait ajouté : « Nous sommes cinq maintenant et nous avons quelque chose à défendre. »

— Et j'avais répondu « Six », dit l'aubergiste.

— Où voulez-vous aller avec ces colis ? demanda Moïse.

— Où veux-tu que j'aille, sinon à l'hospice des vieux ? soupira-t-elle.

Les deux hommes se regardèrent, tandis qu'Alice, spontanément, la prenait dans ses bras, la serrait contre elle.

— Au fait, dit Jean d'un ton péniblement badin, on va avoir besoin d'une cuisinière pour la noce de Moïse...

Pour la première fois, la bistrote sourit.

— Ah ! parce qu'il se marie, ce galapiat. Et avec qui ? Attendez, que je devine... Qui pourrait lui convenir du côté de La Souchère ? Ben oui, évidemment, la Marie Nalette !

La bouille ronde de Gorget se fendit d'un grand sourire.

— Sans compter qu'une fois la noce passée je ne pourrai plus faire la cuisine à Largnac, puisque j'habiterai avec Marie. Il faudra donc quelqu'un pour me remplacer.

— C'est Régis qui va être content, rigola Jean Charzol.

— Ah bon ! Et pourquoi ? demanda Moïse en fronçant les sourcils.

— Pour rien, pour rien...

— Bon, la nuit tombe. On y va, dit Jean en empoignant deux gros colis. L'Époumoné et Alice firent de même, tandis que la mère Puchat, souriante, dit :

— Je préviens les voisins et j'arrive.

Moïse avait pris les rênes. La mère Puchat s'était installée à côté de lui. Alice était montée à l'arrière du char à bancs avec Jean. Bercée par le pas du cheval au pas, elle avait posé sa tête sur son épaule et somnolait. Elle ne voulait pas entendre les murmures du cocher à sa voisine. Il était beaucoup trop question de la Talaurina...

Ils se retrouvèrent huit à table : cinq hommes et trois femmes. Sitôt entrée dans la maison, l'arrivante avait agrémenté la soupe d'une pincée d'herbes et d'une cuillerée de saindoux. Alice jouait les marmitonnes tandis que la Talaurina, sous le regard de feu de Régis, restait dans son coin sans bouger.

Au repas, Jean raconta brièvement l'attentat contre leur nouvelle cuisinière, qui décrivit ses agresseurs. La rebouteuse ouvrait de grands yeux.

— Ce sont eux, les Ombres ? lui demanda brutalement sa fille.

Elle hésita.

— Ces deux-là, oui, mais il y en a deux autres.

Un silence lui répondit, que brisa Jean Charzol.

— Alors, Marie Ollia, demanda-t-il brutalement, t'es l'amie de ces crapules, ou t'es avec nous ?

La femme le regarda, de la terreur dans les yeux. Alice jeta à l'ex-capitaine un regard brûlant de reproche. La mère Puchat intervint.

— Laisse-la, Jeannot. Nous discuterons de tout ça entre femmes, dans la soirée. Jean, qui s'était levé, se rassit. Alice boudait. La rebouteuse s'était fermée comme une huître. Le climat se faisait pesant.

Estublat réagit le premier.

— C'est le jour de la goutte, plaisanta-t-il. Elle a été mal utilisée une première fois. Il faut corriger cette erreur. Buvons un coup pour fêter l'arrivée de la mère Puchat.

Il brandit la bouteille.

— Tu la casses pas, dit Chandelle, et personne ne sort son briquet.

— Et comment j'allume ma pipe ? grogna Régis.

Gaston servit tous les convives. Sauf la Talaurina. Alors Alice tendit son verre à sa mère.

Les hommes se regardèrent. Aucun ne bougea.

— À ta santé, Marie Ollia, dit la mère Puchat d'un ton léger. Je compte sur toi pour que cette mauvaise bête de Talaurina cesse d'accabler les victimes des voyous qui ont brûlé ma maison.

Elle s'était approchée de la rebouteuse et levait son verre. L'assemblée s'était figée. Le regard de la femme mûre luisait, aigu, pénétrant. Son interlocutrice comprit qu'elle devait répondre au rituel, tout de suite ou jamais, et que ce serait un engagement définitif, lourd de conséquences. Elle regarda les hommes, l'un après l'autre. Jean affichait un visage grave. Le sourire en coin d'Estublat était plus ironique que malveillant. Chandelle la détaillait de son œil unique d'un air vindicatif. Il avait la rancune tenace. Régis était hostile, mais pas plus que d'habitude. Alice suppliait sa mère des yeux. Alors la sorcière, la rebouteuse redoutée, baissa la tête. Brusquement, elle saisit le verre tendu et le leva.

Face à face, les deux femmes trinquèrent. La Talaurina s'était sacrifiée pour sa fille.

Le silence s'installa. La fatigue s'appesantit sur les convives.

— On va installer Mme Puchat dans la petite chambre, à l'est, dit l'ex-capitaine d'une voix lasse, si ça lui convient.

— Merci, Jeannot. Ça m'ira très bien. Je suis des vôtres, si j'ai bien compris.

Les hommes applaudirent.

— Autre chose : plus de « mère Puchat », plus de « madame ». Je ne suis pas assez vieille pour mériter ça. J'aurai soixante ans aux cerises, c'est l'âge de la sagesse, pas celui du cercueil. Mon prénom est Émilie et c'est comme ça que vous allez m'appeler.

— Entendu, Émilie, dit Estublat. Mais ça va être dur.

Il souriait. Régis se leva et jeta des branches de sapin dans le feu, qui crépita. Chandelle bâilla. La vie redevenait normale.

— Venez m'aider à m'installer, dit Émilie aux deux autres femmes. Marie, tu dormiras dans ma chambre.

Le borgne tressaillit, mais ne dit rien. Les trois femmes sortirent. Restés seuls, les hommes se regardèrent.

— Qui n'a pas confiance dans la mère Puchat, dans Émilie, je veux dire ? demanda Estublat.

Même Chandelle resta coi, malgré la sympathie qu'elle avait manifestée à la Talaurina. Ils fumèrent en silence, les pieds près du feu. Au-dessus de leurs têtes, ils devinaient la vie à mille bruits ténus : un craquement de parquet, des bribes de conversation, un volet qu'on fermait.

Une page était tournée à Largnac.

Les bruits cessèrent peu à peu. Un à un, les hommes montèrent. Jean sortit, resta un moment dehors à réfléchir. L'ennemi pouvait réagir cette nuit même, et l'ex-capitaine contrôla les pièges. Il soupira. Ces vérifications étaient inutiles. Leur seul but était de retarder l'instant de monter se coucher. Où était Alice ? Où dormirait-elle ? Oserait-il aller la chercher ? Il se sentait abandonné. C'était ridicule. Qu'espérait-il ? Non, elle ne serait pas dans son lit. Il rentra, monta pesamment l'escalier, poussa la porte de sa chambre avec désespoir.

Le sentiment d'une présence l'arrêta. Alice. Cet espoir absurde, qu'il avait peiné à éteindre, s'était rallumé telle une braise jetée au vent. Sa bougie n'éclairait pas grand-chose. Il fallait la tenir haute pour bien y voir. Il eut le plus grand mal à la brandir.

— Tu m'éblouis, dit-elle.

Son cœur manqua un battement, puis s'affola. Les cheveux pâles de la jeune fille auréolaient son visage pur. Elle souriait.

— Tu m'aimes, affirma-t-elle. Pour la vie.

Il eut envie de pleurer. Il étouffait de bonheur. Il n'osait pas avancer. Pris d'une pudeur imprévue, il souffla sa chandelle, se dévêtit dans le noir et se glissa dans le lit, un de ces lits bateaux que l'on disait bâtards à cause de leur largeur excessive pour un dormeur, exiguë pour un couple. À deux, on y était serrés. Jean s'y glissa, s'étendit sur le dos, immobile, tendu. Aussitôt, elle se colla à lui.

— Tu es glacé, dit-elle.

Elle resta immobile contre son flanc, absorbant sa froidure au prix de sa chaleur. Il n'osait bouger, alors, timidement, elle caressa son torse, perçut le battement sourd de son cœur.

— Il bat fort.

Il pivota face à elle, posa sur sa poitrine sa grande main durcie de cals rêches. Il la voulait légère comme s'il craignait de blesser ses seins drus qui tressaillirent à l'effleurement de leurs pointes.

— Le tien aussi, dit-il. Ils vont trop vite.

Comment se retrouvèrent-ils enlacés ? Elle le serrait à l'étouffer, gémit en prenant sa bouche. Plaquée sur lui, secouée de soubresauts imprévisibles, brûlée de désir, elle le rendait fou. Mais, comme lors de ses terribles colères, il se contraignait à ne pas céder, à ne pas bouger.

— J'ai peur, dit-elle. Mais tu ne peux pas, tu ne pourras jamais me faire mal.

Enivré d'un rut primitif contenu à grand-peine, il sentit qu'elle s'ouvrait, qu'elle cherchait de son ventre son sexe dressé. « Il est trop gros, songea-t-il, je vais la blesser et elle me haïra. » Pourtant, ainsi immobile, il était innocent. Seule bougeait Alice. Petite femelle amoureuse, elle savait d'instinct conquérir le mâle. Sans qu'il ait compris, elle se fit plus lourde, rampa sur lui de toute sa peau. Ses jambes le chevauchaient, sa moiteur incendia son sexe. Malgré lui, ses mains d'homme caressèrent le dos soyeux, les hanches douces, les reins creusés de la jeune fille, puis s'arrondirent en conque sur ses fesses pommées. Qui provoqua l'inéluctable ? Il la serra tandis qu'elle s'empalait dans un spasme. Il fut en elle en une double brûlure.

— Oh ! s'exclama-t-elle.

Pour se faire pardonner, il la bâillonna d'un baiser tandis qu'elle se soulevait comme pour lui échapper. Le poids de ses mains, sans qu'il l'appesantît, sembla la dissuader, et elle se mit très lentement à onduler. Alors, peu à peu, il l'accompagna, bridant sa vigueur en mouvements coulés, de plus en plus puissants, en lenteur maintenue. Elle avait eu deux ou trois soupirs douloureux, puis elle s'était tue, reprenant son souffle en apnées courtes. Soudain monta en elle un grondement, presque grave, comme né d'un effort violent. Il s'enfla vers les aigus, devint un cri qu'elle étouffa en se mordant les lèvres. Passionnée, elle voulut hâter la pulsion qui l'emportait, mais les mains de Jean maintinrent leur rythme insupportable. Ses yeux s'écarquillèrent d'étonnement, son souffle s'affola. La tourmente d'une jouissance inconnue, pleine et brutale, la submergea avant de culminer lorsqu'en elle jaillit le sperme bouillant de son amant.

Le jusant les ramena à un bonheur doux. Moites, immobiles, haletants, ils restaient enlacés. Bruits ténus de la maison endormie, cris furtifs des bêtes de la nuit, peu à peu la vie extérieure osa exister. Leurs cœurs ralentirent jusqu'à la paresse. Jean sentit peu à peu Alice s'alanguir, s'alourdir. Alors, très doucement, il pivota sur lui-même et la déposa contre son flanc.

— Alice, murmura-t-il.

Il n'eut aucune réponse. Alors il s'interdit tout mouvement pour ne pas l'éveiller, et sombra à son tour.

18

La clé

Ils dormirent tard et descendirent les derniers. Au lieu des airs entendus qu'ils craignaient, on les fêta. Émilie était passée par là. La Talaurina se surprit même à sourire tant sa fille rayonnait.

— Il y aura deux mariages, dit Jean. Dès que possible. Mais avant, il nous reste à nous libérer des voyous qui pillent le pays.

— On s'arme, on les massacre, dit Régis avec une envie certaine. Un bel acte de guerre.

— Sauf qu'on n'est pas en guerre et que la vengeance privée est interdite, dit Moïse. Je n'ai pas envie de finir au gibet.

— D'autant plus qu'on ne les connaît pas vraiment, compléta Jean.

— On peut quand même pas les laisser faire ! clama Chandelle.

— J'aimerais bien en découdre, dit Estublat, terminer ma carrière de sabreur en pourfendant ces rats !

— À l'exception de Marie et d'Émilie, ils ne nous ont pas beaucoup nui, dit Jean. La vengeance, ou du moins la simple justice, doit être réservée aux vraies victimes des sbires qui se cachent sans doute derrière le fou de Berbezit. C'est par elles que nous allons agir.

— Qui sont-elles précisément ? demanda Alice.

— Tous les paysans qui ont été contraints de vendre leur terre à vil prix pour échapper à la terreur ou au meurtre.

— Et comment tu vas t'y prendre ? demanda Moïse.

— Les paysans spoliés : on va les recenser, les regrouper et faire bloc avec eux, dit Jean.

— Beau programme, ironisa Estublat. Concrètement, tu vas les inviter à la noce ?

Jean le regarda d'un drôle d'air.

— Émilie, tu les connais ? demanda l'ex-capitaine.

— Presque tous, oui.

— Ils ont quitté leurs terres ?

— Pas à ma connaissance, répondit-elle.

— Pourtant, les plus anciens, ça fait des mois qu'ils ont signé leur acte de vente ! dit Chandelle.

— Ils ont dû devenir fermiers ou métayers de leurs propres terres, précisa Moïse. C'est légalement possible.

— Alors ces bandits ont de l'argent, conclut le borgne, dépité.

— Sans doute pas. Les fermages se paient les 25 mars et 27 novembre. Les nouveaux propriétaires n'ont encore rien touché.

— Il faut tout résoudre dans le mois qui vient ! Qu'ils ne touchent rien ! décida Régis. Ensuite, ils auront des moyens et seront plus difficiles à vaincre.

— La rumeur prétend que, dans toute cette affaire, il y aurait des problèmes de paperasse, intervint Émilie.

Jean se leva brusquement.

— Le notaire ! Me Montchovet, il bloquait la vente ! J'en suis sûr tout à coup.

— Et alors ?

— J'ai une idée. Quelques points à vérifier et on va les coincer.

Il sortit de la grande salle, le visage sévère, le geste décidé. Les trois femmes entreprirent de débarrasser la table. Les hommes, encore assis, traînaillaient.

— Allez, les filles ! s'exclama Émilie. Chassez-moi tous ces *fainiants*. Ils ont sûrement à faire dehors ! On va faire le ménage en grand. Il y en a bien besoin.

— Pas moi, dit la rebouteuse, j'ai mes pratiques à soigner.

Dehors, Jean fit signe à Régis et à Chandelle qui le rejoignirent.

— Dites à Estublat de reconduire la Talaurina dans un quart d'heure. Vous deux, partez tout de suite par les bois et allez reconnaître les lieux. En cas de difficulté, arrêtez Gaston et revenez chercher du secours. Un de vous pourrait surveiller sa maison aujourd'hui. Il pourrait bien se passer quelque chose.

— On s'armera, affirma Régis.

Chandelle opina.

Remonté dans sa chambre, Jean ouvrit son armoire, se dressa sur la pointe des pieds et le bras levé, fouilla à l'aveuglette le rayon le plus élevé. Où avait-il mis ce chapeau ? Il le trouva sur le dessus du meuble. Les choses étaient claires dans sa tête. Il fallait agir vite. Qu'avait dit exactement Me Montchovet agonisant ? Il fouilla sa mémoire : « ... Mon chapeau... la ... lé ... le ... semain... étude... » Pourquoi avait-il parlé de son couvre-chef ? Pourquoi le lui avoir donné ?

Il le posa sur la table et l'observa, le changea de face, le renversa. C'était un chapeau récent, haut, conique, à la mode du temps. Il le posa à l'envers et ouvrit de grands yeux. Un récipient. Il était stupide de ne pas y avoir pensé. On pouvait y cacher quelque chose à condition que ce soit petit. « La ... lé » ? La clé ! Il palpa le chapeau et son ruban intérieur en cuir. Rien. Il l'écarta, passa le doigt. Un objet dur. C'était bien une clé, presque plate, ouvragée, d'environ trois centimètres de long. Qu'ouvrait-elle ? « Le semain... étude... » L'étude ? Le bureau du notaire, bien entendu ! Là, une cache, cassette ou meuble, s'ouvrait avec sa trouvaille. Il lui restait à entrer dans la maison du défunt, sans effraction si possible. Qui pourrait l'y aider ? « Moïse ? Gaston ? Les deux autres ? Alice ? »

— Hé ben, Jeannot, tu parles tout seul maintenant ?

Il se retourna d'un bloc, l'air d'un gamin pris en faute. La mère Puchat le regardait, goguenarde.

— Mère... Émilie, parvint-il à dire. Il faut que je pénètre dans la maison du notaire. Vous n'auriez pas une idée ?

Elle réfléchit un bref instant, sourit.

— Tu me paierais un louis d'or pour ça ? demanda-t-elle.

Il la regarda interloqué, puis fronça les sourcils. Elle rit.

— Je plaisantais. Ça coûtera moins que ça, mais nous devons y aller ensemble. Une ou deux pièces de cent sous suffiront.

— Il faut entrer discrètement. Sans effraction, je veux dire.

— Aucun problème. Tu veux y aller quand ?

Pour Jean, pénétrer chez le notaire et fouiller son bureau semblait un problème insurmontable. L'assurance de la femme l'émerveilla.

— Tout de suite, décida-t-il.

Ils partirent un quart d'heure plus tard. Jean avait attelé Canon, l'alezan à crinière blonde. Comme toujours, il s'émerveilla de sa vaillance. Ses deux bêtes étaient des trésors. Laquelle dépassait l'autre ? Aucune. Ce constat sans cesse réitéré le mit de bonne humeur. À côté de lui, la mère Puchat, les yeux fermés, offrait sa figure parcheminée au soleil qui chauffait l'air calme. De quoi oublier l'hiver.

À La Chaise-Dieu, elle l'arrêta devant une porte, descendit y frapper. Charzol attendit sur son banc de cocher sans manifester son impatience. Enfin Émilie ressortit, donnant de grandes embrassades à une maritorne à coiffe de dentelle défraîchie.

— Et surtout, ma commère, pas un mot ! À personne ! recommanda-t-elle.

— Oui, oui, bien sûr, balbutia la femme.

Et comme si les propos de son interlocutrice avaient réveillé un danger, elle s'enferma vivement.

— J'ai la clé de la petite porte, dit la mère Puchat en grimpant sur le char.

— Par quel miracle..., balbutia Jean.

— Hé ! grand couillon, la Nanette que tu viens de voir, ben c'est la femme de ménage du Montchovet. Normal qu'elle ait sa clé !

— Et vous la lui avez extorquée ?

— Grâce à ton argent. Le récit de mon malheur a fait le reste. Elle s'en est délectée. Je lui ai raconté que le notaire avait gardé mon acte de propriété et que j'en avais besoin avec l'incendie et tout ça. En fait, elle se fichait de savoir pourquoi je voulais cette clé. Il lui fallait simplement un motif plausible pour accepter sans crainte ta pièce d'argent. Je lui en ai promis une seconde tout à l'heure.

Elle tendit la main vers Jean qui tiqua par principe.

— Dis-moi, Jeannot, tu ne vas pas faire ton radin ! Tu voulais rentrer discrètement chez le notaire, non ? On y va de ce pas. C'est trop cher payé, dix francs d'argent ?

— C'est une somme, dit-il. Mais ça les vaut. Du moins si je trouve ce que je cherche...

Ils laissèrent l'attelage sur la place, contournèrent la maison du notaire par les ruelles et, après un coup d'œil alentour, y entrèrent tranquillement.

Malgré le jour ensoleillé, l'étude, ses volets clos, baignait dans la pénombre. Jean s'arrêta sur le seuil.

— On cherche quoi ? demanda la mère Puchat.

— Ce que feu Montchovet a caché, ici, dans son bureau.

— Et quoi plus précisément ?

— Des documents, mais j'ignore lesquels.

— Et tu les trouveras comment ? Y a pas de meilleure cachette pour des papiers que d'autres papiers, et là, y en a partout ! Tu les trouveras jamais !

Elle désignait les rayonnages encombrés d'archives qui occupaient deux des murs de la pièce.

— Mettre la main dessus, ça va être la croix et la bannière, ajouta-t-elle.

— Ils sont dans un meuble qu'ouvre cette clé, répondit-il en exhibant sa trouvaille.

— À part les bibliothèques, y en a pas beaucoup, il n'y a que le bureau et le semainier.

— Le quoi ? s'exclama Jean.

— Qu'est-ce que j'ai dit ?

— Le semainier, c'est ça !

Il s'approcha du meuble à sept tiroirs, un par jour à en croire son nom. Il datait de plusieurs dizaines d'années. Son beau noyer clair, désormais patiné, le parait d'une certaine élégance. Il l'inspecta. Aucune entrée de serrure ne correspondait à sa petite clé. Il ouvrit les tiroirs de haut en bas, l'un après l'autre. Les cinquième, sixième et septième résistèrent. Il tirailla en tout sens les poignées. Rien ne bougeait. Alors il inspecta minutieusement le bas du meuble. Les trois tiroirs n'étaient qu'un décor. Il brûlait. Au pire, il lui faudrait emporter le meuble. Il tenta de le soulever. Il pesait un âne mort. Il comprit. Le semainier contenait un coffre-fort. Il en examina les côtés, suivit des doigts une moulure verticale, y décela un creux oblong quasiment invisible. Son cœur s'accéléra. La clé s'y engagea sans mal. Tout le côté s'ouvrit sur une niche de fer contenant une épaisse liasse. Il s'en empara, referma soigneusement l'ouverture qui suivait le tracé des moulures et, précédé de la mère Puchat, redescendit l'escalier de service menant à la petite porte. En possession du trésor, il n'osait faire le moindre bruit, respirait à peine. Les papiers serrés contre lui sous son manteau, il entrebâilla la porte extérieure, jeta un regard sur la ruelle vide, laissa passer sa commère et se faufila à sa suite. Émilie verrouilla la serrure, et tous deux filèrent hâtivement.

Canon au trot menait Jean Charzol et Émilie Puchat vers Fontanes quand, dans leur dos, naquit un grondement de sabots. Sur ces routes paisibles, une telle cavalcade était inhabituelle, donc inquiétante. Prudent, Jean baissa la tête afin que son large couvre-chef ombre son visage. Une dizaine de jeunes gens, galopant comme des diables, les dépassèrent. Les cocardes blanches de leurs chapeaux et leurs brassards olive identifiaient des Verdets ! Jean songea au colporteur du Rouergue. Ce genre de trimardeur porte dans sa hotte autant de nouvelles que de marchandises. Quelqu'un avait requis cette engeance d'excités, plus ou moins fils d'émigrés, et leur cible ne pouvait être que Largnac. Le cœur de Jean se mit à battre. Une excitation sourde l'envahit. La fièvre de l'action dominait la peur.

— As-tu reconnu quelqu'un parmi eux ? demanda-t-il à Émilie.

— Sûr ! Mon incendiaire d'hier. Je crains qu'ils n'aillent chez nous.

— On fonce, dit l'ex-capitaine.

Surpris par le coup de fouet, Canon s'enleva. Jean, concentré, tenait fermement ses rênes quand un curieux bouillonnement blanc attira son regard : sa voisine fouillait ses dessous. Son attention revint à la route qui défilait à belle allure. Ce n'était pas le moment de verser dans le fossé. Du coin de l'œil, il vit Émilie brandir un pistolet. La finaude l'avait caché sous ses jupes.

— Ben ça ! dit Jean.

— Que le voyou d'hier ne m'approche pas trop, grinça-t-elle. S'il vient à portée, je lui casse la tête.

Jean fut persuadé qu'elle le ferait.

Il ralentit à peine pour prendre l'embranchement à angle droit vers Champvieille. Couvrant le roulement de Canon au galop, des clameurs leur parvinrent avant même de déboucher des bois. Les cavaliers tournoyaient autour de la maison de la Talaurina, jetant contre elle des torches enflammées. Le toit en chaume de l'appentis brûlait déjà, mais la majorité des brandons rebondissaient contre les murs de granit sans faire grand-mal. Une pierre brisa une vitre. Le char à bancs bondissait et rebondissait sur le chemin de terre, secouant violemment ses passagers, mais rien n'aurait pu empêcher Émilie de tirer. Elle faillit faire mouche car le chapeau de sa cible s'envola. La détonation arrêta les malfaisants. Un second coup de feu venant des bois effraya un cheval qui désarçonna son cavalier. Une débandade s'ensuivit. Le char ayant dépassé la maison, les Verdets filèrent vers la grand-route, sauf un homme bien découplé et au visage dur qui revenait vers son chapeau troué. Un hurlement fit cabrer son cheval. Régis, hache brandie, venait de jaillir devant la bête. L'homme parvint à rester en selle, puis piqua des deux à la poursuite de ses compagnons. Il fuyait d'autant plus vite qu'Émilie le visait de son pistolet, vide il est vrai, mais celui-ci n'en savait rien. Ne restèrent sur le terrain qu'un couvre-chef percé et un jeune homme hébété qui se frottait l'épaule. À cent toises, au fond d'un pré, son cheval à la courte mémoire paissait. Il avait rejoint une berline dont l'attelage, effrayé, avait galopé au hasard avant d'être arrêté par les bois. Des clients de la Talaurina, sans doute. Ceux-là auraient, ce soir, des choses à raconter.

— Qu'est-ce qu'on va faire de celui-là ? dit Jean, pensif, désignant le gamin.

— Si on le pendait ? ricana Régis.

— Vous n'avez pas le droit ! glapit le Verdet en pâlissant.

— Parce que toi, tu as le droit de mettre le feu aux maisons ? rétorqua Chandelle.

— Canaille ! éructa Régis.

Le visage effrayant, il leva sa hache, l'abattit vivement et l'arrêta net à un pouce du crâne du prisonnier. Une humidité croissante apparut soudain sur la culotte blanche du cavalier.

— Il a pissé de trouille, ricana Chandelle.

Jean eut presque pitié du prisonnier : il n'avait pas vingt ans, présentait un visage fin que l'acné ravageait. Ses longs cheveux bouclés lui donnaient une allure adolescente, presque efféminée. L'ex-capitaine tut sa compassion. Celui-là n'allait pas charger sous la mitraille. Il ne risquait qu'une raclée salutaire avant d'aller se faire pendre ailleurs. Mais auparavant il lui faudrait répondre à quelques questions. Il n'était pas difficile à effrayer, et la terreur le rendrait loquace.

— Emmenez-le et enfermez-le.

Chandelle et lui encadrèrent le prisonnier qui tremblait comme une feuille tandis que Jean frappait à la porte de la rebouteuse.

Silence.

— Ouvrez, c'est Charzol.

Sous sa superbe chevelure rousse, le visage de la Talaurina était blême mais calme lorsqu'elle ouvrit.

— C'est fini, dit l'ex-capitaine. Tu as eu de la chance.

— Et mon toit ? le défia-t-elle.

Elle désigna l'appentis où le feu de paille s'essoufflait. Jean leva les bras en un geste d'impuissance et les papiers du notaire tombèrent. Avant même qu'il ait pu se baisser, la rebouteuse les avait ramassés. Elle tarda à les lui remettre.

— Qu'est-ce que c'est que ces papiers ? demanda-t-elle d'un air innocent.

— Ça ne te regarde pas. Ce soir, on piégera les abords de ta maison, enchaîna-t-il très vite, comme à Largnac. Quelqu'un veillera. Tu reviendras dormir chez moi. Rentre avant la nuit, ce sera plus prudent.

Sans daigner répondre, elle lui lança un regard lourd. Il crut y lire du défi : l'affirmation de sa liberté ? Une idée de vengeance ? Il eut une légère grimace. La vipère n'avait pas craché tout son venin. Jean porta la main au bord de son chapeau et se dirigea vers son char arrêté un peu plus loin. Perplexe, elle le suivit des yeux. Avait-il donné un ordre qui ne souffrait aucun commentaire, ou se moquait-il de sa sécurité une fois sa mise en garde formulée ? Elle se tourna vivement et rentra chez elle où l'attendait une bourgeoise de Craponne. Bouleversée par l'attaque, cette dernière, oubliant la luxation de son épaule, voulait partir. La rebouteuse la repoussa dans son fauteuil. Si elle tenait à sa réputation, la Talaurina avait intérêt à lui remboîter le bras sans trop la faire souffrir.

— Tu saurais conduire jusqu'à Largnac ? demanda Jean à sa passagère restée sur le siège du char.

— Je menais des voitures à deux et même quatre chevaux que tu compissais encore tes braies, Jeannot, rigola-t-elle. Et toi, qu'est-ce que tu vas faire ?

— Je vais ramener la berline et la monture de ce petit crétin, répondit-il en souriant.

Il la regarda partir, songeur. Il se revit gamin lorsqu'il allait chercher son père dans le bistrot de la mère Puchat. Elle lui paraissait vieille à l'époque. Pourtant, elle avait à peine quarante ans, l'âge qu'il atteindrait dans l'année. Tout naturellement, il songea à la mort de sa mère, à sa fuite aux armées. Les honneurs de l'Empire, les ambitions de carrière ? Des futilités, des masques de la mort. Aujourd'hui, il était revenu. La maturité le ramenait à la vraie vie dont les femmes étaient la clé. Il comprenait enfin la vanité de la solitude, la nécessité d'une descendance pour dépasser l'éphémère de l'existence. Les femmes ! Alice, bien sûr. Elle serait, elle était déjà son épouse. Émilie aussi était importante. Il la vit en « grand-mère » de ses futurs enfants. Inconsciemment, confusément, il perçut qu'elle comblait une place vacante en lui, celle de sa mère disparue.

Il arriva au coin du champ où stationnait la berline. L'attelage emballé s'était arrêté là et broutait placidement. Il décida d'attraper d'abord le cheval de selle. Grégaire, l'animal s'était approché des autres, mais à chaque avance de Jean il s'écartait d'un bond. L'ex-capitaine s'arrêta, ramassa un bout de bois poli et, sans se déplacer, le tendit au fuyard. Curieux et sans doute myope, l'animal approcha, espérant une carotte dont le court bâton avait à la fois la forme et la teinte. D'un geste preste, Jean saisit sa bride qui pendait. C'est alors qu'il entendit les sanglots. Il chercha autour de lui, approcha d'un buisson d'où venait le bruit.

— Anna ! Qu'est-ce que tu fais là ?

— J'ai peur, hoqueta-t-elle.

Il la serra contre lui. Il sentit ses tremblements se calmer. Ses pleurs cessèrent.

— C'est fini, dit-il, ils ne reviendront pas.

Elle restait agrippée à son cou. Sa frayeur dépassée, sans doute appréciait-elle la protection des bras de l'ex-capitaine. Puis elle se tortilla. C'était un signal : il la posa.

— Alors ? questionna-t-il.

— J'apportais des œufs à la Talaurina, comme chaque jeudi, quand j'ai vu tous ces cavaliers qui criaient et jetaient du feu. Puis ça a pété comme à la chasse, et moi j'aime pas les fusils... C'était des méchants, hein ?

— Oui, mais pas envers les petites filles.

— Des Verdets ?

Il la regarda, sidéré. Elle avait retenu ce nom qu'elle avait cité sans en connaître vraiment le sens lors de leur rencontre sur La Dorette. Il la prit par la main.

— Tu sais, Anna, toi et moi on va porter ses œufs à la Talaurina, puis je te raccompagnerai à la maison, d'accord ?

Elle leva sur lui ses grands yeux bleus pleins de gratitude.

— Tu veux monter sur la selle ? demanda-t-il.

Elle opina avec un grand sourire. Il la souleva, la posa sur la bête du prisonnier. Tenant les brides des trois chevaux, il remonta vers Champvieille.

Plus tard, ils descendirent à La Souchère par la traversière des prés. Il laissa la fillette à la lisière des bois et la suivit des yeux jusqu'à ce qu'elle entre chez elle.

Le prisonnier avait moisi deux heures durant dans la cave voûtée de Largnac, interrompues un moment par une séance d'un type très particulier. Pâle, le regard affolé, il était maintenant assis face aux cinq hommes, accompagnés d'Émilie.

Débordant de bonne volonté, terrorisé par l'avenir que lui réservait cet étrange tribunal, il répondit avec empressement aux questions. Non, il ne connaissait pas l'homme dont Émilie avait troué le chapeau. Il savait seulement qu'il revenait d'exil, était aristocrate et sympathisant de « la cause ». Lui n'était pour rien dans toute cette affaire. Il avait subi la mauvaise influence d'un sien cousin du côté de sa mère, féru de noblesse, qui l'avait présenté à « l'élite », enfin revenue. Il avait été subjugué par leurs seigneuries et honoré qu'ils le traitassent en égal, en compagnon de lutte. Lui, fils d'un marchand de vin du Puy, aspirait à s'élever au rang des anciens aristocrates dont sa mère s'était entichée. Il précisa les noms de ses comparses et de ses chefs, situa leurs lieux de rencontre, décrivit précisément les expéditions auxquelles il avait participé...

— Tu as noté ses déclarations ? demanda Jean.

Moïse acquiesça.

— Alors il va rédiger tout ça.

D'une main tremblante, le gamin écrivit tout ce que lui dictait Gorget, puis il signa. Sans pitié, l'Époumoné lui fit faire aussitôt un second original.

— Voilà... Ton père appréciera sûrement de recevoir ta confession, conclut Jean Charzol.

— Je le connais, ajouta Moïse. Lui qui a fait fortune en spéculant sur les biens du clergé, voici une vingtaine d'années, il va adorer tes amis Verdets. Quant à ceux-là, une fois prévenus de ta traîtrise et du passé de ton géniteur, c'est ta maison qu'ils viendront brûler !

— Vous ne leur direz pas ! balbutia le gamin, voyant un gouffre s'ouvrir sous ses pieds.

— Non, répondit l'Époumoné. Il sera bien plus simple de leur envoyer le second exemplaire de tes aveux...

— Ils tueront mon père, et moi aussi, gémit le gamin, désespéré.

— Si nous ne l'avons pas fait avant ! ricana Estublat.

Horrifié, le jeune bourgeois le dévisagea. Il y croyait.

Ça suffisait. Les documents signés serviraient de caution. Suivant le vieux principe du bâton et de la carotte, Charzol intervint.

— Nous ne sommes pas des assassins, dit-il. Tu vas repartir chez toi. Nous gardons ces papiers. Si on te voit une fois encore chez les Verdets, ils seront diffusés. Tu as bien compris ?

L'émotion étouffait le prisonnier. Jean crut qu'il allait lui baiser les mains, tellement il avait eu peur. Il fit un geste brusque, désignant la porte. Le garçon se hâta péniblement vers la sortie.

Dehors, il eut toutes les peines à monter sur son cheval tant il était perclus. Le simple balancement du pas de sa monture suffisait à le faire tituber. On eût dit un homme ivre.

— Vous l'avez sévèrement rossé, constata Jean.

Les hommes se regardèrent, gênés.

— Il ne l'a pas volé, dit Émilie. Il retiendra la leçon. Rassure-toi, il ne porte aucune trace sur le corps.

— Le coup du sac de sable, j'ai compris, conclut l'ex-capitaine. N'en parlons plus.

Ils rentrèrent. L'heure du dîner approchait. Les femmes s'activaient tandis que les hommes leur donnaient mollement un coup de main.

— Au fait, Moïse, demanda Jean Charzol, as-tu fixé le jour de tes noces avec la douce Marie Nalette ?

— Dans dix jours exactement, répondit-il, enthousiaste.

— Alors, pas de temps à perdre ! Demain sera une journée chargée.

19

Veillée d'arme

Levé à l'aube, l'ex-capitaine attela au char à bancs Boulet, le plus rapide de ses deux chevaux et partit au grand trot. En deux petites heures, il fut au Puy. Il se perdit un moment dans les ruelles avant de trouver sa destination : un hôtel particulier Renaissance, aux fenêtres à meneaux, flanqué d'une échauguette. Il manœuvra le heurtoir. La porte s'ouvrit sur une cuisinière qui essuyait ses mains sur son tablier.

— *Adiu,* dit Jean. Je viens voir M. de Montigny.

— *Adiu*, répondit la cuisinière. C'est quoi votre nom ?

— Jean Charzol.

— Restez-là, *moussu* le capitaine, je vais le prévenir.

Il patienta. La femme revint bientôt et lui fit signe de la suivre. Ils montèrent un escalier en colimaçon et débouchèrent sur un palier orné d'un digne portrait d'ancêtre. La servante ouvrit une double porte et l'invita à entrer dans un vaste salon aux sièges modernes, ornés de pattes de lion et de têtes de sphinx. Levant les yeux, Jean admira les poutres du plafond, peintes d'arabesques pâlies. Puis il s'intéressa à l'antique cheminée où ronflait un énorme poêle habillé de faïence, manifestement ramené de Pologne ou de Russie. Il faisait bon dans la pièce. Jean resta debout avant de s'approcher de la fenêtre. Elle donnait sur le pic volcanique du mont Aiguilhe, couronné par la minuscule église Saint-Michel. Ce joyau roman, bâti de lave rouge, émut étrangement le demi-solde. Il décida d'y emmener Alice dès le calme revenu.

Au bruit de la porte, il se retourna.

— Mes respects, mon colonel, dit-il en s'inclinant.

— Capitaine Charzol, votre petit mot m'a agréablement surpris. Ainsi sommes-nous presque voisins. Que me vaut votre visite de si grand matin ?

— Je craignais que vous ne fussiez sorti. Vos activités ne doivent pas vous laisser trop de loisir.

— Oh, vous savez, hormis quelques excités nostalgiques, Le Puy est une ville bien calme...

Souriant en coin, il laissa sa phrase en suspens, et Jean lui rendit son sourire.

— Justement, dit-il, je souhaiterais votre conseil concernant une bande de Verdets...

La conversation fut concise. Jean retrouvait avec plaisir l'esprit clair et le sens des responsabilités de cet homme. Il avait fait trois campagnes sous ses ordres. Philippe de Montigny restait un homme solide, et Jean sortit soulagé de son entretien.

Il occupa le reste de sa journée au Puy en démarches administratives et emplettes pour le mariage de Moïse. Ce serait une fête... étonnante. Tout ça lui prit plus de temps que prévu et il ne rentra que peu avant minuit.

Un silence lugubre régnait dans la grande salle de Largnac. Les braises s'enlisaient dans la cendre sans que personne ne songe à regarnir le feu. Le froid s'insinuait, mais nul n'y prenait garde. La pipe au bec, les cinq hommes exprimaient leur inquiétude par des bouffées hâtives, et un nuage tabagique stagnait. La mère Puchat tirait l'aiguille sans conviction. Assise immobile dans un coin reculé, l'air fermé mais le regard douloureux, la Talaurina se taisait.

— Que se passe-t-il ? demanda l'ex-capitaine d'un ton alarmé.

— Alice n'est pas encore rentrée, répondit la Talaurina dans un murmure.

— Qu'est-ce qu'on peut faire ? demanda-t-il.

— Attendre qu'elle rentre, répondit Émilie.

— J'n'aurais pas dû la laisser partir.

— Elle est sauvage comme je lui ai appris, réagit la rebouteuse. Elle sait se défendre.

Sa voix se brisa. Y croyait-elle vraiment ? Elle reprit :

— Si tu l'enfermes, Jean Charzol, si tu l'empêches de courir les bois, elle te détestera. C'est ce que tu veux ?

Le demi-solde la regarda avec une sévérité proche de la haine. À ses tempes, une veine se mit à battre.

— Elle va rentrer, dit Estublat. Une foule de choses ont pu la retarder.

Leurs regards se croisèrent. L'unijambiste saisit la détresse de son compagnon. Il regretta presque d'avoir freiné sa colère naissante. Moïse s'efforçait de lire, mais ses yeux restaient fixés sur la même page. Plus sombre que jamais, Régis guettait les braises avec hargne, comme si allait en jaillir un animal malfaisant.

— Le sciage en long suffira pour l'instant, il faudrait reprendre les coupes, dit Chandelle, désireux de masquer l'inquiétude ambiante.

S'ensuivit une conversation forcée. Sur la table, une chandelle épuisée s'éteignit, accroissant la pénombre.

Un hurlement tout proche, long et plaintif, fit tressaillir Jean.

— Les loups rôdent. C'est pas bon, grogna Régis mal à propos.

— Il nous faudrait des molosses, dit Chandelle, pour éloigner ces sales bêtes.

— Elle parle aux loups, dit la Talaurina d'un ton âpre.

Jean revit le grand « chien » gris d'Alice sortant du bois lorsque Estublat et lui arrivaient avec le char à bancs. La bête avait jailli cinquante pas devant eux, avant de rentrer sous le couvert pour en ressortir accompagnée d'Alice.

— Elle arrive, dit-il, soudain soulagé par cette image. C'est ce grand mâle qu'elle a apprivoisé qui a hurlé. Pour nous prévenir.

Il se leva, enfila sa vieille houppelande et ses bottes.

— Attrape !

En un réflexe désormais coutumier, il saisit au vol le sabre lancé par Gaston, eut un sourire carnassier. Ce rituel partagé finit de chasser son angoisse. Plonger dans l'action le rassurait. Il se dirigea vers la porte.

— Prends une lanterne, dit Émilie.

— Non, dit-il, je préfère la nuit. Les yeux s'habituent et on voit plus loin.

Le vantail claqua. L'atmosphère s'allégea. Régis jeta des branches sur le feu. Moïse ralluma la chandelle. Les deux femmes se levèrent, s'activèrent à de menues taches afin de s'occuper. Pourtant, malgré l'heure tardive, nul n'alla se coucher. La veillée inquiète se poursuivit.

Une sente filait à droite entre Largnac et Champvieille. Au hameau de Vernède, elle rejoignait la grand-route de La Chaise-Dieu. L'appel du loup venait de là. Jean Charzol l'emprunta. Le chemin montait légèrement. Il gelait à peine. Réchauffé par la marche, il trouva la nuit douce pour une fin février. Il allait d'un bon pas, quand un nouveau hurlement l'arrêta. Il racontait la douleur plutôt que la chasse. La bête n'était pas loin, deux ou trois cents mètres tout au plus. Suivant la tranchée de ciel entre les arbres, Jean se mit à courir, levant haut les pieds car on voyait mal le sol. Son cœur cognait. Il s'arrêta pour écouter : la rumeur des bois s'était tue. Une présence dangereuse effrayait la vie nocturne. Jean retint son souffle, puis appela :

— Alice ?

— Là.

Une silhouette sortit péniblement du bois. Il se précipita.

— Tu es blessée ?

— Je me suis tordu le pied. C'est rien. Mais lui est blessé.

Il devina la masse sombre du loup couché, avança la main. Un claquement de dents le figea.

— Porte-le, dit Alice. Ma mère le soignera.

— Mais toi ?

— Appuyée sur toi, ça ira.

— Tu as mal ?

— Tu es là, ça n'a plus l'importance. Prends le loup.

— Comment ?

— Comme un mouton. Il se rappellera. Je le portais ainsi quand il était petit. Je vais lui dire.

— Il ne va pas me mordre ?

— Non, je ne crois pas.

Ils s'agenouillèrent près de la bête qui grogna. Ils la soulevèrent, la posèrent sur les épaules de Jean. C'était lourd. Un effort, et il se mit debout. Alice se cramponna à lui pour se redresser à son tour.

La jeune femme souffrait de la cheville, le loup grondait de douleur à chaque pas. Le demi-solde transpirait sous le poids de l'animal. Ils allaient lentement sous les étoiles. Ils étaient heureux.

— Tu me raconteras, dit-il d'un ton où subsistaient des traces d'angoisse.

— J'ai voulu savoir, répondit-elle, et je sais.

Elle se tut. Il ne demanda pas quoi. « Elle est sauvage comme je le lui ai appris », avait dit la Talaurina. Cette sauvagerie, ce mystère étaient une des sources de sa passion pour elle. Son charme, sa beauté, la grâce de sa silhouette, ses reparties aiguës, presque visionnaires, tout en elle procédait de cette étrangeté. Il était envoûté. C'était elle la sorcière, pas sa mère.

— Alors ce se sera bientôt fini, répondit-il.

Quand il parlait, le loup grognait plus fort, comme pour menacer un mâle concurrent.

Ils arrivèrent à la porte. Alice frappa.

— Écarte-toi, il va avoir peur, dit-elle à Jean.

La porte s'ouvrit sur Régis.

— Enfin, te voilà, bougonna-t-il, soulagé.

— Aide-moi à marcher, s'il te plaît.

— Et lui ? demanda l'ex-capitaine, de l'ombre où il attendait.

— Pose-le en lisière du bois. Ma mère et moi, on va le soigner. Ensuite, on le ramènera à Champvieille, ça le rassurera. Et si quelqu'un approche, il nous le fera savoir.

Jean s'éloigna vers le bois distant d'une cinquantaine de mètres. Il installa le loup sur des fougères sèches. L'animal tenta de se lever, retomba en gémissant.

Tous se dressèrent lorsque Alice, soutenue par Régis, entra dans la pièce.

— Et Jean, demanda Gaston soucieux, tu l'as vu ?

— Il arrive, dit le paysan trapu.

Voyant boiter sa fille, la Talaurina s'était précipitée. Elle saisit le dos d'une chaise dont Chandelle se leva précipitamment, le regard noir, y installa sa fille et s'assit en face d'elle sur un tabouret à trois pieds. Elle releva les longues jupes d'Alice et délaça son lourd godillot. Sur le coup de pied dénudé, une boursouflure oblongue ressemblait à un œuf dur coupé en deux.

— Je vois, dit la Talaurina. Tu es prête ?

La jeune femme se mordit les lèvres. Elle avait souvent vu sa mère réduire des entorses. Ce fut rapide. Il y eut un craquement. Alice poussa un cri. Le gonflement ovale avait disparu, mais la cheville blessée restait enflée et violacée.

— Y a-t-il de quoi la bander serrée ? demanda-t-elle. Sinon j'irai chez moi chercher ce qu'il faut.

Chandelle lui apporta le nécessaire. Bientôt pansée, Alice se leva, boitilla en grimaçant.

— Il faut te reposer. Durant quelques jours, pas question de courir les bois, dit sa mère.

— Oui, oui, répondit-elle, mais maintenant il faut le soigner, lui.

En rentrant, Charzol était resté debout près de la porte. La Talaurina le regarda d'un air revêche.

— Qu'est-ce qu'il a, lui ?

— Jean ? Rien ! C'est le loup. Ils lui ont cassé des os à coups de bâton.

Les deux femmes sortirent. Jean leur emboîta le pas.

— Nous deux, ça suffit, dit la rebouteuse d'un ton sec.

L'ex-capitaine obtempéra, lui-même surpris de sa docilité. Puis il comprit. Elle soignait. Elle savait les mystères des corps blessés. Son autorité était donc légitime. Mère et fille s'éloignèrent tandis qu'il restait là, immobile.

— Où l'as-tu installé ? demanda la jeune fille qui brandissait une lanterne.

— À la pointe du bois, sur les fougères… C'est ça, tout droit… Tu le vois ?

Jean regardait de loin les femmes œuvrer autour de la bête grise qui gémissait. Il en éprouva un sentiment étrange. Ce fauve apprivoisé lui semblait un égal, à la fois libre et amoureux d'Alice. Un concurrent ? L'animal était jaloux, pas Jean Charzol. Il comprit soudain que ce loup était son double. Un double attardé qui n'aurait pas quitté la guerre. Un guerrier blessé. Resterait-il estropié ? Allait-il rejoindre son escouade de survivants ? Ce loup était une personne. Il l'entendait geindre. Sa plainte le plongea dans une douleur subie des années durant tout en lui restant bizarrement étrangère. Elle avait résonné sur tous les champs de mort qui, la veille encore, étaient champs de bataille. Elle émanait d'inconnus, de ses propres compagnons ou de ses hommes. Ils gémissaient, souffraient, trépassaient en appelant leur mère. Quand ils étaient morts, il les oubliait. Ce soir, tous s'assemblaient en une immense plainte que relayait l'animal blessé. Une improbable nostalgie empêcha l'ex-capitaine de rentrer. Les gémissements du prédateur évoquaient le visage sombre de l'éternelle dualité de la guerre, cette sinistre pantomime des hommes. Le clinquant de la gloire, des batailles gagnées et des ennemis asservis s'habillait du masque hilare d'un théâtre de grotesques dont la face grimaçante symbolisait un océan de sang, de douleur et d'esclavage. Il détesta la bête tout en la chérissant. Cette souffrance ressuscitée le jeta dans une compassion imprévue. Des larmes lui montèrent aux yeux. Là-bas, dans le halo de leur lanterne, deux femmes calmaient l'immense douleur du monde. Les femmes, toutes, s'incarnaient dans la mère et la fille, si différentes l'une de l'autre, si semblables pourtant. L'une qu'il aimait follement, et l'autre, l'écorchée vive, qui lui ressemblait tant.

La Talaurina étala sur le sol sa cape de bure rêche. Avec d'infinies précautions, Alice et sa mère y déposèrent le loup martyrisé. Empoignant chacune deux coins du manteau, elles établirent autour de lui une sorte de hamac qu'elles soulevèrent avec ensemble. Elles avançaient, le corps oblique, un bras écarté en contrepoids dans l'attitude des lavandières portant une corbeille de linge mouillé. De sa main libre, la rebouteuse tenait une lanterne. La jeune femme boitait. Jean esquissa un pas pour les aider, mais s'arrêta de crainte d'effrayer la bête, de peur aussi de violer le domaine des deux femmes. Toutes deux étaient les prêtresses qui guérissent. Leur domaine, interdit aux profanes, leur appartenait en propre. Jean voulait que la mère initie la fille. Le processus débutait avec cet animal auquel la jeune femme était attachée. Il eût été importun d'intervenir, d'autant que Champvieille n'était qu'à cinq cents mètres. Elle était dure au mal, Alice, en vraie fille de ce rude pays. Le petit groupe passa près de Jean. Leur lumière les empêcha de le voir dans l'ombre. Indécis, il les regarda s'éloigner dans la nuit froide, renonça à les suivre, même de loin. Alice l'aimait. S'il voulait la garder, il était impératif de lui laisser sa liberté. On n'enferme pas une nymphe des bois. Il se résigna à faire demi-tour.

La grande salle était vide. Tous étaient montés. Sur la table, une chandelle brillait. Un geste d'accueil de la part d'Émilie pour eux trois. Les hommes n'auraient pas eu pareille attention. Jean hésita à attendre les deux femmes, avant de renoncer. La Talaurina demeurait farouche. Il n'avait aucune confiance en elle et se forçait à l'apprivoiser. À vrai dire, il ne l'aimait guère et celle-ci le lui rendait bien. Tout au plus en ferait-il une alliée objective, liée à lui par un pacte de non-agression. Il monta se coucher, sachant bien qu'il ne pourrait pas dormir avant le retour d'Alice. Et si elle ne revenait pas ? Si elle ne le rejoignait pas cette nuit ? Il fut tenté de rester habillé pour être prêt à sortir si elle tardait. Il fit taire cette angoisse résurgente, se dévêtit, se coucha et décida que son aimée reviendrait. Il se sentait à la fois heureux et inquiet. Il n'était plus seul désormais. Se soucier ainsi de quelqu'un était nouveau pour lui. Sa vieille carapace d'égoïsme se fissurait. Il songea à la veillée inquiète. Comment s'était-elle blessée ? Où était-elle allée ? Il se retourna dans le lit trop chaud, rejeta l'énorme édredon de plume, puis il se mit sur le dos et s'imposa l'immobilité. Le temps passa. Enfin la porte s'ouvrit. Alors, il soupira d'aise et écouta la nuit. Dans l'escalier de pierre, les pas étaient inaudibles. Le temps lui parut long avant qu'il devine un chuchotement : les femmes se séparaient.

Alice se dévêtit dans le noir pour ne pas l'éveiller. Jean essaya en vain de la voir. Elle se glissa près de lui, cherchant sa position à tâtons, se colla à lui et poussa un petit cri de douleur.

— Ne bouge pas, dit Jean.

Avec une grande douceur, il parvint à l'entourer de ses bras, puis s'immobilisa. Ils restèrent ainsi un long moment. Leurs souffles s'allongèrent, meublant peu à peu le calme nocturne. Il la crut assoupie. Il resta éveillé tandis qu'une forme de paix s'installait en lui. C'était le fond de la nuit, un moment ou le temps s'allège avant de se diluer dans le sommeil. Plus tard, ankylosé, il bougea très lentement.

— Jean ? Tu ne dors pas ?

Sa voix basse le surprit.

— Tu as mal ? demanda-t-il.

— Non, ça va. Ma mère a rapporté un baume de Champvieille et m'a frictionnée avec. Ça chauffe, mais je n'ai plus vraiment mal.

Elle se tut.

— Tu sais, reprit-elle, je suis allée à Berbezit par la forêt et je les ai vus. Ils sont cinq, le fou à perruque et quatre autres, plus jeunes. Ce sont eux, les Ombres. Je les ai reconnus...

Il l'écouta, souriant dans l'obscurité. Ses dernières interrogations trouvaient leur réponse.

— Et le loup, comment est-ce arrivé ?

— Ils m'ont repérée à cause d'un corniaud venu aboyer après moi, et ils m'ont poursuivie. Dans la forêt, je ne risquais rien. Je la connais trop bien. Malheureusement, il y a eu ce trou sous mon pied. Ma cheville a craqué et ça m'a fait très mal. J'ai cru que ma jambe était cassée. Alors leur chef m'a attrapée. Celui-là, il me court après depuis toujours.

Jean revit l'homme saisissant la jeune fille à la sortie de la messe de minuit, alors qu'Alice poursuivait son récit :

— Il me tenait quand le loup l'a mordu au bras. Il ne l'a pas lâché, même quand les autres l'ont frappé à coups de pied et à coups de bâton. J'ai fui en boitant. Seule contre quatre, je ne pouvais rien faire d'autre. Je me suis cachée un peu plus loin. Ils ont tapé comme des brutes avant de se lasser. Je les ai entendus s'éloigner vers Berbezit et suis revenue. La pauvre bête a tenté de se relever, mais elle est retombée. L'une de ses pattes arrière faisait un drôle d'angle. Alors je l'ai ramenée.

— Comment as-tu fait, avec ton entorse ?

— Je portais ma grande écharpe. Je la lui ai passée sous le ventre. En tenant les deux bouts sur mon épaule, j'ai pu maintenir le loup debout. Comme ça, il a pu marcher sur trois pattes. C'était fatigant, pour lui comme pour moi. On s'est arrêtés souvent. Il fallait pourtant avancer. On ne pouvait rester là, à cause des autres loups. Ils l'auraient mangé. Quand on a passé la crête, là où tu nous as trouvés, on n'en pouvait plus. Alors je lui ai dit d'appeler. Il a hurlé et tu as entendu.

Jean sourit dans l'ombre. Tout était simple pour Alice, et elle avait raison.

— Je suis heureux d'être venu, conclut Jean après un moment.

— Tu le penses vraiment ? Je croyais que tu allais me gronder.

— Tu le mériterais. Les Ombres sont des bandits. Ils ont du sang sur les mains. Ils auraient pu te tuer.

— Mais ils n'ont pas pu ! Et maintenant, tu vas les mettre hors d'état de nuire, n'est-ce pas ?

— Et comment !

Il la serra contre lui, la caressa, et ils firent l'amour avec une infinie douceur.

— Tu vas me faire un enfant, dit-elle après, d'une voix où montait le sommeil.

— Une fille qui ressemblera à sa mère, répondit-il avec toute la tendresse du monde.

20

Noces campagnardes

Le lendemain, au grand complet, les habitants de Largnac les regardèrent descendre. Leurs sourires restèrent discrets. À l'évidence, ces deux-là formaient un couple que nul ne souhaitait remettre en question... sauf sans doute la Talaurina. Régis, voyant sa bouche amincie et ses sourcils froncés, lui jeta un regard torve.

— Pour le mariage..., commença Jean sitôt assis.

— Notre mariage ? le coupa Alice, espiègle.

— Celui de Moïse, pour commencer. Le nôtre suivra très vite.

Elle se serra contre lui, rayonnante.

— Pour le mariage de Moïse, reprit l'ex-capitaine, entourant sa compagne d'un bras protecteur, il faut inviter nos amis et connaissances, les principaux notables, nos voisins de La Souchère, mais aussi les gens figurant sur cette liste. Tout le monde doit comprendre que le vent a tourné et que la terreur est terminée.

D'une sacoche en cuir usé, il sortit avec une excessive discrétion un des papiers du notaire. Une liste de noms qu'il entreprit de lire à voix basse mais distincte. À l'écart, refermée sur son ressentiment, la rebouteuse se taisait. Émilie, en revanche, était tout ouïe.

— Mais ce sont tous les...

— Les paysans dépouillés, oui, murmura Jean, la coupant. J'ai une surprise pour eux ! Ils devraient tous récupérer leurs terres.

— Et toi, tu vas rendre le bois de Jagonaz et la maison de Largnac à la dame Anglade ? rigola la mère Puchat.

Jean devint tout rouge et des veines se mirent à battre à ses tempes.

— Moi, j'ai payé en or ! dit-il sèchement.

Un mot de plus et il explosait. Les hommes se regardèrent. L'humour de Charzol s'arrêtait à son portefeuille. Un digne Vellave. Ils hochèrent la tête. Un sou était un sou, et une bonne affaire, payée rubis sur l'ongle, ne saurait être remise en cause. Surtout quand elle s'était soldée à son profit. La conversation reprit sur un ton un peu guindé.

Le petit déjeuner pris, chacun vaqua à ses occupations. Moïse avait force invitations à écrire. Dans la cuisine, désormais devenue son domaine exclusif, Émilie s'efforçait de soigner « ses hommes ». Alice et sa mère partirent pour Champvieille, l'une au chevet de son loup, l'autre afin de rebouter ses patients. Les quatre hommes valides et les deux chevaux rejoignirent une coupe d'où la vue, excellente sur la maison de la rebouteuse, permettait une surveillance de précaution.

Les jours suivants passèrent dans la fièvre. En dépit des malveillances qui perduraient, Jean, assisté d'Émilie, avait su convaincre Mariette, la maîtresse du Coq-Rouge, d'œuvrer pour la fête. Deux arguments avaient facilité son accord. D'abord, « en gage de paix », le comte de Saint-Capré serait invité – ainsi la craintive aubergiste ne craindrait-elle plus les épouvantables représailles des émigrés. Ensuite, Charzol lui avait remis deux bonnes douzaines de pièces d'or à titre de provision. Savamment calculée, cette somme avait certes écorné son pécule, mais constituait un indispensable investissement.

Les deux femmes s'étaient aussitôt mises à l'ouvrage, et ni l'une ni l'autre n'étaient des *fainiantes*. Elles réussiraient à nourrir, et plutôt bien, les quelque deux cents personnes invitées à la noce du nommé Gorget. Comme il se doit, ce serait un mariage d'hiver. Durant les autres saisons, il y avait bien trop à faire aux champs pour passer son temps en ripailles, sarabandes et fêtes.

Question dot et demande officielle, les choses furent faites dans les règles. Gaston, Jean et Émilie accompagnèrent Moïse chez la vieille Adèle, veuve habitant Bonneval et surtout mère de la Marie Nalette. En dépit de la méfiance envers les « bonapartistes », ils furent accueillis par la moitié du village. Il est vrai que, avant leur arrivée, le demi-solde avait fait installer devant la maison de la future belle-mère un tonnelet de vin qui avait intrigué tout le monde et intéressé la plupart. Tous les soiffards du pays étaient venus. Lorsque Moïse et la mère Nalette sortirent de la maison pour se claquer publiquement les mains, des cris de joie saluèrent les accordailles. À ce moment seulement, Gaston Estublat, préposé à la surveillance de l'assistance, devait débonder le tonneau.

L'euphorie de cette fête « impromptue » permit de faire passer une information à laquelle Jean tenait tout particulièrement : tout invité à la noce devait impérativement assister à la messe de mariage. Comme prévu, la nouvelle voleta de bouche en oreille jusqu'à Berbezit où, par ailleurs, était arrivée, au nom du comte de Saint-Capré, une lettre d'invitation fort ampoulée et quelque peu mensongère.

Le grand jour arriva.

Discret dans le flot montant sur le grand perron de l'abbaye, le demi-solde attendait, inquiet.

— Jean, dit doucement Alice, ils vont arriver.

Elle sentait des choses qu'il ne pouvait savoir. Il la regarda et eut ce sourire en coin qu'elle aimait tant. Il l'admira : une reine gracile, superbe dans sa robe de velours bleu brodée en bas et au corselet de fleurs rouges. Elle tenait celle-ci de sa mère, qui l'avait fait coudre lors de son opulence lyonnaise. Les jours précédents, une couturière l'avait ajustée à sa taille. Elle la porterait à nouveau pour leurs prochaines épousailles. Aujourd'hui, la fête serait pour Marie Nalette et Moïse Gorget, même si Jean et ses estropiats, le marié inclus, avaient un second objectif pour la journée. L'ex-capitaine revint à son souci : lui, le républicain, attendait des invités de la ci-devant noblesse. Le sieur de Saint-Capré, bien entendu, mais pas uniquement.

— Bonjour, capitaine Jeannot ! s'exclama une voix fraîche. *Adiu*, Alice !

Anna gravissait les marches en courant vers eux. Alors que Jean se baissait, c'est dans les bras de sa compagne que la fillette se précipita. Une seconde dépité, il finit par sourire. La sauvageonne des bois avait su aussi séduire la gamine… à moins que ce ne fût l'inverse !

— Tu la connais ? lui demanda-t-il.

— Ben oui, elle me montre les bêtes des bois ! répondit la gamine, péremptoire.

François Anguier, son père, arrivait d'un pas lourd. Il bouscula Jean, en profitant pour lui glisser à l'oreille :

— Tu prépares un coup, Jeannot. On est tous avec toi.

D'une voix rogue et haute, il poursuivit :

— Tu peux pas faire attention, merde !

Il s'éloigna, l'air furieux. Jean Charzol fut ragaillardi par cette rencontre. Toujours aussi matois, la Belette. Il avait tout compris, mais demeurait prudent.

L'attente reprit pour très vite cesser. Le carrosse décati du fou de Berbezit tournait le coin de la rue. Jean eut un rictus carnassier. Entiché d'Ancien Régime, l'ex-émigré ne pouvait pas ne pas se faire attendre, sauf que, en terrien prévoyant, Charzol avait avancé d'une demi-heure le début de la cérémonie dans son invitation. Le nobliau arrivait donc à l'instant prévu. Ses quatre sbires, non invités pourtant, l'accompagnaient. Jean eut un soupir de satisfaction. Il fit le signe convenu à Régis, qui les désigna à Chandelle. Le plan fonctionnait. Rassuré, le demi-solde descendit les marches, Alice à son bras. Ils rejoignirent les fiancés au café de la place où ils patientaient avant d'entrer dans l'église. Jean devait mener la mariée à l'autel tandis que Moïse, qui n'avait plus de famille proche, entrerait au bras de la vieille Adèle. La Marie Nalette, rosie d'émotion, avait mis elle aussi la belle robe brodée de mariage que, dans chaque famille, les femmes se passaient de génération en génération. Une couronne de fleurs fraîches la coiffait et elle tenait en main un bouquet rond multicolore. Tous deux seraient prochainement exposés dans la demeure des nouveaux mariés, sous une cloche de verre. Moïse s'était spécialement rendu au Puy pour les acheter. Il avait également rapporté deux camélias en pot. Posés au pied de l'autel pour la cérémonie, on les emporterait ensuite à la salle du banquet.

Le cortège entra d'un pas majestueux dans l'abbaye. Regards curieux et chuchotements de l'assistance l'accompagnèrent. Les mariés se rejoignirent devant leurs prie-dieu, tandis que les proches s'installaient en haut de la nef. N'osant se retourner, Jean, au premier rang, jetait de fréquents coups d'œil latéraux. Alice s'en inquiéta. Il guettait quelqu'un qui n'arrivait pas. Estublat, évidemment... Quand celui-ci parut, l'ex-capitaine eut ce sourire de biais qu'elle aimait tant. Il s'accentua lorsque Gaston écarta les doigts. L'arrivant devait être accompagné de plusieurs personnes. La jeune femme sentit son compagnon se détendre et elle serra plus fort sa main dans la sienne. Charzol la dévisagea, s'émerveilla de ses yeux obliques, gris soutenu dans le demi-jour de l'église. Elle se sentit fondre : Jean était son homme. Elle se souvint de leur première rencontre. Le terme était d'ailleurs exagéré, puisque lui ne l'avait pas vue. Comme aujourd'hui, il portait sa longue redingote sombre et son haut chapeau en poil de lapin. Il trônait, majestueux, sur le siège du cocher, dominant la berline du notaire, les rênes de ses grands chevaux maigres dans une seule main. Son attelage galopait sur le chemin de La Souchère. Pourquoi son cœur s'était-il mis à battre la chamade ? Depuis cette vigile de Noël, combien de fois avait-elle successivement plié les pointes piquantes d'une feuille de houx, en récitant : « Il m'aime, un peu, beaucoup, passionnément, à la folie » ? Le soir, elle invoquait la lune, déesse de la Fécondité chez les anciens Celtes, leurs ancêtres. Son bonheur redoubla au souvenir de la veille. Pour la première fois, elle lui avait dévoilé les mystères de son univers des bois. Il l'avait suivie au vieux menhir moussu. Tous deux avaient posé leurs mains jointes sur la pierre et elle avait récité une incantation rauque, apprise de sa mère, dont elle ignorait le sens mais qui scellait l'amour des amants. En une course folle, elle l'avait ensuite emmené à la source sacrée des druides, de l'autre côté du canton. Sans qu'elle le lui suggère, il s'était penché par-dessus son épaule et ils avaient admiré leurs reflets liés sur le miroir de l'eau pure. Aucune ride, signe néfaste, n'était venue troubler leur image. Tous les présages des temps anciens, tous les rites des bois avaient été favorables. Restait l'épreuve ultime, la dernière, la plus importante, accomplie en ce jour de noce. Son zèle à aider le curé avait étonné l'ex-capitaine, mais ni lui ni personne ne l'avait vue poser de l'herbe de *matagot* sur la pierre sacrée avant de la dissimuler sous la nappe d'autel dont elle avait soigneusement arrangé les plis. Le prêtre dirait la messe sur ce brin de mandragore, et le sort en serait à jamais jeté : l'amour de Jean Charzol durerait jusqu'à la fin des jours. Elle pratiquait furtivement ces rites païens qui le faisaient sourire et la rassérénaient. Elle l'avait élu dès le premier jour et consciencieusement envoûté. Lui au contraire était persuadé de l'avoir conquise. Elle en souriait d'autant que c'était sans doute vrai. Un geste du demi-solde la tira de sa songerie. Depuis combien de temps rêvait-elle ? Les « oui » des mariés claquèrent sous les voûtes. Un peu envieuse, Alice les vit échanger leurs anneaux. Puis les chants éclatèrent.

Les nouveaux époux sortirent de l'église sous les acclamations. On leur remit une corbeille de dragées qu'ils jetèrent dans la foule. Puis le cortège se dirigea vers les voûtes à colonnettes du cloître. Là, un tonneau fut mis en perce et l'on abreuva les badauds.

Resté en haut du perron de la majestueuse église, Jean retint le prêtre à sa sortie.

— Monsieur le curé, lui dit-il, je vous prie de bénir l'anneau de fiançailles que voici, ici, sur le porche de l'abbaye, conformément à la tradition.

En retrait, la Talaurina foudroya son patient des yeux. Se méprenant sur ce regard, l'ecclésiastique n'osa pas la braver. Et lorsque l'ex-capitaine passa l'anneau d'argent damasquiné d'or au doigt de la jeune fille émue, il fit un signe de croix sur les deux mains unies en balbutiant une hâtive oraison. Puis, comme s'il avait blasphémé, il s'en fut honteux derrière la rebouteuse qui venait brusquement de tourner les talons. Les deux amants n'en remarquèrent rien : les yeux luisants de larmes, Alice leva la tête vers Jean qui baissait lentement la sienne. Ils s'embrassèrent à l'ombre de l'église, face à l'immensité des collines vert sombre.

Le banquet avait été prévu dans l'ancien chapitre. Des planches sur tréteaux, nappées de draps écrus, accueilleraient les convives. Ces tables étaient disposées le long des trois murs de cet imposant espace à deux nefs et voûtes ogivales. Des bancs les encadraient. Sur le quatrième côté, sur l'estrade de l'abbé, était dressée la table des mariés.

À l'entrée de la salle, Régis et Chandelle se placèrent en sentinelle. Ils observaient attentivement les arrivants, saluant les invités, dissuadant les curieux. Quand arriva le comte de Saint-Capré dans son antique tenue de soie tachée, ils s'écartèrent avec une légère réticence pour le laisser passer, puis bloquèrent l'accès à sa suite, quatre sbires aux visages fermés. L'un d'eux, un costaud aux yeux ternes et à la bouche pincée, écarta sa veste pour montrer un pistolet passé dans sa ceinture. Le visage de Régis s'assombrit et une tension immédiate s'installa. Chandelle retint le bras de son ami. Son visage ravagé manifestait une peur qui fit sourire les arrivants. Moïse, qui, en retrait, saluait les invités, s'avança, alerté.

— Soyez les bienvenus, dit-il d'une voix altérée. Pour mon mariage, je souhaite que chacun puisse participer aux réjouissances.

Un des arrivants, un blondinet bien découplé aux yeux pâles, lui répondit avec une ironie méprisante :

— Une noce campagnarde nous distraira, monsieur... le fonctionnaire au Trésor royal.

Il s'avança avec assurance. Moïse s'écarta prestement pour éviter d'être bousculé. Les trois autres compères de la suite de Saint-Capré le suivirent. Un retardataire, un certain Alfred du Buisson, apprenti tabellion de son état, leur courut après.

La vieille Adèle, Jean, Alice et la Talaurina, mal à l'aise auprès de l'ex-capitaine, occupaient déjà la table d'honneur. Curieusement, à chaque extrémité du plateau étaient placés des fauteuils semblables à ceux des mariés. On installa le comte de Saint-Capré dans le premier. Jean conduisit un homme austère en redingote sombre vers le second. L'assistance dévisageait avec une curiosité vaguement hostile ces deux hommes, manifestement aristocrates. Que venaient-ils faire à cette noce ? Tous deux contemplaient l'assistance. Le premier, tel un Dieu fier de ses créatures, le second avec un regard d'épervier.

Dans la salle, les estropiats veillaient. Au bas de l'estrade, en frac ajusté, Estublat occupait une place lui permettant de tout observer. Dans leurs habits du dimanche, Régis et Chandelle étaient restés à une petite table près de l'entrée. L'un et l'autre gardaient leurs vestes bien fermées. Un observateur attentif eût remarqué qu'ils ne perdaient pas de vue les cinq compagnons de Saint-Capré, installés de biais, non loin d'eux. Ils voisinaient avec un groupe d'hommes qui semblaient attendre. Des musiciens sans doute, et sûrement pas des invités.

L'assemblée se composait de groupes disparates. Certains se demandaient ce qu'ils faisaient là. La plupart n'entretenaient de relations particulières ni avec Moïse Gorget, ni avec ce Charzol dont on se souvenait à peine. Ils se regardaient avec étonnement mais, par ces temps difficiles, un gueuleton bien arrosé était le bienvenu. Des notables de la petite ville : le maire, le curé, le marchand de bois, l'adjudant Chapuis regardaient les autres avec une hautaine bienveillance. Des paysans de tout le canton occupaient le reste des tables. Parmi ceux-ci, presque tous les habitants de La Souchère, mais eux étaient des voisins. Beaucoup épiaient craintivement la Talaurina, se demandant pourquoi elle se tenait à la table des mariés. D'autres jetaient des coups d'œil aussi furtifs qu'haineux aux émigrés, probablement invités par erreur. Personne n'avait voulu s'asseoir à côté des hommes de Berbezit. Dans une belle robe de drap épais que protégeait un tablier blanc immaculé, la mère Puchat circulait à l'intérieur de l'immense table en U, parlant à tous, plaisantant, saluant, souriant. Il fallut toute sa diplomatie pour calmer ce petit monde inquiet, dont les habitants de Largnac avaient défini avec précision les places à table lors d'une véritable veillée d'armes.

Les plats se succédèrent. Mariette et Émilie s'étaient surpassées. Les deux cents invités dévorèrent deux douzaines de lapins, sautés au saindoux. L'énorme cheminée médiévale de la salle rutilait de braises que dominait une foule de poêles grésillantes et de marmites ventrues. Après la population des clapiers, on servit les gigots et les côtelettes d'un petit troupeau de moutons, arrivés tout chaud de la rôtissoire du Coq-Rouge. En entremets, suivirent des œufs mollets au vin rouge, puis des truites de l'Ance, et enfin arriva une montagne de cochonnailles, le tout agrémenté des légumes de l'hiver : lentilles vertes, râpées de pommes de terre, choux blanchis, haricots en grains et flageolets. Des fourmes d'Ambert, des chèvretons de Craponne et des cantals à peau de granit accompagnèrent des salades d'hiver. Dans un coin de la salle, un foudre de vin du Mâconnais fournissait la boisson aux deux cents goinfres présents.

Les vestes tombèrent, les cols s'ouvrirent, les visages virèrent au rubicond. Pourtant, certains mangeaient peu et buvaient moins encore. Ainsi Jean Charzol, la Talaurina, les estropiats de Largnac et l'aristo inconnu, en bout de table d'honneur. Les hommes installés à proximité de Chandelle et de Régis, eux aussi, restaient sobres. À l'inverse, plusieurs paysans en proie à une étrange colère buvaient comme des trous. Leurs regards fusillaient les compagnons de Saint-Capré, et leur haine augmentait avec l'ivresse. Une tension s'installa qui, progressivement, calma enthousiasmes et appétits.

Les vielleux, nouvellement arrivés dans la salle, jetaient des regards inquiets au maître de cérémonie. Devaient-ils commencer à jouer ? Jean leur fit signe d'attendre et son regard croisa celui de Mariette, l'aubergiste, qui leur servit des petits verres de gnôle. Avant l'arrivée des deux douzaines de tartes et d'autant de compotiers de sucreries débutait la pause d'un trou normand. On y servit généreusement non pas du calvados, mais du marc. L'austère Velay n'était pas si loin de la vallée du Rhône, et des marchands de vins, gourmands et zélés, y faisaient régulièrement monter des charrois de tonneaux.

Ainsi que l'avaient prévu les compagnons de Largnac, le marc acheva de lever les inhibitions des victimes invitées, et, ainsi qu'ils l'avaient souhaité, la mise en cause des Ombres surgit de l'assistance : un des spoliés se leva soudain et brailla :

— La sorcière, qu'est-ce qu'elle fait là ? Elle est dans cette fête comme un ver dans une pomme, un charançon dans les lentilles, la gangrène dans un membre.

— Que lui reproches-tu, Jacques Coutance ? demanda Jean Charzol d'une voix puissante.

Les dernières conversations s'arrêtèrent net.

— Elle a prédit des malheurs, elle a empoisonné du bétail. C'est le diable, cette femme, elle a corrompu le pays !

— C'est vrai. Qu'on la jette dehors !

— Qu'on la chasse du pays !

— Un corniaud qui mord : pan ! Un bon coup de fusil. Cette chienne ne mérite pas mieux.

Les quolibets se poursuivirent. De plus en plus angoissée, la rebouteuse jetait des regards de bête traquée tout autour d'elle. Jean posa une main ferme sur son bras et lui parla à l'oreille. Elle devint blême, parut se tasser, regarda Régis que lui désignait Charzol. La dévisageant, l'homme sombre ouvrit lentement sa veste et lui dévoila la crosse d'une arme à feu. Terrifiée, elle se retourna vers son voisin qui lui jeta un sourire carnassier avant de la lâcher.

Une voix tonnante surprit alors toute l'assemblée, celle d'Estublat.

— Et tous ceux qu'elle a soignés, hein ! À combien d'entre vous a-t-elle remis un membre, soigné une entorse, supprimé les douleurs, réparé le dos ?

Jean sourit en coin. Gaston intervenait comme prévu et la phrase attendue allait surgir de l'assistance. Elle le surprit cependant.

— Elle est là, qu'elle s'explique !

Blafarde, la Talaurina se leva. Elle tremblait. La rumeur du banquet se calma, les visages se figèrent. L'assistance, ébahie, contemplait cette femme à la majesté inquiétante. Sa tignasse rousse lui dévorait le visage. Les cernes de ses yeux creusaient son regard sombre. Le silence se fit. Elle parla dans un calme tel que tous entendirent sa voix pourtant voilée par la terreur.

— J'ai médit, c'est vrai.

Un brouhaha éclata pour cesser aussitôt. On attendait la suite.

— J'agissais sur ordre, craignant pour ma vie.

De nouveau, elle se tut. La tension montait dans la salle.

— Un homme m'accusait de toutes les infamies. Un homme terrible surgi de mon passé. Il voulait acheter des terres, mais sans posséder l'argent nécessaire. Alors, il terrorisait les gens et je l'aidais. Il était capable de tout. Il a pendu le « Gu », et deux autres aussi. Il a incendié la ferme de Barlière en empêchant les habitants de sortir. Le Luc Vivandier, sa femme et leurs deux petits ont été brûlés vifs. Tout ça parce qu'ils refusaient de vendre. Vous le savez tous. Et vous avez tous peur. Moi, j'étais terrorisée. Il m'avait menacée de mort, moi et ma fille. Cet homme, il est ici.

Jean observa les hommes de Saint-Capré, semblables à des loups acculés. D'un ultime coup d'œil, il vérifia son dispositif. Les estropiats, eux aussi, étaient prêts à tout.

— Qui est-ce ? hurla une femme.

Les cris de la foule reprirent la question. Debout sur l'estrade, saisie d'une violente fièvre, la Talaurina tremblait. Compatissante, sa fille lui prit la main, et alors la rebouteuse eut le courage d'accuser.

— Le comte ! C'est le comte ! dit-elle d'une voix affolée. Il cherche à voler toutes les terres du pays pour retrouver la puissance de l'ancien temps.

Des hommes se levèrent et des poings se tendirent en direction de Saint-Capré qui, avec un geste élégant, s'exclama :

— Voyons, braves gens, je suis votre suzerain. Vous le savez bien !

Il battait des paupières en s'éventant d'un fin mouchoir à la dentelle déchirée.

« Hypocrite ! Voleur ! Rend-nous nos terres ! », hurlaient les paysans spoliés que Jean avait délibérément invités. Certains se dressèrent, échauffés par le vin, empoignant leurs couteaux toujours aiguisés pour couper un bâton, le cou d'un poulet ou un bout de ficelle. Mais ce n'était pas un morceau de pain pour accompagner leur fromage qu'ils s'apprêtaient à trancher...

Jean se leva.

— Calmez-vous ! Il ne s'agit pas de notre ami Saint-Capré, brailla-t-il. Laissons-le dans son rêve. Il est inoffensif.

Il se tourna vers l'oratrice qui, la gorge nouée, s'était tue.

— Marie Ollia, précise ton accusation, dit-il d'un ton de commandement.

L'assistance s'immobilisa, attendant la réponse de la rebouteuse. Bras tendu, elle désigna l'homme blond au regard dur qui avait forcé l'entrée de la salle.

— C'est lui, le comte de Régnier, le fils du seigneur de Saint-Maurice de Roche qui affamait ses paysans. Ils ont brûlé son château en 1793.

Jean observa cet homme aux yeux trop clairs, qui s'était dressé d'un bond. Il connaissait de vue les quatre sbires de Berbezit, surnommés « les Ombres » par Alice, mais sans avoir réalisé jusqu'alors que leur chef était ce cocher hargneux qui l'avait maltraité le lendemain de son retour, deux mois et demi auparavant. Une éternité.

— Cette femme est une putain ! éructa l'homme d'un ton tranchant. Elle a assassiné mon père et porte à l'épaule la marque de son infamie, la flétrissure, la marque au fer rouge des prostituées meurtrières !

En trois bonds, Régnier atteignit la Talaurina. Avec un sourire de mépris, il déchira brutalement la robe de la rebouteuse, révélant sa brûlure au fer rouge, puis s'écarta pour bien montrer le signe d'infamie.

Régis avait plongé la main dans sa veste. Chandelle l'avait retenu. C'était trop tôt ou trop tard. Jean soupira : l'ennemi se révélait. Il avait besoin de sa révolte et espérait ses erreurs. Jusque-là tout se déroulait comme prévu. Alice, livide, lui serrait le bras à le meurtrir. Une voix de poissarde fit tourner toutes les têtes :

— Elle avait quatorze ans et le comte de Régnier, tortionnaire des paysans, la violait régulièrement depuis trois ans ! La véritable putain était la mère de ce voyou qui vous vole vos terres et a brûlé ma taverne. Elle a corrompu, puis épousé le commissaire de la République du quartier de la Guillotière, à Lyon, et ainsi fait condamner la gamine.

— D'où sors-tu ça, mégère ? glapit Régnier.

— J'assistais au procès !

Une rumeur stupéfaite parcourut l'assistance.

— Mais la flétrissure, quand même ! s'exclama un notable.

Le maire et le curé, ainsi que les bourgeois invités pour servir de témoins, opinèrent.

— Une façon d'écraser les filles dans le malheur et de les jeter à la rue ! rugit la mère Puchat.

En bout de table des mariés, impassible, l'aristocrate en redingote austère attendait. Il regarda Jean, qui lui fit un petit signe. Émilie Puchat continuait :

— La flétrissure, oui. Regardez !

Elle dénuda sa propre épaule. Deux brûlures superposées de la taille d'une petite pomme y représentaient l'une une fleur de lys, l'autre un T pour travaux forcés.

— Et vous savez pourquoi on m'a condamnée, moi ? poursuivit-elle. Parce que j'ai giflé un prince du sang qui m'avait mis la main au cul !

Un énorme éclat de rire secoua l'assistance.

— Je lui ai cassé le nez et ne l'ai jamais regretté !

L'hilarité, contrecoup du drame, redoubla. L'œil pétillant, satisfaite de tenir son auditoire, l'oratrice poursuivit :

— Ne riez pas ! C'était cher payé pour rester maîtresse de son corps. C'est terrible, la flétrissure. Sur un réchaud brûlait du charbon. Le bourreau y a mis des fers à rougir. On m'a exposée à la foule et attachée à un poteau. Sur un écriteau, autour de mon cou, était écrit « putain criminelle ». Au bout de trois quarts d'heure, le bourreau, un salopard que la Convention a fait guillotiner, m'a brûlée par deux fois. C'était en 1780, il y a trente-six ans. J'en avais vingt-trois. Voilà. Cette flétrissure est le prix de notre liberté de femmes. J'en suis fière, et la Talaurina aussi !

Les paysans applaudirent. Inquiet, Jean regarda son invité qui hochait la tête.

Régnier attendit le silence et se redressa. Il se trouvait à deux pas à peine de la table des mariés.

— On insulte la noblesse ! beugla-t-il. C'est insupportable ! Je saisirai les autorités !

Jean se dressa comme un diable. Il était temps d'intervenir.

— Je puis vous assurer que les autorités sont prêtes à vous entendre.

— Et vous, Charzol, s'emporta l'ancien émigré, vous allez me rendre *mes* papiers. Vous les avez dérobés chez le notaire. Je sais que vous les possédez. Cette putain, la Talaurina, me l'a confirmé. Non contente d'avoir assassiné mon père, cette salope trahit tout le monde, vous comme moi, Charzol. Qu'elle soit exécutée !

Il fit un geste. Son compagnon, le colosse aux yeux neutres, se dressa en brandissant un pistolet. Calmement, il visa la femme. Les convives se figèrent. Il n'allait pas, il ne pouvait pas tirer !

La détonation surprit toute l'assemblée. La brute baissa le bras et lâcha son pistolet. Une tache pourpre s'élargissait au milieu de son front. Il oscilla avant de s'abattre comme un arbre. Les visages se tournèrent vers l'angle opposé de la salle. Un homme sombre, un estropiat de l'Empire nommé Régis Pléchin, natif du hameau de Combomas, baissait lentement son arme encore fumante.

Régnier ne tourna même pas la tête vers son compagnon mort.

— J'attends mes papiers, dit-il d'une voix dure. Ensuite, je partirai. Je ne veux plus vous voir, ni entendre ces imbéciles.

Ivre de rage, il désignait l'assistance.

— Certains de ces imbéciles, répondit l'ex-capitaine, sont là à ma demande pour entendre vérité et réclamer justice. Car de mon côté, monsieur, je vous accuse de vol et d'extorsion de signatures. Par la terreur, vous avez contraint quatorze paysans, dont douze ici présents, à vous vendre à vil prix des terres que vous n'avez même pas payées. Messieurs, mesdames, montrez-vous !

Douze hommes se dressèrent aussitôt, suivis de leurs femmes. Plusieurs avaient bu et leurs larges et rudes mains trituraient leurs couteaux. Les trois derniers compagnons de l'émigré restaient figés, presque minéraux.

Debout, cambré et imposant, Régnier eut un sourire méprisant.

— Ils ont signé. Ils ont vendu. Allons, donnez-moi ces papiers et peut-être survivrez-vous ! Si vous ne les possédez pas, votre voisine, cette sorcière, aura menti une fois encore.

— Vous parlez sans doute de ceci ? demanda Jean en tirant une liasse de documents d'un portefeuille en cuir que lui tendait Alice.

Il commença à lire un acte de vente, poursuivit avec un autre, puis un troisième. Des suivants, il ne cita que l'acquéreur, un certain Alexandre de Saint-Capré, et les noms des vendeurs : tous les paysans dépouillés.

Saint-Capré souriait en écoutant la liste de « ses biens » nouvellement acquis.

— Mon domaine s'agrandit, pérora-t-il avec satisfaction.

— Pas vraiment, cher ami, railla Jean. Voici d'ailleurs une délégation de signature de votre main au sieur de Régnier, ainsi qu'un testament par lequel vous faites de lui votre légataire universel. De quoi mettre votre vie en danger, je le crains.

Saint-Capré prit l'air étonné.

— Pensez-vous ? C'est incroyable.

Il piqua calmement sa fourchette dans son assiette et grignota un morceau de viande. Arpentant l'estrade, Jean s'approcha de Régnier, concentré et sombre. Remarquant Jean à proximité, l'émigré lui arracha la liasse et la jeta dans la grande cheminée. Les documents s'embrasèrent.

Jean sourit avec méchanceté.

— Vous me coûtez cinq francs, mon cher Régnier, le prix de ces copies certifiées conformes. Les originaux sont en lieu sûr.

— Croyez-vous ? Je vous somme de me remettre ces papiers, originaux et copies, sinon je me verrai dans l'obligation de vous les faire prendre par la force.

— Je crains que vous n'en n'ayez pas les moyens. Vos deux sbires, si brutaux soient-ils, ne sauraient y parvenir, même avec l'aide du clerc du Buisson.

— Je ne pensais pas à eux. Vous allez voir !

Il fouilla sa poche en sortit un sifflet d'argent dont la stridence déchira l'air.

L'air triomphant, il attendit. Jean Charzol regarda son hôte, sur la gauche. Celui-ci lui sourit brièvement avant de se tourner vers Régnier, l'air interrogatif. Une longue minute s'égrena dans un silence total.

— Mon cher Régnier, dit enfin Jean, les autorités judiciaires ont fait savoir avec fermeté à votre petit cousin le sieur de Bellevue que ses exactions et chevauchées devenaient inopportunes. Et singulièrement celle que vous aviez prévue aujourd'hui à La Chaise-Dieu. Il en est convenu. Inutile par conséquent de compter sur vos amis Verdets.

Régnier pâlit. Cherchant une ultime protection, il se rapprocha de ses compagnons.

— Puisque vous voilà devenu raisonnable, monsieur de Régnier, je vais me permettre de lire à l'assistance un très remarquable document.

Charzol sortit un papier de sa poche et le déplia solennellement. Il s'éclaircit la voix et commença :

— « Je soussigné Louis Montchovet, notaire à La Chaise-Dieu, atteste par la présente avoir reçu des menaces de mort de la part du sieur de Régnier pour lui avoir reproché de contraindre par la menace et la violence des propriétaires du canton à vendre leurs biens à un prix dérisoire. »

Suivait un inventaire détaillé des ventes. Le notaire poursuivait : « Aucune de ces ventes n'est valable à ce jour. Outre que le sieur de Saint-Capré est un "incapable majeur"... »

— « Incapable » est désobligeant, pérora l'intéressé, mais « majeur » compense.

Jean le regarda les yeux écarquillés, puis se tourna vers le marié, qui opina : ce terme avait un sens juridique précis. Il reprit sa lecture :

— « Outre que le prix inférieur au quart de la valeur d'un bien constitue une "rescision pour lésion", ce qui est, en soi, une seconde cause de nullité, la procédure et le droit permettent des chausse-trappes telles que non-enregistrement, absence de délégation de signatures, erreur sur la chose, *et cetera*. Face à l'escroquerie, j'ai tourné le droit au profit de l'équité. Suis-je en faute professionnelle ? Peu m'importe. La vérité éclaterait immédiatement si l'acquéreur indélicat avait la naïveté de m'attaquer en justice. J'y suis prêt. Le vieil homme que je suis peu prendre quelques risques pour préserver son intégrité morale et garantir l'équité et la justice à ses clients. »

— Cette confession est dûment signée et datée. Je rappelle qu'il s'agit là encore d'une « copie certifiée conforme ».

Il marqua une pause, puis reprit :

— Monsieur de Régnier, vous connaissiez l'existence de ces documents par votre complice du Buisson, placé par vos soins chez Louis Montchovet. Mais voilà, il ne les a pas trouvés en fouillant l'étude lors de l'absence de son patron pour Noël. Moi, si.

Le regard fulgurant, le bandit se tourna vers le chétif Alfred. Il le gifla avec une telle violence qu'il se retrouva au sol.

— Crétin ! tonna-t-il.

L'autre se releva, rouge comme un coq et se tenant la joue.

— C'est fini, cette petite récréation ? ironisa Jean Charzol. Je peux continuer ? Les papiers étant introuvables chez le notaire, mon cher Régnier, vos complices et vous en avez conclu que Me Montchovet les gardait sur lui. Pour mettre la main dessus, vous avez dressé l'embuscade où il a laissé la vie. Meurtre inutile. Le notaire, mon ami, était trop malin pour vous. Avant de mourir, il a eu la force de me révéler le secret de sa cachette.

— Le notaire a eu un accident sur la route verglacée ! s'écria Régnier.

— Comme le « Gu », que vous avez pendu. Comme la famille Vivandier, brûlée par vos soins ! Au vol des paysans, vous avez ajouté l'assassinat.

— Vous n'avez aucune preuve !

— Pour le « Gu », aucune. Au hameau de la Barlière, nous avons la certitude d'un incendie volontaire. La mort du « Grand Luc » et des siens n'était sans doute pas prévue. N'empêche qu'ils ont grillé vifs ! Concernant le notaire, nous avons tout ce qu'il faut. Je vais raconter comment vous avez procédé... Oh ! pas à votre attention, vous savez pertinemment ce que vous avez fait, mais pour l'assistance, qui doit être informée. Après Clersanges, en direction de Saint-Pal-de-Senouire, il y a un mauvais virage, brutal et défoncé. Avec son cabriolet léger et sa petite jument vive, le notaire allait vite. Tout le monde le savait. C'est là que vos hommes et vous l'avez attendu. Je suis arrivé sur place une grande heure après l'accident. J'ai vu de drôles de traces dans la neige, comme des éventails de chaque côté de la route. Je n'ai pas compris immédiatement ce dont il s'agissait. Il y avait plus urgent. Me Montchovet était blessé. J'étais inquiet pour lui. Cet homme et moi avions parlé, il m'avait traité comme un fils. Il voulait que je l'aide à lutter contre vos usurpations. Sa lutte, il l'a payée de sa vie, mais maintenant je vous tiens. Comment vous l'avez tué ? Rien de plus simple : en tendant une corde en travers de la route à l'instant où il arrivait au grand galop. J'ai retrouvé la barre de fer que vous aviez plantée en face d'un piquet de clôture pour pouvoir la tendre. Dissimulée sous la neige, elle était invisible, cette corde. Vous et vos hommes avez tiré dessus au dernier moment, et la voiture a basculé. Montchovet s'est fracassé la tête sur la glace. Vous n'avez pas eu de chance, Régnier. Avant même que vous n'ayez pu fouiller le cabriolet renversé, une voiture est apparue au bout de la route. Vous avez en hâte rejoint votre carrosse caché dans le chemin creux, sur la gauche, et vous avez filé. Après la mort du notaire, mon ami Estublat et moi, avant de rentrer, avons inspecté les lieux. Les traces de votre carrosse étaient bien visibles dans la neige : quatre roues, les deux grandes plus larges que celles des gros tombereaux.

— Foutaises, gronda Régnier en retroussant ses babines comme un chien.

— Tel est pourtant le résultat de notre enquête. Ça pourrait sembler insuffisant à un jury d'assises, mais pour votre malheur, il y avait un témoin. Il est ici présent.

Jean descendit dans la salle. On aurait entendu une mouche voler. Il s'approcha d'une vieille décatie qui, depuis le début du banquet, mâchait opiniâtrement des petits morceaux de gigot sur ses gencives édentées.

— *Adiucha*, lui dit Jean. Comment va mon amie Armande ?

— *Adiu*, capitaine Charzol, répondit-elle.

— Vous vous souvenez de moi ?

— J'suis p't'êt vieille, gamin, mais j'ai toujours bonne tête.

Jean lui prit la main et la conduisit jusqu'à l'estrade, devant le mystérieux aristocrate qu'il avait invité.

— Madame Fayard, vous habitez bien une petite maison à la sortie de Connangles, en allant vers Saint-Pal et Allègre ?

Elle acquiesça.

— C'est là que le cabriolet de Me Montchovet, notaire à La Chaise-Dieu, a versé, poursuivit-il.

— *Beauseigne !* Il s'est cassé la tête en tombant de sa voiture.

— Juste après la Noël, tôt le matin, la circulation était calme. Que s'est-il passé ?

— J'étais levée et je réveillais les braises quand j'ai entendu du bruit au-dehors. Un cheval hennissait à fendre l'âme. J'ai entrebâillé ma porte, juste pour voir.

Elle se tut puis regarda l'assemblée, heureuse de la sentir haletante.

— Qu'avez-vous vu ?

— Ben, le char à deux roues avait versé et la jument gueulait. Prise dans ses harnais, elle n'pouvait pas se r'lever. Le Montchovet, à plat ventre dans la neige, ne bougeait plus. J'allais sortir quand les autres se sont précipités pour fouiller la voiture renversée. J'savais pas quoi faire, mais le Bufflon s'est pointé. Vous savez bien, le grand couillon qu'est maire de La Chaise-Dieu.

Ledit maire, présent, s'agita en vain. La vieille Armande poursuivit :

— Dès qu'ils ont vu son char à bancs, au bout de la route, les autres ont foutu le camp. J'avais froid, je suis rentrée prendre mon bol de soupe.

— Vous venez de dire : « Les autres ont foutu le camp. » Qui étaient donc « ces autres » ?

— Ben, les malfaisants qui avaient tendu la corde pour que l'autre y s'casse la gueule !

— Ils étaient combien ?

— Quatre, planqués derrière le buisson.

— Des paysans ? demanda Estublat.

— Des *moussus*. Des mauvais de la ville, d'Allègre ou même du Puy. Je les ai bien observés.

— Et vous avez bonne vue ?

— Pour tirer l'aiguille, c'est plus ça. Mais de loin, ça va.

— Ils sont partis à pied ?

— Pensez donc ! Ils avaient leur char. Il était arrêté dans le chemin creux, un peu plus bas que chez moi, pour qu'on l'voie pas de la route. Trois des hommes ont grimpé dedans. Le quatrième a sauté sur le siège du cocher et fouetté ses bêtes, qui ont démarré aussitôt.

— Ce char, comment était-il ?

— C'était un genre de petite diligence, un vieux machin comme du temps des nobles. Même qu'elle était attelée de deux *cargnes* toutes maigres. Sûrement ces chevaux du diantre dont tout le monde parlait.

— Vous pensez que le diable a ordonné l'attaque du notaire ?

— Oh ! y s'passe de drôles de choses par ici. La preuve ! Tendre une corde devant les pieds d'un cheval au galop ! J'avais jamais vu ça, et pourtant, pensez donc ! Je suis née le jour des vingt ans de Louis le Bien-Aimé !

— Et vous n'avez rien dit de tout ça ! Aux gendarmes, par exemple ? s'enquit Jean.

— Ah, sûrement pas ! J'leur cause pas, à ceux-là. Sont bons qu'à faire des misères aux pauv' gens.

L'adjudant Chapuis leva les yeux au ciel. Implacable, Charzol poursuivit son interrogatoire :

— Madame Fayard, ces hommes, ceux qui ont tendu la corde, vous les reconnaîtriez ?

— Pour sûr ! Je les ai bien vus.

— Alors, regardez à votre gauche.

— C'est eux : çui-là, çui-là, çui-là.

Elle désigna deux des compagnons de Régnier et l'émigré lui-même.

— L'autre aussi, là, par terre, poursuivit la vieille, *çui* qu'a si bellement occis le Régis Pléchin.

Jean se tourna vers l'aristocrate austère.

— C'est tout, monsieur le procureur, conclut-il.

Pierre de Montigny, chevalier de l'ancienne noblesse, émigré revenu en 1804, colonel et baron d'Empire devenu magistrat, se racla la gorge, le regard fixé sur Régnier accablé.

21

Duel

Il n'eut même pas le temps de parler. L'abattement de l'émigré n'était qu'une feinte. Déjà un de ses sbires lui tendait un sabre, tandis que l'autre fouillait son habit. Ils ne firent pas un geste de plus : les policiers amenés par Montigny, ces hommes silencieux qui avaient attendu discrètement près de Chandelle et de Régis, braquaient sur eux des pistolets chargés. L'un des hommes du procureur visa Régnier. Montigny fit un geste de dénégation. Il baissa son arme, et l'émigré, la lame en avant, avança tranquillement vers Jean Charzol.

Estublat veillait. Il sortit de sous sa table sa belle lame ouvragée et la lança. Jean la saisit au vol. Un rituel béni, en la circonstance. Régis, son arme rechargée, la leva. Un policier la lui abaissa. Du coin de l'œil, Jean vit la scène. Que manigançait donc l'ancien colonel ? Il n'eut guère le temps de s'inquiéter. Déjà, il devait parer un coup de pointe.

Face à face, dans l'espace dégagé par les tables en U, les deux hommes s'affrontaient en duel. Régnier attaquait vivement, avec des coups précis. Jean recula. Il n'était pas inquiet, mais songea cependant qu'il pouvait très bien mourir. À l'évidence, son adversaire le surclassait. Même mort, il aurait gagné : les Ombres étaient anéanties, la terreur terminée. Son sourire en coin fit enrager son adversaire, qui se fendit. Jean para d'extrême justesse une botte perfide et recula une nouvelle fois pour se retrouver bloqué par l'estrade. Régnier eut alors un rictus de loup, jouissant de l'instant précédant l'estocade. Il porta son attaque. Charzol bondit en arrière, heurta la table des mariés qui vacilla. Les convives s'en écartèrent précipitamment et un coup de taille en parade provoqua un vif recul de l'émigré.

Alice, qui se mordait les poings, fusilla du regard sa mère qui souriait.

— Jean, à moi !

La voix d'Estublat claquant dans son dos, Régnier s'écarta, prêt à affronter deux adversaires. Il vit un escogriffe au large sourire saisir au vol le sabre lancé par Jean Charzol, et aussitôt porter un coup oblique qui le toucha au bras gauche. Un grognement découvrit ses dents. Il se dégagea d'un saut en agitant le bras. Une blessure bénigne. À son grand étonnement, son adversaire ne fonça pas sur lui. Il avançait à petits pas pour conserver une assiette solide. Régnier comprit : mobilité réduite. L'unijambiste. Il connaissait ses ennemis. Sa confiance revint. Il virevolta autour de son adversaire qui parait avec aisance mais se déplaçait de plus en plus difficilement. Il allait le fendre en deux. Multipliant les attaques, il s'approchait de plus en plus près. Trop près ! Avançant d'un pas alerte, Gaston eut un geste d'une extrême rapidité. Sa lame fila telle une vipère qui mord, noua le sabre de son adversaire, qui s'envola. Un nouveau pas, et le tranchant de l'ancien duelliste s'appuyait sur la gorge de Régnier. Un geste fauchant d'une fraction de seconde eût suffi à l'égorger.

— Tue-moi, dit-il. J'ai le droit de mourir dans l'honneur.

Son visage angoissé s'efforçait à la morgue.

— La fin d'un assassin, c'est la guillotine, répondit Estublat.

Le vaincu tressaillit. Déjà deux policiers l'approchaient. L'un d'eux dépliait des poucettes pour lui entraver les mains. L'émigré jeta vers ses hommes un regard traqué : ils étaient déjà enchaînés. Sur l'estrade, Saint-Capré, qui s'éventait de son mouchoir de dentelle, s'écria :

— Sapristi ! Que se passe-t-il donc ?

Gaston baissa sa lame. Trop tôt. Avant que les hommes de Montigny n'aient pu l'agripper, Régnier bondit par-dessus une table. Des chaises basculèrent, jetant à terre des paysans attablés. Dans la confusion, le bandit saisit une fillette et la plaqua contre lui comme un bouclier, avant de foncer en direction de la porte.

— Capitaine Jeannot ! hurla la petite.

Déjà le bandit atteignait la sortie. Les mains crispées sur leurs pistolets, les policiers le laissèrent passer pour épargner l'enfant.

Dehors, l'homme fonça vers la berline des mariés, attelée des grands chevaux de Largnac. Le voyant arriver furieux et ensanglanté, ceux-ci se cabrèrent. Régnier s'écarta, évitant de justesse leurs énormes sabots, il se rua vers un cheval sellé. Un coup de feu : devant ses pieds jaillit une gerbe de terre. Régis tirait juste, et le fuyard volta. Plus de monture disponible et derrière lui, déjà, des hommes en colère jaillissaient du bâtiment conventuel. Les bois se trouvaient à cinq cents mètres. Sans lâcher la petite, Régnier se précipita dans cette direction.

La clarté baissait avec le soir. À la poursuite du fugitif, couraient à la fois les policiers, le procureur à leur tête, et les paysans spoliés, la haine dans les yeux et la lame à la main. Les estropiats attendaient Jean.

— Coupez-lui la route de Largnac. Si on ne le rattrape pas, c'est là qu'il ira pour se venger.

Chandelle tendit son pistolet à Jean :

— Quand comprendras-tu, capitaine, qu'avec de tels gens, il faut sortir armé ?

Jean eut une grimace de dérision, mais aussi de douleur. Anna. Le danger encouru par la petite l'obsédait. Il s'apprêtait à la traque lorsque la main d'Alice l'arrêta.

— Non, dit-elle, viens. Je sais où le surprendre.

La Belette les rejoignit, et Jean lui saisit le bras.

— Par ici. Alice connaît chaque arbre, on va le coincer.

— Il est parti tout droit et il va tomber sur l'étang du Breuil, dit-elle. Il suivra la berge vers la droite pour ne pas revenir sur ses pas. On l'attendra derrière la pièce d'eau. On y sera avant lui.

En quelques minutes, ils avaient atteint leur but. Leur avance était minime. La forêt bruissait sous les pas précipités du fuyard et de ses poursuivants. Jailli devant eux, Régnier s'arrêta face au pistolet chargé de Jean.

— Tire, Charzol ! Tire ! hurla-t-il.

Il serrait le cou de la fillette qui suffoquait. La Belette allait se jeter sur lui, quand une masse sombre le bouscula. Le bandit roula au sol, lâchant la petite. Jean la rattrapa, la remit à Anguier, qui se relevait.

Dans les bras de son père, la petite Anna, enfin, se mit à pleurer.

Le loup d'Alice serrait sa terrible mâchoire sur la gorge de Régnier. Son larynx craqua. Face à ce cruel spectacle, Jean et la jeune femme semblaient tétanisés. Montigny arriva, essoufflé. L'un de ses hommes saisit une patte du fauve, cherchant à l'écarter.

— Laissez, dit sèchement le magistrat.

Surgissant en nombre croissant, les paysans contemplèrent sans remords l'agonie de l'émigré. La peur qu'il avait inspirée restait trop vivace, trop présente. Tous voulaient sa mort. La Belette serrait sa fille contre lui, lui masquant le carnage. Alice vengeait sa mère. Le loup se vengeait seul. Troublé, Jean obéissait à son ancien chef malgré sa confiance ébranlée.

— Pourquoi ? lui demanda-t-il.

— Un émigré égorgé par un loup, un soir d'hiver, c'est un tragique accident. Un émigré assassin multiple, c'est une affaire politique inopportune. J'emmène ses séides. Ils seront jugés pour l'assassinat du notaire. Je compte sur vous pour faire témoigner la vieille Armande. Quant à ces ventes forcées, vous les ferez casser en justice. Je surveillerai l'affaire afin d'éviter qu'elle ne s'enlise. De toute façon, les vices du consentement sont patents. Vos paysans retrouveront leurs biens. Allez faire la fête maintenant, votre traquenard l'a mise à mal. Il convient de vous rattraper. À bientôt, capitaine Charzol.

— Capitaine Jeannot, corrigea Anna, qui se mit à rire.

Épilogue

Jean, qui travaillait dehors, leva les yeux. Une frêle silhouette apparut au fond du pré et monta vers lui. Anna. Jean sourit et se remit à scier son bois, la guettant du coin de l'œil.

— *Adiu,* Anna, *comé vaï* ? Qu'est-ce qui t'amène, jeune fille ?

— Papa. La Belette, je veux dire. Il m'a dit de venir chercher sa pipe.

Table

REMERCIEMENTS

L'auteur tient à exprimer sa gratitude à Alain et Josiane Adouane, Thierry Baranger, Cécile et Denis Callipel, Philippe et Sophie Clerc, Lev Forster, Alice et Anouar Hassoune, Denis Le Brizault, Bruno et Conchita de Maximy, Sylvie Predriolle, Jacques et Claire Roman, Didier et Zoé Roques, Alain et Évelyne Val.

DU MÊME AUTEUR
CHEZ LE MÊME ÉDITEUR

Le Bâtard du bois noir

« Il m'a battu trop fort. Alors je m'en vais. J'reviendrai jamais ! » C'est dur, à cinq ans, d'être le fils bâtard d'une souillon de ferme. 1900, ça n'était pas les Années folles pour les paysans du Haut Velay...
Quand éclate la Grande Guerre, la ferme du bois noir devient un refuge pour Marius, un homme maintenant, mais que l'on continue à surnommer « lou Bastardou ». Devenu lieutenant, il revient au pays le temps d'une courte permission. Durci par la vie au front, il est prêt à affronter son histoire. Retrouvailles gâchées lorsqu'il montre à sa mère la photo de Johannes, un bagnard de Cayenne placé sous son commandement.
Les obus, en creusant des tombes, mettent parfois au jour des secrets de famille. L'armistice est signé. Mais Marius devra encore livrer d'autres batailles avant de trouver sa paix...

ISBN 978-2-8098-0058-6 / H 50-5593-4 / 264 pages / 18,50 €

Cet ouvrage a été composé
par Nord Compo

Impression réalisée par

La Flèche
en août 2009

pour le compte des Éditions de l'Archipel
département éditorial
de la S.A.S. Écriture-Communication

Imprimé en France
N° d'impression : 54094
Dépôt légal : juin 2009